Le tueur de minuit

JAMES SWAIN

Traduction de l'anglais (américain)
par Carole Delporte

City

Pour Andy Vita

Publié aux États-Unis sous le titre *Midnight Rambler*
par Ballantine Books, une division de Random House
Publishing Group
Couverture : Studio City / Shutterstock

ISBN : 978-2-35288-737-9
Code Hachette : 50 8700 2
Rayon : Thriller
Collection dirigée par Christian English & Frédéric Thibaud

Catalogue et manuscrits : www.city-editions.com

Dépôt légal : deuxième trimestre 2011
Imprimé en France par France Quercy - Mercuès - N° 11330/

Sois juste..., sois miséricordieux...
et marche humblement avec ton Dieu.

Livre de Michée, 6:8

Première partie

Miséricorde

1

La sonnerie de mon téléphone portable m'arracha à mon profond sommeil.

Je ne recevais guère d'appels. En particulier au milieu de la nuit. Les yeux écarquillés, je fixai l'obscurité de ma chambre de location. Au-dessus de ma tête flottaient les visages souriants de ma femme et ma fille. Des images de mon passé, qui me submergeaient de tristesse. Je levai le bras pour tenter de les atteindre, mais elles s'évanouirent aussitôt. Sur la table de nuit, mon portable sonnait toujours. Je m'en emparai et consultai l'écran. Le numéro de mon correspondant commençait par 305, l'indicatif de la ville du comté de Dade, à Miami. Les seules personnes que je connaissais là-bas étaient des flics. Je décidai de répondre.

— Carpenter à l'appareil.

— Jack, c'est Tommy Gonzalez. Désolé de te réveiller.

— Quelle heure est-il ?

— Six heures du matin. Je suis dans le pétrin, Jack, sinon je ne t'aurais pas appelé.

Tommy dirigeait la division des personnes disparues du Département de la police de Miami-Dade et avait fait ses classes sous ma responsabilité lors de son passage à Broward. Bien qu'il n'eût que quelques années de moins que moi, je le considérais encore comme un gamin.

— Je t'écoute.

— On a perdu un nouveau-né au Mercy Hospital ce matin.

Une violente douleur me vrilla la poitrine, tel un coup de poignard.

— Enlèvement ?

— On dirait, oui. J'ai besoin de ton aide. Tu es disponible ?

— Je dois témoigner demain dans un procès pour meurtre et je suis censé passer la journée à préparer mon intervention.

— C'est à propos du Tueur de minuit ? demanda Tommy.

Nouveau coup de poignard, en plein cœur cette fois. Le Tueur de minuit avait été ma dernière affaire en tant que policier, une affaire qui avait ruiné à la fois ma carrière et ma vie personnelle. Chaque jour, je me réveillais en me demandant si j'échapperais jamais à ces ténèbres.

— Non, c'est pour une autre affaire de meurtre. Je peux passer te voir, mais je ne peux pas rester toute la journée.

— Fantastique. Quels sont tes tarifs en ce moment ?

A présent parfaitement réveillé, je m'adossai au mur frais sous ma peau nue. Mon loyer était de deux cents dollars par semaine et j'étais à sec.

— Quatre cent cinquante dollars.

— Comment en es-tu arrivé là, Jack ?

— Pas le choix. Maintenant, raconte-moi ce qui s'est passé.

— Le bébé est né hier et s'appelle Isabella Marie Vasquez. Les parents sont un couple d'architectes renommés. Ils ont construit ces gratte-ciel à la mode dans le centre-ville qui ressemblent à des jouets géants. Isabella a été nourrie à 4 heures du matin et n'était pas dans son berceau quand l'infirmière est revenue la voir quinze minutes plus tard pour vérifier que tout allait bien. Aucun autre nouveau-né de l'aile de la maternité n'a été touché. J'ai mis ma meilleure enquêtrice sur le coup. Elle a passé le service au peigne fin et interrogé tout le personnel, infirmières, médecins, agents d'entretien. Personne n'a rien vu, rien entendu.

— Tu penses que ça vient de l'intérieur ?

— Je ne sais pas quoi penser, répondit Tommy d'un air exaspéré. Mercy est l'un des meilleurs hôpitaux de la Floride du Sud. J'y vais tous les ans avec un groupe du CNEDE et on apprend au personnel et aux administrateurs à se prémunir contre les risques d'enlèvement. Sur le chapitre de la protection des bébés, ils sont expérimentés.

— Donc, ils connaissent la procédure.

— Absolument.

Le CNEDE, le Centre national des enfants disparus et exploités, a bien plus œuvré pour empêcher les enlèvements d'enfants que toute autre organisation populaire du pays. Il enseigne aux écoles et aux hôpitaux du pays comment assurer la sécurité des enfants. Le récit de Tommy ne me disait rien de bon, et je descendis du lit. Allongé contre moi, mon chien se leva lui aussi.

— Je pars tout de suite. S'il n'y a pas trop de circulation, je devrais être là d'ici une heure.

— Gare-toi derrière le bâtiment et passe par la sortie de secours.

2

S'habiller est un jeu d'enfant quand vous ne possédez que trois pantalons et quatre chemises. Après avoir mis fin à ma conversation avec Tommy, j'enfilai mes vêtements les plus propres, jetai mon chien dans la voiture et pris la direction du sud de Miami.

Le jour de ma rencontre avec ma femme, je m'étais rendu à la Broward County Humane Society pour trouver un nouveau compagnon à pattes. Quarante chiens étaient alignés dans des cages, où on trouvait aussi bien de minuscules teckels que des pit-bulls hargneux. Le gérant m'avait suggéré de flâner devant les cages pour voir lequel toucherait ma corde sensible. Buster, un berger australien couleur chocolat au poil ras, m'avait aussitôt conquis.

Le chien avait des problèmes. Il n'était guère sociable et montrait les dents dès que vous aviez le dos tourné. Mon vétérinaire était convaincu de sa dangerosité potentielle et m'avait conseillé de le faire piquer. Une idée que j'avais écartée. Le fait que Buster déteste le monde et m'adore, moi, le rendait encore plus précieux à mes yeux.

La circulation était fluide sur la I-95, de sorte que je poussai le moteur à cent kilomètres/heure sur la voie de gauche. En allumant la radio, je tombai sur le présentateur local Neil Bash.

Bash m'avait diabolisé dans son émission lors du procès du Tueur de minuit. Par la suite, j'avais reçu de nombreux appels de menace. Il m'avait fallu changer de numéro.

Aujourd'hui, il s'en prenait aux Noirs et aux gays. Comme cela me retournait l'estomac, je lui coupai le sifflet.

La I-95 se terminait à la pointe sud de la ville de Miami, et la dernière sortie se trouvait à moins d'un kilomètre du Mercy Hospital. Je me garai derrière le bâtiment, comme Tommy me l'avait suggéré.

C'était une matinée fraîche, et je laissai la vitre entrouverte pour que Buster puisse boire un grand bol d'air. Quand j'arrivai aux urgences, Tommy m'attendait.

De type hispanique, Tommy était grand et efflanqué, avec une tignasse de cheveux noirs, des yeux bruns expressifs, et plus d'énergie qu'une portée de chiots.

Il me serra la main, me remercia d'être venu, puis me guida vers la maternité.

— Qui est l'enquêteur principal sur l'affaire ? demandai-je.

— L'agent Tracy Margolin, répondit Tommy.

— Elle est douée ?

— C'est la meilleure.

Parvenus devant le dortoir des nouveau-nés, nous observâmes les effusions de joie à travers la vitre. Les bébés disparaissaient rarement de nos jours. C'était l'une des rares arènes où les policiers ressortaient vainqueurs. Je pressai mon visage contre la vitre et fixai le berceau vide qu'Isabella Vasquez occupait encore quelques heures plus tôt.

Une femme d'une trentaine d'années vêtue d'un tailleur-pantalon vert mousse apparut aux côtés de Tommy. Tommy me présenta l'agent Margolin et, tout en lui serrant la main, j'étudiai son visage. Il était rond comme une pièce de monnaie, encadré de cheveux blond miel rejetés en arrière, avec de grands yeux, ronds eux aussi. La plupart des policiers étaient immunisés contre leur propre travail, mais c'était toujours plus délicat quand il s'agissait de disparitions d'enfants.

Margolin nous résuma son enquête : la dernière personne qui avait vu l'enfant, l'heure approximative de l'enlèvement, les détails transmis à la police des comtés de Dade, Broward et Palm Beach, ainsi qu'au FBI et au Département de la loi de Floride.

— Comment est la relation entre les parents ? demandai-je.

— Ils sont heureux en mariage, répondit Margolin.

— C'est leur premier mariage à tous les deux ?

— Oui.

— D'autres enfants ?

— Non.

— Comment prennent-ils tout cela ?

— Ils sont anéantis.

— Les médecins et les infirmières, de quoi ont-ils l'air ?

— Leurs alibis sont solides.

— Et les agents de maintenance et d'entretien ?

— Même chose. Je suis convaincue qu'il s'agit d'une personne de l'extérieur.

— Donc, vous avez une théorie au sujet de l'enlèvement ?

— Plus ou moins.

— Dites-moi tout.

Nous suivîmes Margolin jusqu'au service des urgences.

Parfois, la première réaction d'un enquêteur était plus importante que les faits eux-mêmes, et Margolin nous expliqua qu'elle pensait que le kidnappeur était entré par les urgences, profitant d'un moment d'activité intense, aux alentours de 4 heures du matin, pour se faufiler jusqu'à la maternité. A l'extérieur, elle nous désigna un banc de pierre où le ravisseur avait selon elle patienté. Le sol était jonché de mégots de cigarettes.

De retour à l'intérieur, Margolin nous montra le parcours sinueux que le ravisseur avait dû emprunter pour atteindre la maternité et nous expliqua qu'il avait sûrement revêtu une blouse blanche pour passer inaperçu. Une fois à la maternité, elle avait cessé de parler et fixé les nouveau-nés. Puis elle reprit :

— D'une manière ou d'une autre, il a trouvé un moyen d'accéder au service, même si la porte est fermée en permanence. D'après moi, il a attendu qu'une infirmière vienne voir un bébé et a retenu la porte, s'est faufilé dans la maternité, s'est emparé du bébé Vasquez et a disparu.

Je réfléchis au scénario de Margolin. Son hypothèse était censée, mais le final me semblait incohérent. Profiter du passage d'une infirmière paraissait risqué, et mon instinct me soufflait que le ravisseur avait employé une autre méthode pour s'infiltrer dans la maternité. De l'autre côté du hall se trouvait une porte avec une plaque. Je traversai la pièce et lut le nom : Mercedes Fernandez.

— Qui est-ce ?

L'infirmière en chef de l'équipe de nuit, répondit Margolin.

— Vous lui avez parlé ?

— J'ai essayé.

— Comment cela ?

— Elle est malade.

Une alarme s'enclencha dans ma tête. La maternité était un vrai labyrinthe et je voyais mal comment quelqu'un qui ne connaissait pas l'hôpital pouvait s'orienter sans se perdre. Le ravisseur avait un plan des lieux. Et s'il avait un plan, il avait probablement une clé.

Je désignai la porte de l'infirmière de nuit.

— On peut entrer ?

— Vous pensez qu'elle est impliquée ? demanda Tommy.

— Peut-être.

Tommy obtint une clé auprès du directeur de l'hôpital et déverrouilla la porte. La pièce était un carré aux murs aveugles. Je pris place devant le bureau encombré de Mercedes Fernandez et allumai son ordinateur. L'écran revint à la vie et j'ouvris sa boîte électronique pour passer ses e-mails en revue. Il y en avait un grand nombre, tous liés au travail. La boîte d'envoi était vide. Derrière moi, Margolin fouillait la poubelle.

— Dites-moi ce que vous pensez de cela, lui dis-je.

Margolin scruta l'écran par-dessus mon épaule.

— On dirait que Fernandez a effacé les e-mails qu'elle a envoyés avant d'aller travailler hier.

— Cela vous paraît étrange ?

— Oui.

— Voyons si elle a vidé sa corbeille.

Je dirigeai le curseur vers la corbeille et double-cliquai sur l'icône. Elle était pleine de messages jetés, mais pas effacés définitivement. Je les examinai un à un. A mi-parcours, j'en repérai un qui me fit bondir de ma chaise.

Jorge, j'ai ce que tu cherches. FBB. Appelle-moi.

Je jetai un coup d'œil à Margolin, qui expirait de l'air sur ma nuque comme si nous étions en plein rendez-vous amoureux.

— Vous avez vu une photo du bébé Vasquez ? demandai-je.

— Non.

Je posai la même question à Tommy, qui me répondit par la négative.

— Où sont les parents ?

— La mère est dans une chambre à l'étage. On lui a donné des sédatifs après qu'elle a appris la nouvelle, expliqua Tommy. La dernière fois que je l'ai vu, le père était dans la pièce réservée des visiteurs, en train de s'arracher les cheveux.

— Je dois lui parler.

La salle des visites du Mercy Hospital était peinte de couleurs chaudes, la table basse croulait sous les magazines parentaux aux couvertures brillantes et la télévision diffusait la série *Dr. Phil.* Assis dans un coin, le père d'Isabella patientait, l'air terriblement anxieux. C'était le seul homme dans la pièce.

— Monsieur Vasquez, nous avons besoin de vous parler en privé, déclara Tommy.

Vasquez se leva avec raideur et nous suivit dans le couloir. Il avait une barbe naissante, ses traits étaient tirés et ses vêtements, tirebouchonnés comme un lit défait. A en juger la Rolex incrustée de diamants à son poignet, il gagnait bien sa vie.

Tommy l'invita à le suivre un peu plus loin dans le couloir, afin de pouvoir parler tranquillement. Quand il me vit, Vasquez explosa.

— Je vous reconnais ! Vous êtes ce policier dingue de Broward qui a cassé la gueule à un suspect. John Carpenter.

— En fait, c'est Jack.

— Eh bien, Jack, j'ai vu votre visage souriant à la télévision l'autre jour. Vous devez vraiment être fier de vous, pour bafouer la loi comme ça. Ce sont les malades comme vous qui font la mauvaise réputation de la police.

Vasquez se tourna alors vers Tommy.

— Je vous en prie, ne me dites pas qu'il travaille sur le cas de ma fille.

— Jack est l'un des meilleurs pour ce qui est de retrouver des personnes disparues, plaida Tommy.

— Je ne le supporterai pas ! martela Vasquez. Cet homme est une menace.

— C'est à moi d'en décider, répliqua froidement Tommy.

— Ne me faites pas la leçon, bon sang ! C'est de ma fille qu'il s'agit. Je ne veux pas que ce type soit impliqué.

Il était normal que les membres des familles d'enfants disparus retournent leur colère contre ceux-là mêmes qui essayaient de les aider. Cela faisait partie du processus.

— Jack a une piste, dit Tommy.

Vasquez rougit et me regarda.

— Vraiment ? s'étrangla-t-il.

— Oui. Votre fille a-t-elle les cheveux blonds et les yeux bleus ?

— C'est important ?

— Répondez seulement à la question.

— Oui, en effet.

Je regardai Tommy.

— L'e-mail disait « FBB ». Fille, blonde, yeux bleus. Ce Jorge cherchait à se procurer un bébé, et Mercedes Fernandez l'a aidé à le trouver.

— Nous devons lui parler, dit Tommy.

Margolin accourut alors dans le couloir, faisant claquer ses talons sur les dalles. Elle courait tellement vite qu'elle glissa en s'arrêtant et faillit nous percuter.

— On le tient ! lança-t-elle.

— Qui ? demanda Tommy.

— Jorge Castillo. J'ai trouvé son nom dans l'ordinateur de Mercedes Fernandez, avec son numéro de téléphone et son adresse. J'ai communiqué les coordonnées au quartier général et ils ont fait leur petite enquête. C'est un ex-détenu qui a déjà purgé une peine de prison pour enlèvement. Le département envoie une unité chez lui en ce moment même.

— Où habite-t-il ? demanda Tommy.

— Sur Tigertail, à Coconut Grove. Ce n'est qu'à quelques kilomètres d'ici.

Tommy s'adressa à moi.

— Si on lui rendait une petite visite ? proposa-t-il.

Une flamme s'alluma dans le regard de Tommy, une flamme que je ne connaissais que trop bien, car elle avait brûlé en moi chaque jour de ma vie de policier.

— Et comment !

3

Coconut Grove est peuplée d'une jungle de plantes exubérantes, de restaurants chics et de bars de nuit. L'atmosphère est très différente de Miami, aujourd'hui étouffé par sa propre expansion. J'ouvris la vitre pour permettre à Buster de humer les merveilleuses odeurs du dehors.

Je suivis Tommy sur Tigertail Avenue, bordée de bureaux éclectiques et de maisons de style bahamien nichées derrière de hauts murs de pierre. Tommy dépassa l'adresse de Jorge Castillo et s'immobilisa un peu plus loin dans la rue. Une fois garé devant la voiture de Tommy, je baissai la vitre pour ne pas que Buster meure de chaleur en mon absence. Tommy, Margolin et moi nous retrouvâmes sur le trottoir de bitume craquelé, devant la maison de Castillo. Il n'y avait aucun signe de la police de Miami, fait agaçant, mais loin d'être inhabituel. Le taux de criminalité était très élevé dans cette région, et les flics, toujours occupés à répondre à des appels.

Tommy proposa un plan. Pendant que Margolin et lui frappaient à la porte d'entrée, je surveillerais l'arrière de la maison, au cas où Castillo tente de s'enfuir avec le bébé. Au moment de nous séparer, une BMW 745 noire se profila dans la rue et se rangea devant nos véhicules. Vasquez. Tommy laissa échapper un soupir exaspéré.

— Ce type va tout faire rater.
— Laisse-moi m'en occuper, suggérai-je.
— Tu es sûr ?
— Absolument.

Je me dirigeai vers la BMW en me disant que j'aurais probablement dû laisser Tommy s'occuper de Vasquez, mais j'avais peur qu'il ne fît un esclandre. Ne pas être un policier avait ses avantages et je cueillis Vasquez dès sa sortie du véhicule.

— Retournez dans votre voiture, lui dis-je d'un ton sans appel.

— Vous n'avez pas le droit de me dire ce que je dois faire, rétorqua-t-il d'un air indigné.

J'agitai mon doigt sous son nez.

— C'est mon enquête, que cela vous plaise ou non. Ou vous retournez dans votre voiture ou je vous boucle dans le coffre. A vous de voir.

Vasquez me jeta un regard meurtrier. Son visage luisait de sueur. La perte de son bébé le rendait fou. Je lui dis d'un ton plus doux :

— Laissez-moi m'en occuper, s'il vous plaît, monsieur Vasquez.

Son visage, soudain, se fêla.

— Je veux mon bébé, sanglota-t-il.

— Je sais. Moi aussi, je veux le retrouver. C'est ce que nous voulons tous. Faites ce que je vous dis. Croyez-moi, ça vaut mieux.

Il hocha la tête avec raideur et se rassit au volant de son véhicule. Je rejoignis Tommy et Margolin, qui avaient dégainé leurs armes et se tenaient prêts à intervenir.

— Tu n'as pas ton flingue ? demanda Tommy.
— Il est dans mon bureau.
— Tu es sûr de vouloir le faire ? Ce type a déjà fait de la prison, Jack. Il pourrait être armé.

L'adrénaline m'avait redonné du tonus.

— Pas question de reculer maintenant, répondis-je.

Tommy et Margolin s'avancèrent dans l'allée. Pendant ce temps, je traversai la propriété des voisins et ouvris le portail du jardin de Castillo. C'était une maison de plain-pied, de style espagnol, aux tuiles noircies par les ans. La pelouse, qui n'avait pas été tondue depuis un bon moment, m'arrivait à hauteur des genoux.

Je m'approchai précautionneusement de la porte de derrière. Comme elle était entrouverte, je la poussai et passai la tête à l'intérieur. Trois voix parlaient en espagnol devant la maison. Margolin, Tommy et un homme au timbre rauque, sans doute celle de Jorge Castillo. Comme ma femme était mexicaine, je connaissais suffisamment l'espagnol pour comprendre la conversation. Castillo avait invité Margolin et Tommy à entrer pour jeter un coup d'œil. Cela ne pouvait signifier qu'une seule chose : il nous avait vus discuter sur le trottoir et avait caché le bébé.

Je passai rapidement le jardin en revue. Sur la pelouse gisait le cadavre d'un appareil à air conditionné, ainsi que tout un bric-à-brac rouillé. Mais aucun endroit où cacher un bébé. Je retournai au portail et émis un sifflement.

Il ne fallut que quelques secondes à Buster pour bondir de la voiture et me rejoindre.

— Cherche le bébé, mon garçon. Le bébé.

Je lui ouvris le portail, mais il ne s'engouffra pas dans la propriété de Castillo. Il traversa plutôt le jardin du voisin et posa les pattes avant sur une grande poubelle de plastique.

— Brave garçon.

Je l'obligeai à s'écarter et ouvris délicatement le couvercle. La section sport de l'*El Nuevo Herald* était étalée sur plusieurs sacs-poubelle. J'ôtai doucement le journal et vis la petite Isabella Vasquez enveloppée dans une serviette de plage bleue, les yeux clos. Elle ne semblait pas respirer. Un poing invisible s'enfonça dans ma poitrine. Je fis courir mes doigts sur le visage angélique, puis lui susurrai quelques mots qu'on ne disait qu'aux anges. Ses paupières s'ouvrirent et elle me regarda d'un air émerveillé.

— Bonjour, beauté.

Je la soulevai de la poubelle et la nichai contre ma poitrine d'un air protecteur. Quand ma fille est née, j'étais resté deux semaines à la maison pour m'occuper d'elle pendant que ma femme reprenait des forces. Ce fut l'une des expériences les plus extraordinaires de ma vie.

C'était il y a bien longtemps.

Je regagnai le jardin de Castillo en murmurant des mots doux à Isabella. Je fais partie de ces gens qui ne se lassent jamais de regarder des bébés. Soudain, un homme grand, de type hispanique, que je supposai être Castillo, sortit par la porte de derrière.

Il portait un débardeur sans manches noir et avait un vieux Colt Peacemaker à la main. L'arme était plus grosse que n'importe quel flingue des films de Clint Eastwood. Je voulus aussitôt battre en retraite.

Mais Castillo me suivit et tira un coup de feu en direction de la maison. Par la fenêtre, je vis Tommy et Margolin dans la cuisine. Ils plongèrent aussitôt au sol.

Castillo me fit face. Il désigna le bébé du doigt comme si j'étais censé comprendre son ordre muet.

— Non, répondis-je d'un ton ferme.

Il pointa alors le canon du Peacemaker fumant vers ma tête.

— Non, répétai-je.

Nos regards se rivèrent l'un à l'autre. C'était la première fois que je pouvais vraiment l'observer. Joues flasques, peau ravagée par l'acné, nez plat. Un visage que seule une mère pouvait aimer.

— Donne-moi le bébé, grogna-t-il dans un mauvais anglais.

— Combien tu as payé pour lui ?

Castillo leva l'arme vers mon oreille gauche. Je ne voulais

pas perdre une oreille, ni devenir sourd, mais pas question de donner l'enfant à ce salaud. Ni maintenant ni jamais.

— Dix mille ? Quinze mille ?

Castillo visait ma tête.

— Dernière chance.

— Désolé.

Un sifflement traversa la pelouse. On aurait dit un serpent géant, et Castillo regarda tout autour de lui d'un air terrifié. Puis il poussa un cri déchirant.

Je me recroquevillai au moment où il vida son arme. Castillo hurlait toujours, puis effectua un tour complet sur lui-même. Buster avait planté ses crocs dans ses fesses et pendait à lui telle une décoration de Noël. Les tueurs-nés n'aboient pas avant de mordre leur proie.

Mon véto m'avait dit que c'était ce qui rendait mon Buster si dangereux et qu'il valait mieux s'en débarrasser. Personnellement, je le considérais comme un atout.

Deux agents de la police de Miami apparurent dans le jardin, armes au poing. Ils bloquèrent Castillo et le désarmèrent. Je gardai mes distances, heureux de maintenir Isabella contre ma poitrine et de me contenter d'observer la scène. L'un des policiers déclara :

— C'est votre chien ?

— En effet.

— Obligez-le à lâcher prise ou je vais devoir l'abattre.

Les poils de Buster étaient tout hérissés et il avait l'air deux fois plus gros que ses trente kilos. Je lui donnai une claque sur le nez, et il relâcha Castillo et vint se camper à mon côté.

Couverts de poussière, Margolin et Tommy sortirent de la maison. Pendant que Tommy expliquait la situation aux policiers, Margolin s'approcha de moi. Elle ne pouvait s'empêcher d'admirer la petite.

— Elle est magnifique. Regardez ses jolies boucles blondes.

— Vous voulez la rendre à son papa ?

Elle faillit accepter, puis secoua la tête.

— C'est à vous de le faire.

— Vous étiez la première sur l'affaire.

— Mais c'est vous qui l'avez résolue. Vous le méritez.

— C'est gentil de votre part.

Margolin posa la main sur ma joue et me regarda droit dans les yeux. C'était le genre de femme que je trouvais séduisante, et son sourire ralluma des émotions profondément enfouies en moi. Quand elle s'éloigna, je la suivis du regard sans doute plus longtemps que je n'aurais dû.

Les bébés sont parfaits. Interrogez leurs parents. Je descendis la rue en direction de la voiture de Vasquez, sans cesser d'admirer Isabella. J'avais sauvé bon nombre d'enfants, mais je ne m'en lassais pas.

Des gaz s'échappaient du pot d'échappement, et les vitres étaient fermées. Je portais toujours ma bague de mariage et m'en servis pour toquer à la vitre du conducteur. En pleine prière, Vasquez leva la tête.

— Vous pouvez sortir maintenant.

Vasquez descendit du véhicule en bredouillant :

— Oh ! mon Dieu ! Oh ! mon Dieu !...

Des larmes coulaient sur ses joues. Je lui tendis sa fille, qu'il faillit laisser tomber. Je réalisai qu'il n'avait jamais porté de bébé auparavant et lui montrai comment faire.

— Maintenez-lui la tête, dis-je.

— Comme ça ? demanda-t-il en prenant la petite tête dans sa paume.

— C'est ça. Ne vous inquiétez pas, elle n'est pas en sucre.

Serrant Isabella contre sa poitrine, il s'empara de son téléphone portable pour appeler sa femme. Je fis mine de m'éloigner, quand il m'interpella.

— Je regrette ce que je vous ai dit à l'hôpital.

— Ne vous inquiétez pas pour ça.

— J'avais tort.

— Vous étiez sous pression.

Il me glissa sa carte de visite dans la main.

— Mon numéro de portable est inscrit en bas. Appelez-moi si vous avez besoin de quoi que ce soit.

— Ce n'est pas nécessaire, monsieur Vasquez.

— J'insiste. A n'importe quelle heure, jour et nuit, appelez-moi. Je n'oublierai jamais ce que vous avez fait pour nous.

Je glissai la carte dans ma poche. Quand j'étais flic, de nombreuses personnes que j'avais aidées à retrouver leurs proches m'avaient fait des offres similaires, mais je les avais toujours déclinées. Hélas, les temps avaient changé. Ma vie allait à vau-l'eau et je ne pouvais refuser aucune aide.

— Merci, monsieur Vasquez.

Je suivis Tommy et Margolin jusqu'au quartier général de la police, au centre-ville, pour récupérer mon argent. Tommy me donna la somme en liquide sans me faire signer de reçu. Puis Margolin et Tommy m'invitèrent à déjeuner.

Une proposition tentante. J'avais faim et je voulais fêter l'heureux dénouement. Les choses ne se terminaient pas toujours aussi bien. Mais il y avait ce procès pour meurtre où je devais témoigner le lendemain. J'étais le témoin clé de l'accusation et j'avais besoin de temps pour préparer mon intervention. Le procureur m'avait averti que la défense allait me passer au gril et que je devais être prêt.

Le déjeuner serait pour une autre fois. Tommy n'y voyait pas d'inconvénient et Margolin m'adressa un beau sourire. C'était une charmante jeune femme.

Si je ne m'étais pas accroché à l'illusion que ma femme et moi serions de nouveau réunis un jour, je lui aurais demandé de sortir avec moi.

A l'extérieur, sur le parking, un policier en uniforme m'attendait près de ma voiture. C'était celui qui m'avait menacé d'abattre mon chien s'il ne lâchait pas Castillo.

— Un problème ?

— C'est un sacré chien que vous avez là, dit le flic.

Difficile de savoir si c'était un compliment. Je marmonnai dans ma barbe.

— Vous pensez à le faire reproduire ?

— En fait, je pensais plutôt le faire castrer.

— Il faut qu'il ait des petits d'abord.

— Vous en voulez un ?

— Ouais. Je vous donnerais cent dollars pour l'un des mâles.

— C'est un berger australien de pure race !

— Deux cents, alors.

J'avais si désespérément besoin d'argent que je pris le nom et le numéro du type. En montant dans la voiture, Buster posa sa tête sur mes genoux.

— On dirait bien que tu vas t'amuser un peu, lui dis-je.

4

— Déclinez votre identité, demanda l'huissier de justice.

— Jack Harold Carpenter.

— Posez votre main gauche sur la bible, levez votre main droite. Jurez-vous solennellement devant Dieu de dire la vérité, toute la vérité, rien que la vérité ?

Mes doigts effleurèrent le cuir craquelé de la bible. Je n'avais pas témoigné à un procès depuis six mois et ne me sentais pas à ma place dans un tribunal. Mon costume bleu marine Ralph Lauren était trop large pour ma silhouette fine et élancée, et la cravate que j'avais achetée ce matin dans un dépôt-vente masquait mal la monstrueuse tache de café qui maculait ma chemise de coton blanc. Bien que ma vie eût radicalement changé depuis mon départ des forces de police, sa finalité était toujours la même.

— Je le jure, répondis-je.

— Veuillez vous asseoir, dit l'huissier.

Je m'assis sur la chaise de bois dans le box des témoins et m'imprégnai de la chaleur des précédents intervenants. Wilson Battles, le juge aux cheveux gris argenté qui présidait l'audience, me reconnut et me fit un signe de tête. J'avais témoigné dans cette cour plusieurs fois auparavant et lui rendis son salut.

Le jury était composé de huit femmes et quatre hommes. Leurs visages sévères reflétaient le doute et le scepticisme. Je n'étais pas une figure populaire, loin de là. A l'époque où je faisais partie de la police, j'avais envoyé un homme soupçonné de meurtre du nom de Simon Skell à l'hôpital pour un long séjour. L'affaire avait été couverte par les journaux et la télévision. Un éditorial avait même déclaré que je souillais la conscience de la société.

Mais ce n'était pas la raison de ma présence ici. Avant ma disgrâce, j'étais un sacré bon flic et j'avais envoyé un paquet de pervers derrière les barreaux.

L'un de ces monstres était assis dans ce tribunal. A la fin de mon témoignage, il ne devait y avoir absolument aucun doute dans les esprits des jurés sur l'identité de ce monstre et sur ses terribles agissements.

Lars Johannsen était assis sur le banc de la défense, flanqué de deux ténors du barreau, aux tarifs imbattables. Lars était un grand Suédois au visage en forme de bouteille de lait surmonté d'une chape de cheveux blonds. Il me fixait avec froideur. Sa petite femme, assise derrière lui, parmi les spectateurs, chiffonnait un kleenex d'un air malheureux.

Le procureur s'avança et commença son interrogatoire. Veronica Cabrero était très maquillée et portait une robe vert émeraude qui moulait son corps comme un film de cellophane. Au sein du tribunal, on la surnommait « le pétard cubain ». Cette femme au tempérament de feu s'était attiré le mépris de plusieurs juges pour ses éclats dans les salles d'audience. Je ferais n'importe quoi pour elle.

— Monsieur Carpenter, vous étiez autrefois enquêteur en chef de la section des personnes disparues du comté de Broward, c'est exact ?

— Oui, répondis-je dans le microphone fixé à côté de mon siège.

— Combien de temps êtes-vous resté à ce poste ?

— Seize ans.

— Diriez-vous que vous êtes un expert dans la recherche des personnes disparues ?

A dire la vérité, retrouver les gens disparus me motivait et je ne m'étais jamais imaginé faire autre chose dans l'existence. Quand un individu disparaissait, on avait toujours l'espoir de le retrouver vivant. Et même le plus infime espoir était plus lumineux que la majorité des tristes affaires traitées par la police.

— Oui, répondis-je.

— L'après-midi de la disparition d'Abby Fox, vous étiez le premier policier chez Lars Johannsen. En tant que responsable, êtes-vous censé prendre en charge ce genre de cas ?

— Non.

— Qui d'autre alors ?

— D'habitude, l'un de mes hommes.

— Pourquoi avez-vous pris cette affaire ?

Tout bon témoignage est orchestré à l'avance, et le mien ne faisait pas exception à la règle. Me tournant vers le jury, j'expliquai que, quelques années auparavant, j'avais trouvé Abby Fox errant dans les rues de Fort Lauderdale. Une adolescente qui se prostituait. Elle avait été mise à la porte de chez elle par ses parents et était ce que les forces de police appellent une « laissée-pour-compte ». Je l'avais emmenée dans un foyer et, avec le temps, l'avait aidée à reprendre le contrôle de sa vie. Depuis, nous parlions régulièrement et je savais qu'elle avait dégoté un boulot de nounou chez un Suédois fortuné qui lui jetait de drôles de regards. Quand on m'avait appelé pour me faire part de sa disparition, j'avais aussitôt pris l'affaire en main.

— Décrivez-nous ce que vous avez découvert en arrivant dans la maison de Lars Johannsen, s'il vous plaît, dit Cabrero.

Lars m'avait accueilli à la porte d'entrée. Il m'avait expliqué qu'Abby était partie faire des courses cinq heures plus tôt et n'était pas encore rentrée. Je pris aussitôt note de la couleur et du modèle de la voiture d'Abby et lançai une alerte sur trois comtés pour rechercher le véhicule.

Une heure plus tard, la voiture d'Abby était retrouvée près d'une zone boisée, à quelques kilomètres de la propriété de Lars. Je décidai de mener les recherches avec l'aide des agents de plusieurs shérifs, ainsi que des voisins volontaires. Lars se joignit à nous.

La battue fut menée dans les règles. Les participants s'étaient placés en ligne, laissant deux mètres entre eux, puis tous devaient faire un grand pas, s'arrêter et inspecter le sol, avant de répéter le processus. Au bout de quelques heures, tout le monde avait ralenti l'allure.

C'est alors qu'une chose étrange se produisit. Lars accéléra l'allure et s'enfonça dans les bois. Du coup, les autres participants le suivirent. Cela ayant tout l'air d'une diversion, j'ordonnai aux agents de rester avec le groupe pendant que je restais en retrait pour fouiller la zone.

Il ne me fallut pas longtemps pour découvrir la tombe peu profonde d'Abby. La jeune femme avait été enterrée dans un espace ombragé, derrière une haie de cyprès épais. Je balayai la terre de mes mains jusqu'à découvrir la tête. C'était une jeune femme séduisante, et la traînée violacée autour de son cou me souleva le cœur.

Un mouchoir blanc lui couvrait les yeux. Le positionnement du mouchoir en disait long sur son agresseur. Cela signifiait que le tueur connaissait Abby et avait eu peur de son regard, même dans la mort.

Je rattrapai les autres, trouvai Lars et l'entraînai vers ma voiture. Je lui appris que j'avais localisé le corps d'Abby et guettai sa réaction.

Comme il refusait de croiser mon regard, je sortis le mouchoir de ma poche et le lui montrai. Il se trouvait dans un sachet plastique, que je fis danser devant son visage.

— Quelles empreintes allons-nous trouver dessus, à votre avis ?

Lars détourna le regard. A dire vrai, les empreintes sur le mouchoir ne prouveraient rien. Cela pouvait être le mouchoir d'Abby, et Lars aurait pu le toucher à l'occasion. Seulement, comme il l'ignorait, il perdit pied et avoua son crime. Un magnétophone à activation vocale planqué dans la boîte à gants avait tout enregistré.

— C'est à ce moment-là que vous l'avez arrêté ? demanda Cabrero.

— Oui.

Je me laissai aller contre le dossier de ma chaise et pris une profonde inspiration. J'avais évité jusque-là le regard des jurés, mais à présent, je les observais. Leur résolution d'acier avait fondu. Je les tenais.

— Lars Johannsen vous a-t-il dit pourquoi il avait tué Abby ? demanda Cabrero.

— Non.

— Avez-vous une théorie à ce sujet ?

L'un des avocats de la défense se leva d'un bond.

— Objection ! s'écria-t-il.

— Retenue, déclara le juge Battles. Mademoiselle Cabrero, en dépit des états de service du témoin, les théories n'intéressent pas cette cour.

— Je suis désolée, votre honneur. Je n'ai plus de questions.

— Le témoin est à vous, dit Battles à l'avocat de la défense.

J'avais bel et bien une théorie pour expliquer pourquoi Lars Johannsen avait étranglé Abby Fox. Lars correspondait à la description d'un pervers qui emmenait des prostituées à Fort Lauderdale et les brutalisait. L'affaire avait pris une telle ampleur que VICE[1] avait monté une opération spéciale pour tenter de le coincer. D'après moi, Lars avait

1. *Violent Incident Control Enforcement*. Unité spéciale du FBI. (NDT)

été mis au courant de l'opération et décidé de faire profil bas. Mais avec le temps, la tentation avait été plus forte, et il avait eu l'idée d'engager Abby pour garder sa fille. En Abby, il avait vu la victime parfaite. Jeune, jolie et sans famille. Une fois la jeune femme à son service, il pouvait en abuser à l'envi…, ce que les flics appellent le shopping non-stop.

Mais le plan de Lars avait une faille. Abby avait suivi un programme de reconversion intensif, et non seulement elle ne se prostituait plus, mais elle n'était plus une victime. Comme elle était désormais son propre maître, elle avait repoussé les avances de Lars, ce qui l'avait mis dans une rage folle.

Il l'avait alors étranglée, puis enterrée dans les bois.

Je n'avais pas la moindre preuve pour soutenir cette hypothèse, mais les seize années que j'avais passées à pourchasser des vermines comme Lars me disaient que j'avais raison. Lars avait molesté plusieurs jeunes femmes avant Abby et, s'il retournait dans la société, il en violenterait d'autres. Le plus petit des avocats de Lars s'approcha du box des témoins. Je n'aimais pas les avocats qui travaillaient par paire. Ils me rappelaient les duos dans les matches de catch, où aucun des deux équipiers n'était assez fort pour se battre seul.

Celui-là s'appelait Bernie Howe. Howe avait une voix nasillarde, et sa transplantation capillaire faisait penser à des rangs de maïs.

Dans sa main, il serrait plusieurs feuilles de papier, dont je parvins à décrypter le titre, même à l'envers. Il s'agissait d'un certificat de décès de la prison d'Etat de Starke.

— Monsieur Carpenter, commença Howe, est-il vrai que, quand Lars Johannsen s'est confessé dans votre voiture, vous l'avez agressé physiquement, lui infligeant de telles souffrances qu'il a été forcé de dire qu'il avait tué Abby Fox ?

— Non.

— N'est-il pas vrai que vous avez placé vos mains autour du cou de l'accusé, que vous l'avez fait suffoquer pendant plus d'une minute et menacé de le tuer s'il ne se confessait pas ?

— Non.

— Monsieur Carpenter, n'est-il pas vrai que, sans la confession enregistrée par vos soins, il n'y a aucune preuve tangible qui lie mon client à la victime ?

— Oui.

— Monsieur Carpenter, deux semaines après l'arrestation de mon client, vous avez été licencié des forces de police, exact ?

Cabrero bondit sur ses pieds, prête à faire une objection. D'un regard glacial, je tuai les mots qui s'apprêtaient à sortir de sa bouche. La tactique de l'avocat de la défense consistait à retourner l'affaire contre moi. Je m'étais préparé à ce cas de figure. Cabrero se rassit et je répondis à la question.

— Je n'ai pas été licencié des forces de police.

— Mais on vous a demandé de vous mettre à l'écart.

— J'ai démissionné.

— Donc, vous avez décidé de vous-même de quitter la police.

— C'est exact.

— Avant votre démission, la police ne vous a-t-elle pas sommé de vous expliquer devant le conseil, après l'agression de Simon Skell, soupçonné d'être le tueur en série surnommé le Tueur de minuit ? Suite aux blessures que vous lui avez infligées, cet homme a passé deux semaines à l'hôpital, c'est exact ?

— Oui.

— N'est-il pas vrai que vous avez cassé le nez, la mâchoire et le bras de Skell, la majeure partie de ses dents de devant, vous l'avez fait passer à travers une vitre et lui avez brisé trois côtes au cours de ce passage à tabac ?

— Il m'a attaqué au moment de son arrestation.

— Répondez à la question, s'il vous plaît.

Les blessures de Simon Skell avaient été détaillées dans tous les journaux, de sorte que toutes les personnes présentes dans cette cour pouvaient sans doute les réciter par cœur.

— Oui.

— Monsieur Carpenter, n'est-il pas vrai que, quand vous dirigiez la section des personnes disparues du Département de police du comté de Broward, vous avez mené une vendetta personnelle contre des auteurs de crimes violents à caractère sexuel ?

— Non, c'est faux.

Howe feuilleta les documents qu'il avait à la main et les fourra sous mon nez.

— Vous reconnaissez ces hommes, monsieur Carpenter ?

J'examinai les documents.

— Non.

— Vous dites que vous ne savez pas de qui il s'agit ?

— Non, je n'ai pas pris mes lunettes.

Les jurés me gratifièrent de quelques pâles sourires. Contrarié, Howe étala les documents sous leurs yeux.

— Ce sont les certificats de décès émis par la prison de Starke, dans l'Etat de Floride, concernant trois prédateurs sexuels que Jack Carpenter a fait incarcérer à cet endroit. Ces certificats ont été trouvés épinglés sur la porte du bureau de Jack Carpenter, le jour où il a quitté la police.

Howe me fit face.

— Vous les avez affichés sur votre porte, monsieur Carpenter, n'est-ce pas ?

— C'est juste.

— Pourriez-vous nous expliquer pourquoi ?

— Quand un sale type décède durant son séjour en taule, je le fais savoir aux membres de mon équipe. Nous avons besoin d'être informés de ce genre de choses.

Howe me fusilla du regard.

— N'est-il pas vrai, monsieur Carpenter, que vous avez

fait circuler à Starke des informations si dommageables pour la réputation de ces hommes qu'ils ont fini par être assassinés par leurs compagnons de cellule ?

— Je suis désolé, mais de qui parlons-nous ?

Howe me lut les noms des trois types décédés. Après quoi, il me jeta un regard satisfait.

— Vous les reconnaissez, monsieur Carpenter ?

— Leurs noms me sont familiers, mais je n'en suis pas sûr.

Howe se tourna vers le box du juge.

— Votre honneur, le témoin est évasif.

— Monsieur Carpenter, vous êtes prié de répondre à la question, dit Battles d'une voix morne. Reconnaissez-vous les trois noms que maître Howe vient de vous lire ? Ou pas ?

Howe m'accusait d'avoir adopté une conduite non conforme à l'éthique. J'aurais pu facilement nier que je connaissais ces hommes, mais j'avais autre chose en tête.

— Votre honneur, je ne me rappelle honnêtement pas les avoir arrêtés. Peut-être que la défense pourrait avoir l'amabilité de me rafraîchir la mémoire.

Avec plus de trente ans de carrière à son actif, Battles était un vétéran qui connaissait bien les rouages du système juridique. Il m'étudia un long moment avant de répondre.

— Et comment voudriez-vous que maître Howe s'y prenne pour vous rafraîchir la mémoire ? demanda Battles.

— Demandez à la défense de lire à haute voix les crimes commis par ces trois hommes. Je suis certain qu'après les avoir entendus, je m'en souviendrai et pourrai dire à maître Howe si les informations que j'ai fait passer à Starke étaient inappropriées.

Un grognement désapprobateur s'échappa de la gorge de Howe. La dernière chose qu'il voulait, c'était de voir son client associé avec les crimes atroces commis par ces hommes dont les noms étaient inscrits sur les certificats de décès.

Battles intima le silence à Howe d'un geste de la main. Puis il ôta ses lunettes et massa l'arête de son nez.

De nombreuses personnes inhérentes au système juridique de Broward n'approuvaient pas mes actes en tant que policier.

Mais beaucoup aussi m'approuvaient. Je m'étais toujours demandé dans quel camp se trouvait Battles.

— Cela me semble une bonne idée, répondit Battles. Monsieur Howe, lisez-nous la liste de leurs crimes.

5

En descendant les marches du tribunal, je dénouai ma cravate. Howe avait passé vingt minutes supplémentaires à me cuisiner avant d'abandonner la partie. J'avais la réputation d'être un dur à cuire, mais cela ne veut pas dire que je ne souffrais pas. La cravate atterrit dans une benne à ordures, dans laquelle je donnai un coup de pied pour faire bonne mesure. En traversant le parking, je m'efforçai de chasser le procès de mon esprit. Comme je ne pouvais ni changer le passé ni prédire l'avenir, j'avais appris à accepter le présent tel qu'il était. C'était ma fille qui m'avait enseigné ce stratagème, et jusqu'à présent, il avait l'air de marcher.

Ma voiture était garée au fond du parking. Je conduisais un dinosaure appelé une Acura Legend. Le vendeur m'avait affirmé que ce serait un classique un jour, mais il n'avait pas mentionné que le modèle ne serait plus fabriqué. Je ne l'avais pas fermée, et les vitres étaient grandes ouvertes, mais personne n'avait tenté de le voler.

Endormi sur le siège passager, Buster ne s'étira que lorsque j'ouvris ma portière. Me rappelant les bonnes manières, je le laissai sortir. Il urina sur une Porsche, puis fit le tour de ma voiture en reniflant le sol. Quelque chose le perturbait ; aussi fis-je le tour pour jeter un coup d'œil de l'autre côté.

Quelqu'un avait rayé ma portière à l'aide d'une clé pour me laisser un message :

SALE FLIC

Je fis courir mes doigts sur les mots gravés dans le métal. Ils étaient trop profondément ancrés pour être effacés. La portière avait besoin d'une nouvelle couche de peinture. Sauf que je n'avais pas l'argent nécessaire. Buster écopa d'un regard dédaigneux.

— Quel chien de garde tu fais !

J'habitais du côté de Dania, une ville balnéaire tranquille connue pour ses magasins d'occasion et ses boutiques remplies de vieilleries, où l'on pouvait dénicher tout et n'importe quoi. La plupart du temps, la ville était très calme, ce qui me convenait parfaitement. Sur Dania Beach Boulevard, le long de l'océan, une étrange odeur emplit l'habitacle.

Je me garai dans l'ombre du Sunset Bar and Grill, tout au nord de Dania. C'était un bâtiment de deux étages, dont la moitié se trouvait sur la plage et l'autre sur pilotis, surplombant l'océan. Je louais un studio situé directement au-dessus du bar. Ma chambre était petite, mais la vue sur l'océan agrandissait la perspective.

En plus de mon loyer de quatre cent cinquante dollars, je devais me planter sur un tabouret de bar près de la caisse avec une mine patibulaire les soirs d'affluence. Jusqu'ici, personne n'avait cambriolé les lieux, mais le propriétaire semblait enchanté de notre arrangement.

Mon téléphone portable sonna et je jetai un coup d'œil à l'identificateur d'appel. C'était Jessie qui voulait s'assurer que tout allait bien. Ma fille m'appelait tous les jours. J'aurais sans doute dû me montrer reconnaissant, mais cela ne faisait que me rappeler combien j'étais tombé bas.

— Bonjour, ma chérie, comment vas-tu ?

— Bien. Et toi ? Et Buster ?

— Ça va. Buster reste Buster.

— Comment s'est passé le procès ? Tu t'en es sorti ?

— J'ai survécu.

— J'espère qu'ils vont ficeler ce salaud sur Sparky et lui frire le cerveau.

Sparky était la chaise électrique défectueuse de la prison de Starke. Quelques jours après l'électrocution de Ted Bundy, la blague préférée des flics était : « Hé ! Tu as appris la nouvelle ? Ted Bundy a arrêté de fumer. »

— Je déteste être porteur de mauvaises nouvelles, mais l'Etat a décidé de pratiquer désormais l'injection létale.

— C'est nul. Tu as des tuyaux pour moi ? Le match a lieu demain et j'ai besoin de préparer l'équipe. On a entraînement dans une heure.

Je m'emparai de mon calepin couvert de griffonnages sur le siège arrière. Je ne faisais pas grand-chose avec ma fille avant ses débuts au basket-ball. Depuis, j'avais assisté à tous ses matches au lycée, allant jusqu'à lui servir d'accompagnateur lors des finales fédérales. Quand elle avait débuté à la Florida State University avec une bourse de basket-ball, j'avais contacté un bookmaker local pour obtenir des tuyaux. La Floride comptait d'importantes équipes, de sorte que les matches faisaient l'objet de paris. Mon informateur me refilait régulièrement des informations de première main.

— Alors, voilà : Mayweather, leur principale attaquante, n'est pas en forme. Cooper, l'une des avants, a disparu en décembre à cause d'une mystérieuse maladie et ne tient le choc que durant vingt minutes. Fais-la courir et elle est finie. Fisher, la remplaçante de Cooper, est une mauvaise tireuse, mais une bonne passeuse. L'équipe a tendance à accélérer ses tirs quand elle est en retard. C'est tout.

— Génial, dit ma fille. L'entraîneur voudrait t'emmener dîner la prochaine fois que tu viendras avec nous.

— Dis-lui que je suis partant.

— OK. Tu as parlé à maman ? Moi oui. Elle m'a demandé

comment tu allais l'autre jour. Elle voulait savoir si tu t'en sortais.

— Je vais bien. Dis-le-lui, d'accord ?

— Pourquoi ne lui dis-tu pas toi-même ?

Je fixai le Sunset à travers le pare-brise. Parler de ma femme me donnait tout le temps envie de me saouler. J'avais foiré mon mariage et je ne voulais pas en discuter.

— Maman veut savoir comment tu t'en sors financièrement parlant, reprit ma fille. Comment fais-tu, papa ?

Ma situation financière était un désastre à cause de la sœur de Simon Skell, qui m'avait poursuivi en justice pour coups et blessures. Le coût d'un avocat m'avait mis sur la paille.

— Je vis comme un roi.

— Mais d'où vient ton argent ? Tu ne cambrioles pas des banques au moins ?

— Je rends des services à des gens.

— Tu veux dire que tu joues les détectives privés et que tu ne veux pas en parler ?

La majorité de mes missions actuelles consistaient à aider les forces de police à retrouver des enfants disparus. C'était ma spécialité, et les départements, ne voulant pas voir mon nom apparaître sur des documents internes, me donnaient des dessous de table pour mes services.

— Exact.

— Oh ! zut, tu as vu l'heure ? Je dois filer. Je t'aime, papa.

— Je t'aime aussi.

***

En entrant au Sunset, un bar en forme de fer à cheval, je sentis l'appel de la bière fraîche. Devant le comptoir étaient plantés les sept mêmes types au teint hâlé que je voyais depuis que j'habitais à l'étage au-dessus. Je les appelais les sept nains, même si on les voyait rarement debout. Sonny, le barman au crâne rasé et au corps couvert de tatouages et de piercings, me héla.

— Joli costume. Tu vas te marier ou te faire une fille ?

— J'étais au tribunal.

— Tu t'es enfin fait épingler avec toutes ces contraventions impayées ?

— Qu'est-ce que tu veux ?

— Paix, amour et compréhension. En dehors de ça, une bonne pipe.

Sonny était un ex-détenu qui adorait me mettre en rogne. Etant donné son casier judiciaire, il n'avait pas le droit de travailler derrière un bar, tout comme je n'étais pas censé bosser pour la police en sous-main. Nos petits secrets mutuels créaient un lien spécial entre nous.

— Qu'est-ce que tu veux ? répétai-je.

— Une femme t'a appelé. Elle avait l'air hystérique et voulait absolument te parler.

— Quel est son nom ?

Il se mit à frotter le bar à l'aide d'un chiffon sale.

— Je l'ai rangé dans la caisse.

— Tu vas le chercher ?

— Combien vaut l'info à ton avis ?

Sonny allait finir au trou si personne ne le remettait dans le droit chemin. Je baissai la voix.

— Mon poing dans ta figure, voilà ce que ça vaut.

— Tu me frapperais devant tous ces clients ?

— Si je leur posais la question, je suis sûr qu'ils me fileraient un coup de main.

Une grimace déforma le visage de Sonny. Il prit un morceau de papier dans la caisse et le plaqua sur le bar. En lisant le nom inscrit dessus, un frisson me parcourut. Julie Lopez. Six mois plus tôt, j'avais aidé Julie à se remettre de la perte d'un proche, chose que personne ne devrait jamais avoir à endurer. Je ne l'avais pas revue depuis, sachant que ma présence ne ferait que rouvrir de profondes blessures.

Je sortis du bar et composai son numéro. Julie répondit immédiatement, d'une voix étranglée par le chagrin.

— C'est Jack Carpenter. Qu'est-ce qui ne va pas ?

— La police a trouvé Carmella, gémit-elle.

— Où ?

— Dans mon jardin !

Ma tête se mit à tourner et je m'appuyai contre le mur, m'efforçant de recouvrer mes esprits. Ce que Julie disait était impossible. Carmella Lopez avait été assassinée par Simon Skell, qui l'avait fait disparaître exactement comme les sept autres jeunes femmes.

Parmi tous les endroits où l'on aurait pu découvrir le corps, le jardin de Julie n'avait pas sa place.

— Que dit la police ?

— Ils pensent que c'est Ernesto.

— Ernesto est là avec toi ?

— La police l'a arrêté et embarqué.

— Tu as appelé un avocat ?

— Je n'ai pas d'argent. Il faut que tu m'aides. Je ne sais pas quoi faire.

Ma tête ne cessait de tourner. La police se trompait. En allant chez Julie, je découvrirais le fin mot de l'histoire, me dis-je.

— Je viens tout de suite.

— Dépêche-toi, implora-t-elle.

Dania Beach était séparée du continent par un court pont de fer. Je le traversai à vive allure, puis m'engageai sur la 595, en direction des confins de l'ouest du comté.

Le ciel était d'un noir meurtrier et de grosses gouttes de pluie frappaient mon pare-brise. Malgré la tempête à l'horizon, je ne ralentis pas l'allure.

6

Je me garai à l'extrémité de l'allée de Julie Lopez, mes essuie-glaces balayant furieusement la pluie. Le quartier avait toujours été mal famé, mais cela s'était aggravé depuis ma dernière visite. Des voitures étaient abandonnées sur les pelouses, et toutes les fenêtres étaient équipées de barres de sécurité. Deux fourgonnettes de police stationnaient devant moi. Les flics ne seraient pas enchantés de me voir, mais on était dans un pays libre. J'ordonnai à Buster de se coucher, et il me jeta un regard désapprobateur. Les bergers australiens sont des chiens de troupeaux, et mon chien aurait aimé me suivre partout.

A peine sorti de la voiture, je me retrouvai trempé jusqu'aux os. Je pataugeai dans l'allée jusqu'à la clôture de bois qui entourait le jardin de Julie. En franchissant la barrière, je m'enfonçai dans la boue jusqu'aux chevilles. Si la foudre frappait le sol à cet instant, je serais de l'histoire ancienne. Pourtant, je continuai à progresser. Quatre policiers en uniforme et un agent en civil étaient dispersés dans le jardin. Ils cherchaient quelque chose et je voulais savoir ce que c'était. Carmella Lopez avait été ma dernière affaire en tant que policier. Sa sœur et elle étaient des prostituées. Carmella opérait dans un salon de massage, tandis que Julie officiait par l'intermédiaire d'un mac prénommé Ernesto.

Quand Carmella disparut, Julie m'appela et me demanda de la retrouver. Je pris l'affaire en charge et, au cours de mon enquête, tombai sur Simon Skell, que je reliai à la disparition de Carmella, ainsi qu'à celle de sept autres femmes disparues dans l'industrie du sexe. Il n'y avait guère de preuves, seulement une série de coïncidences troublantes qui tendaient à prouver que j'avais affaire à un sociopathe. Le procureur crut à ma théorie et inculpa Skell. Nous avons gagné le procès, et Skell a été envoyé à Starke.

Un ruban jaune délimitait la zone interdite. Je l'ignorai et m'avançai vers deux flics en uniforme penchés sur une fosse en forme de cercueil. Le corps décomposé d'une femme reposait au fond du trou.

Une femme habillée d'un bikini rouge, qui serrait un objet entre ses mains, pressé sur son estomac.

Ma poitrine se serra brusquement. Même si le visage de la femme avait disparu, je savais qu'il s'agissait de Carmella.

La foudre tomba non loin de là, faisant trembler le sol. Personne ne bougea. Ce n'était pas la première fois que nous nous retrouvions dans un bourbier pareil. Je commençai à battre en retraite. C'était bien le dernier lieu sur terre où j'avais envie d'être. Soudain, une voix rugit mon nom.

— *Carpenter !*

L'agent en civil Bobby Russo quitta le groupe et se rua sur moi. Le chef du Département des homicides de Broward, un Irlandais au visage replet, fondit sur moi en un éclair. A son cou pendait une cravate dont le motif imitait un poisson mort. Russo m'avait un jour déclamé cette phrase obsédante : « Ma journée commence quand la tienne se termine. »

Il me projeta à terre et se mit à me frapper. Il n'était pas en grande forme, et ses coups manquaient de punch. Il hurla mon nom comme s'il savait que j'allais faire de sa vie et de celle des autres flics que j'avais aidés à coincer Skell un véritable enfer. Difficile d'imaginer que j'avais assisté à son mariage et qu'autrefois nous étions amis.

Les agents en uniforme finirent par maîtriser leur chef. Me remettant en position assise, j'évaluai les dégâts. Comme je n'avais apparemment rien de cassé, je me relevai et lui fis face.

— Bon sang ! Qu'est-ce que tu fabriques ici ? vociféra-t-il.

— Elle m'a appelé.

— Qui ?

— Julie Lopez. Qu'est-ce qui s'est passé ?

— Ce ne sont pas tes oignons.

— Allez, Bobby. C'était mon enquête.

Russo serra le poing comme s'il allait me dévisser la tête. Mais au lieu de m'asséner un coup, il s'adressa à l'un de ses hommes.

— Arrêtez-le.

— Pour quel motif ? demandai-je, incrédule.

Russo pointa du doigt la bande jaune sur la pelouse.

— Violation d'une scène de crime.

— Conneries !

— Bienvenue dans mon monde, rétorqua Russo.

Son acolyte me força à me baisser et me passa les menottes. Puis il m'entraîna vers l'allée. Il s'empara de mon portefeuille, grimpa dans l'une des fourgonnettes et appela le central pour lui donner mon numéro de permis de conduire. Russo et lui savaient parfaitement que je n'étais pas recherché, mais ils avaient décidé de m'en faire baver. Un nouvel éclair fit gronder le sol.

— Je vais me faire tuer ici, glapis-je.

Le visage du policier apparut derrière la vitre du conducteur. Son regard, tout comme son visage, était sans vie. Un sourire furtif éclaira ses traits.

Des rideaux de pluie me submergeaient. Moi qui pensais aller nager plus tard, je me dis que rester debout sous une averse revenait au même. Cela me rappela une autre maxime de ma fille : toujours voir le bon côté des choses. Comme l'agent prenait tout son temps, j'observai attentivement les environs. Un camion de réparation de la compagnie du câble était garé dans la rue, avec deux types à l'intérieur. Etant donné leur équipement, je supposai qu'ils étaient tombés sur la tombe de Carmella en creusant une tranchée pour faire passer une ligne dans le sol.

— Jack, c'est toi ?

Julie Lopez se tenait dans le garage ouvert, le visage ravagé de larmes.

— Salut, Julie.

— C'est le corps de Carmella, n'est-ce pas ?

J'acquiesçai, et elle étouffa un sanglot. Elle s'était accrochée à l'espoir que sa sœur réapparaîtrait vivante un jour, même si Skell avait été condamné pour son meurtre. Un faux espoir, mais parfois ils nous aidaient à tenir le coup.

— Ils ont emmené Ernesto. Que suis-je censée faire, Jack ?

Au cours du procès, l'avocat de Simon Skell avait tenté de dépeindre Ernesto comme le véritable tueur de Carmella. Ernesto n'était pas un ange, mais, pas plus que les autres policiers qui travaillaient sur l'affaire, je ne l'avais jamais imaginé en meurtrier.

— Je ne sais pas.

— Entre, s'il te plaît.

— Je ne peux pas.

— Tu ne veux pas me parler ?

Je lui montrai mes poignets menottés.

— Je suis en état d'arrestation.

— Qu'est-ce que tu as fait ?

Je pris une profonde inspiration. Mon cerveau bouillonnait à force de vouloir relier la découverte du corps de Carmella dans le jardin de Julie à Simon Skell. Seulement, je n'y parvenais pas. Mes certitudes à propos de Simon Skell venaient de partir en fumée.

— J'ai merdé.

Julie claqua la porte du garage devant mon nez. Mes épaules s'affaissèrent. Quand j'étais flic, je ne laissais rien au hasard. Au cours de l'enquête sur Carmella, j'avais fait fouiller la maison et le jardin de Julie plusieurs fois, même après l'arrestation de Simon Skell. Il n'y avait aucun cadavre.

Le policier descendit de la fourgonnette et fourra mon portefeuille dans ma poche. Son visage me disait que j'étais blanchi. Je lui montrai les menottes.

— Laissez-moi partir, d'accord ?

— Je dois avoir l'aval de Russo.

— Allez, je vais être frappé par la foudre.

— C'est à Russo d'en décider.

— Ce sont des conneries et vous le savez très bien.

— Désolé.

Un van se profila dans la rue et se gara derrière le camion de la compagnie du câble. Une équipe de deux experts en médecine légale en sortirent en papotant. Le policier me délaissa pour les escorter jusqu'au jardin.

A bout de patience, j'ouvris la portière du conducteur de ma voiture, et Buster passa la tête pour me lécher les doigts.

— Va chercher les clés ! lui ordonnai-je.

Les précédents propriétaires de Buster avaient fait un formidable travail de dressage avec lui. Il ôta les clés du contact de ses crocs et les laissa tomber dans ma paume. Je conservais une perceuse à cigare sur l'anneau, de la même taille que les clés de menottes. En un éclair, je me libérai.

S'il y avait bien une chose qui m'attirait des ennuis, c'était mon tempérament. Je descendis la rue et repérai la voiture de Russo, une Suburban noire. Je jetai violemment les menottes sur le capot, laissant une entaille notable. Russo les enverrait à la balistique en constatant les dégâts.

Regagnant mon véhicule, je flattai mon chien et démarrai en trombe.

7

Je n'allai pas loin.

Mon esprit était agité de contradictions insurmontables. Dans un magasin d'alimentation près de la maison de Julie, j'achetai un grand café et un paquet de Slim Jim pour Buster. Le caissier fixa mes vêtements trempés, mais ne dit mot.

Je bus mon café dans la voiture tout en écoutant le clapotis de la pluie. Quand j'étais enfant, j'avais peur de la foudre. Parfois, ma sœur aînée, Donna, m'invitait dans sa chambre, et nous restions assis sur son lit pour écouter de la musique. Un album en particulier m'avait marqué : *Everything You Know Is Wrong*, du groupe The Firesign Theatre. Je soufflai sur mon café en pensant à cet album.

Tout ce que je savais était faux.

Je n'étais pas un flic New Age.

Les experts en médecine légale étaient doués pour résoudre des affaires difficiles, mais ils n'empêchaient jamais personne de commettre un crime. Il fallait de l'instinct pour stopper un criminel. Mon instinct m'avait conduit jusqu'à Simon Skell et je l'avais envoyé derrière les barreaux avant qu'il ne tue d'autres jeunes femmes. La découverte de cette tombe semblait prouver que je m'étais trompé sur la façon dont le corps de Carmella Lopez avait disparu, mais ne disculpait en rien Skell de ce crime. Il était coupable, seulement à présent, je ne pouvais plus le prouver.

Mes pensées se tournèrent vers Bobby Russo. Russo allait faire tout ce qui était en son pouvoir pour dédouaner son département et lui-même de ce qui s'était passé. Ce qui signifiait que j'allais porter le chapeau, même si je ne le méritais pas. Ma réputation avait souffert lors du procès de Skell ; pourtant, une autre tempête se profilait.

A présent, la pluie tombait de biais. Jessie me recommandait toujours de voir le bon côté des choses. Eh bien, le bon côté des choses, c'était que ma femme et ma fille ne vivaient désormais plus à Fort Lauderdale et qu'elles n'auraient pas à endurer la tornade que j'allais bientôt devoir affronter.

J'empruntai la 595 en direction de l'est. Une partie de moi voulait boire de la bière fraîche jusqu'à l'ivresse, mais ma conscience ne m'y autorisait pas. D'autres personnes avaient besoin de moi. Melinda Peters, par exemple.

Melinda était le témoin clé de l'accusation durant le procès de Skell. J'avais découvert son nom dans un vieux dossier de la base de données du Bureau national des fugues qui la reliait à Skell. Comme elle répugnait à témoigner, j'avais dû déployer des trésors de persuasion pour la convaincre. Lors de son interrogatoire, Melinda avait raconté les détails effroyables de son calvaire. Skell l'avait recueillie lorsqu'elle avait fugué à l'âge de seize ans, l'avait droguée, puis enfermée dans une niche pour chien chez lui, avec un collier denté autour du cou. Il la torturait selon son humeur et passait du rock'n'roll pour couvrir ses cris de détresse. Skell était un grand adepte des Rolling Stones et chantait sans relâche *Midnight Rambler.* Une chanson racontant l'histoire d'un psychopathe qui entrait par effraction chez des jeunes femmes pour les brutaliser et les assassiner. Au désespoir, Melinda avait proposé à Skell de faire l'amour avec elle. Il l'avait laissée sortir de sa cage et elle en avait profité pour s'enfuir par une fenêtre. Au lieu d'appeler la police, elle s'était réfugiée dans un foyer pour sans-abris et était restée cachée là. Elle avait raconté son histoire à une de ses comparses, qui en avait fait part à un conseiller du Bureau national des fugues.

C'est ainsi que l'incident avait été consigné dans la base de données. Au cours de mon enquête, j'étais tombé sur ce dossier et j'avais retrouvé Melinda.

Voilà toute l'histoire. Melinda m'avait aidé et il était de ma responsabilité de lui parler du cadavre découvert dans le jardin de Julie Lopez. Pas question qu'elle l'apprenne par la radio ou la télévision et qu'elle panique. C'était à moi de lui annoncer la nouvelle en personne.

Mais d'abord, je devais la localiser. Strip-teaseuse, Melinda passait d'un club à l'autre. Je n'avais pas son adresse, et le numéro de téléphone qu'elle m'avait donné aboutissait à un répondeur. Puis j'eus une idée.

Depuis ma démission, j'étais resté en contact avec une poignée de flics. L'un d'eux était un pauvre type du nom Claude Cheever. Cheever et moi n'avions absolument rien en commun. Pourtant, il était venu à mon audience et avait témoigné en ma faveur, affirmant que tous mes actes au cours de l'enquête sur Skell respectaient scrupuleusement la loi. Aucun de mes amis ne s'était mouillé de cette manière. Pas un seul.

Cheever était également un grand amateur de sexe et appelait toutes les strip-teaseuses de la ville par leur prénom. M'emparant de mon téléphone portable, je l'appelai aussitôt.

— Cheever, répondit-il.

Etant donné la musique disco en fond sonore, il était dans un club.

— Ici Carpenter. On peut parler ?

— Comme si on était l'un à côté de l'autre. Comment ça va ?

— Ça va. Et toi ?

— Je profite de la vie. Quoi de neuf ?

— Je cherche Melinda Peters. Une idée de l'endroit où elle travaille en ce moment ?

— A environ deux mètres de ma langue baveuse.

Son ton changea brusquement.

— Ohhhh ! baby, tu es incroyablement sexy. Viens par ici et fais-moi un beau sourire…

— Tu lui parles, là ?

— Non, c'est une autre bombe.

— Melinda est vraiment dans ton club ?

— Bien sûr. Elle vient juste de prendre une pause.

— Où es-tu ?

— Au Baby Shot, sur State Road 80. Je te garde une place.

S'il y avait bien un business florissant dans le comté de Broward, c'était celui des clubs de strip-tease. Il y en avait tellement que plusieurs magazines glamour paraissaient tous les mois pour mettre en avant les jeunes filles qui s'y produisaient. Les clubs proches de l'océan attiraient une clientèle touristique fortunée, tandis que les établissements de l'ouest étaient prisés par les gens du coin.

Le Body Shot était très à l'ouest, et les véhicules qui s'entassaient sur le parking avaient bien plus mauvaise mine que ma vieille guimbarde.

Le club sentait la bière bon marché et le déodorant. Sur la scène ovale, trois femmes en string se dandinaient sous les stroboscopes au rythme de *Everybody's Everything* de Santana. En traversant la salle, la rotation des lumières me donna l'impression de faire le tour d'une bouche d'égout géante.

Cheever était au bar. Quand on voyait Claude, le terme « flic » était le dernier mot qui vous venait à l'esprit.

A quarante-cinq ans environ, il arborait une moustache tombante, un ventre bedonnant et la pire coupe de cheveux qu'on pût imaginer pour un adulte. Il me serra la main.

— Tu as l'air en forme ! criai-je par-dessus la musique.

— Menteur, répondit-il.

Je captai le regard de la barmaid et commandai deux bières. Un instant après, elle planta deux bouteilles sur le comptoir et annonça le prix d'un air craintif, comme si elle appréhendait une bagarre.

Je payai, et trinquai avec Cheever.

— Personne ne t'a jamais dit de ne pas te doucher avec tes vêtements ? demanda-t-il.

J'étais toujours trempé. Ces vêtements constituaient mon dernier lien avec mon ancienne vie et je ne savais pas si je devais me sentir triste ou soulagé. Buvant une nouvelle gorgée de bière, j'optai pour le soulagement.

— Tu as dit à Melinda que je venais ?

— Non. J'aurais dû ?

Je jetai un billet de cinq dollars sur le comptoir et demandai à la barmaid d'aller chercher Melinda. Elle disparut aussitôt, et Cheever me donna un coup de coude dans les côtes.

— Une petite vieille de Fort Lauderdale va faire des courses au supermarché, commença-t-il. Quand elle sort du magasin, elle surprend deux types en train de voler sa voiture. Elle s'empare de son pistolet et s'écrie : « Descendez de ma voiture, bande de voyous. J'ai un flingue et je sais m'en servir ! » Les types prennent la poudre d'escampette. La vieille dame range ses sacs dans le coffre et s'installe derrière le volant. Puis elle voit un ballon de foot et un pack de bières sur le siège avant. Elle descend de la voiture et comprend que son propre véhicule, même modèle, même couleur, est garé quelques places plus loin. Elle range ses courses dans son propre coffre et se rend au poste de police pour faire part de son erreur. Le policier qui la reçoit éclate de rire en entendant son récit, puis lui montre un autre bureau, où deux types sont en train de raconter le braquage de leur voiture par une vieille dame. Morale de l'histoire ?

Je secouai la tête et terminai ma bière d'un trait.

— Si tu as l'occasion de vivre un moment de gloire quand t'es vieux, mets le paquet.

Cheever s'étrangla de rire. Je sentis une main sur mon épaule et me retournai.

Melinda se tenait derrière moi, ses longs cheveux blonds cascadant sur ses épaules, son corps pulpeux moulé dans une guêpière en résille noire. Perchée sur des talons hauts, elle était presque aussi grande que moi. Elle m'offrit sa main telle une princesse.

— Hello, *darling.*

Dans le salon VIP, je m'assis sur un canapé au tissu balafré d'une grande déchirure. Le salon était doté d'une cloison qui le séparait du reste du club, nous octroyant un minimum d'intimité. Melinda se coula à mon côté et posa la main sur mon ventre.

— Salut, beau gosse.

— Salut.

— Je t'ai manqué ?

— Evidemment.

— Epouse-moi.

Je déglutis avec peine, regrettant d'avoir bu une bière. Je mentirais si je disais que Melinda ne me faisait aucun effet. Il fallait être de marbre pour ne rien ressentir à son contact. Mais ce n'était qu'un petit jeu entre nous, que nous jouions à chacune de nos rencontres.

— Je suis sous le charme.

Elle ôta sa main et mit un peu de distance entre nous. Quelques centimètres seulement, juste assez pour créer une zone de sécurité.

— Ça fait un bail qu'on ne t'a pas vu.

— J'étais occupé.

— A courir après les mauvais garçons ?

— Parfois.

— Qu’est-ce qui est arrivé à tes fringues ?

— J’ai été surpris par l’orage.

Elle sortit un paquet de Kool de la poche de sa guêpière, en prit une et la glissa entre ses lèvres. Je dégotai une boîte d’allumettes dans ma poche et allumai sa cigarette. Elle exhala un nuage de fumée au-dessus de nos têtes.

— Alors ? Qu’est-ce que tu veux, Jack ? Une petite danse ?

— J’ai de mauvaises nouvelles.

Ses sourcils se froncèrent.

— Quoi ?

— Un corps a été retrouvé cet après-midi dans un jardin. Celui de Carmella Lopez, la fille à cause de qui Simon Skell est allé en prison. La police a arrêté un mac qu’elle considère comme le vrai coupable.

Il fallut un moment à Carmella pour analyser mes paroles. La peur déforma lentement ses traits.

— Que va-t-il arriver à Skell ? Ils ne vont pas le laisser sortir, n’est-ce pas ?

— C’est possible.

— Mais tu as dit qu’il avait tué Carmella et toutes ces autres filles.

— Exact.

— Alors, comment peuvent-ils le laisser sortir ?

— Cette nouvelle preuve n’entérine plus l’enquête de police.

— Ne me parle pas comme ça ! aboya-t-elle.

— Comme quoi ?

— Comme une saleté de répondeur automatique. Je déteste ça.

— Désolé.

Melinda posa la main sur ma jambe et enfonça ses ongles aux motifs de dragon dans ma peau. J’oubliais à qui je m’adressais. A la fille qui avait cessé d’être une victime pour mettre son agresseur derrière les barreaux. Il y avait peu de filles capables d'un tel cran et je venais de lui dire qu'elle avait fait tout cela en vain.

— Comment peuvent-ils le laisser sortir, Jack ? gémit-elle. Le juge n'a pas entendu ce que j'ai dit dans le box des témoins ? Les tortures que Skell m'a infligées ? Qu'il me privait d'eau et de nourriture ? Qu'il me faisait pisser dans un gobelet en plastique ? Quand il m'a parlé des filles qu'il a torturées et que j'allais rejoindre leur petit club ? La façon dont il m'a fait aboyer comme un chien sur cette satanée chanson ? Le juge n'a donc rien entendu, Jack ?

Je restai muet. La triste vérité était qu'il ne s'agissait pas du procès de Melinda, mais de celui de Carmella. Et bien que le témoignage de Melinda eût favorisé la condamnation de Skell, ce n'était pas le crime pour lequel il avait été jugé. Une charmante façon de dire qu'il ne serait jamais puni pour les atrocités qu'il avait fait subir à Melinda. Chose que je ne pouvais pas lui dire.

— Ce n'est pas encore sûr, répondis-je.

— Ce qui veut dire ?

— Ce qui veut dire qu'il n'est pas certain que Skell sera libéré. Son avocat va devoir retourner voir le juge et lui présenter ces nouveaux éléments.

Ses ongles s'enfoncèrent un peu plus profondément dans ma chair.

— Ils vont le laisser sortir, n'est-ce pas, Jack ? C'est pour ça que tu es venu. Ils vont le libérer et tu veux que je rajoute des verrous à la porte de mon appartement et que je m'achète un flingue pour me préparer au jour où il s'introduira dans ma chambre.

Je baissai la tête. C'était exactement pour cette raison que j'étais venu la trouver.

— Je suis désolé, Melinda.

Elle me gifla. Sous le coup de la douleur, j'agrippai instinctivement son bras pour l'empêcher de recommencer. Elle laissa échapper un hurlement à vous glacer le sang.

Un imposant videur s'engouffra dans le salon. Il m'empoigna et me poussa dans la salle du club. Je cherchai Cheever des yeux au bar, mais il avait disparu.

En passant la porte d'entrée du club, je pensais que le videur allait me laisser tranquille, mais au lieu de cela, il me projeta violemment par terre. Je battis des mains tel un oiseau et heurtai durement les pavés.

— Dégage de là ! gronda-t-il.

Allongé sur le sol, j'observai la pluie qui battait les pavés. Mon pantalon était troué aux genoux, ma veste, déchirée. Je m'efforçai de voir le bon côté des choses, seulement, il n'y en avait aucun. D'un pas raide, je me dirigeai vers ma voiture.

Une fois dans le véhicule, je vis Buster se recroqueviller près de la porte du passager. Puis l'odeur âcre me saisit. Mon chien avait vomi les Slim Jim.

— C'est rien, mon garçon. C'est rien.

Apparemment rassuré par mes paroles, Buster se glissa sur mes genoux. Il resta là, immobile, durant tout le trajet de retour jusqu'au Sunset.

8

La tempête s'étant déportée vers le sud de Dania, un soleil aveuglant m'accueillit à mon arrivée au Sunset. Je rinçai le tapis de sol dans l'océan et le posai sur le capot pour le faire sécher. Comme il ne restait plus que quelques heures de luminosité, je rentrai me changer.

Dans ma chambre, j'enfilai ma combinaison Speedo. J'avais perdu près de dix kilos ces six derniers mois et retrouvé un ventre plat et une peau bronzée.

Malgré la finesse de mes cheveux, mes amis disaient que je faisais bien plus jeune que mes quarante ans. Peut-être avais-je trouvé la fontaine de jouvence.

Je roulai mes vêtements mouillés en boule et descendis l'escalier. Au bar, l'un des sept nains, Whitey, faisait un tour de magie avec une série d'allumettes enflammées.

L'effet comique était indéniable, mais l'imbécile risquait de mettre le feu à l'établissement.

J'éteignis les allumettes à l'aide d'un verre d'eau, ce qui me valut des grognements de protestation.

Puis je tâchai de capter l'attention de Sonny. Comme il refusait de croiser mon regard, je devinai qu'il était toujours vexé après cette histoire de poing dans la figure.

— Attention ! lui criai-je en lui lançant mon ballot de vêtements comme s'il s'agissait d'un ballon de basket-ball.

Sonny l'attrapa d'un air sceptique.
— Jette tout ça pour moi, veux-tu ?
— Ton costume ?
— Ouais. Je reprends mon ancienne peau. Et tant que tu y es, sers une tournée générale, sans t'oublier.
Les nains se ruèrent sur le comptoir avec enthousiasme. Sonny enfouit les vêtements dans la poubelle avec un sourire. Tout était pardonné.
— Les verres, petits ou grands modèles ?
— Petits modèles. J'essaie de ne pas perdre pied.
— Petits alors.
Je baissai la voix.
— J'ai besoin d'un service. Il se peut que tu reçoives quelques coups de fil pour moi. Les journalistes, la police, ce genre de choses. Dis-leur que tu ne m'as pas vu dans le coin, d'accord ?
— Tu as des ennuis ?
Normalement, je lui aurais menti, mais étant donné mes maigres ressources, j'avais besoin de toute l'aide possible.
Je hochai la tête. Dans le réfrigérateur, Sonny prit une canette de Budweiser, ma bière attitrée, et l'enfouit dans le bac à glaçons.
— Nage bien, dit-il.

Le jour où ma femme m'a quitté, j'ai pris le volant et j'ai roulé sans but. Je ne savais pas comment j'allais supporter son absence. Finalement, je finis par me garer à la pointe nord de Dania Beach. Puis j'ai fait ce que n'importe quel homme au cœur brisé aurait fait.
Je me suis déshabillé et je suis allé nager. Je ne sais pas pourquoi j'ai fait cela. Cela m'a simplement semblé naturel à ce moment-là. Quand je suis sorti de l'eau une heure plus tard, je savais que tout allait bien se passer.
J'ai commencé à faire de la natation en compétition à l'âge de dix ans et j'étais assez bon pour avoir mon nom

gravé sur une plaque dans le Hall des nageurs célèbres de Fort Lauderdale. Ma spécialité était le dos crawlé. Ce qui n'était au début qu'un sport est devenu une thérapie quotidienne. Je me faisais un devoir de nager tous les jours, même sous la pluie ou la tempête. Quand je ne nageais pas, je me sentais affreusement mal.

L'océan avait la température d'un bain et je m'immergeai dans l'eau, des vairons se faufilant entre mes jambes.

A trois cents mètres du rivage, je débutai mon entraînement. D'abord le crawl, puis retour vers le rivage en dos crawlé. Il n'y avait pas de surveillants à l'extrémité de cette plage, ni aucun autre nageur en cas de problème. Si j'avais une crampe et me noyais, personne ne le saurait. Je coulerais comme une pierre et serais balayé par la mer. La mort me faisait aussi peur que n'importe qui, si ce n'est que la perspective de la noyade ne m'avait jamais effrayé.

Sans doute parce que je n'étais pas vraiment seul. Juste sous la surface se tapissaient des brassées de raies, de poissons-chats et de méduses. Sans doute devrais-je me méfier de ces créatures, mais ce n'était pas le cas. Je n'avais jamais été piqué ni mordillé par aucune créature marine et elles n'envahissaient pas mon espace. Un jour, je risquais d'avoir un bras arraché, mais en attendant, je tentais ma chance.

Après une heure de natation, je regagnai le rivage. Une sirène hurla en provenance du pont. Dania étant le purgatoire de Dieu, il s'agissait sans doute d'une ambulance.

Puis les sirènes se multiplièrent : deux, trois, quatre. Des voitures de police, toute une procession.

A peine le pied sur le sable, je courus vers le Sunset. Sonny vint à ma rencontre, l'air paniqué.

— J'ai merdé, dit-il.

— Que s'est-il passé ?

— Je suis allé pisser et le téléphone a sonné. Whitey a répondu. Un flic a demandé si tu étais dans le coin. Whitey lui a répondu que tu étais allé nager.

Je grimpai l'escalier de ma chambre à toute allure. Ouvrant la porte à la volée, j'appelai mon fidèle compagnon. Buster bondit du lit et me suivit au rez-de-chaussée. Sonny se tenait dans l'entrée du bar.

— Prends mes appels ! lui lançai-je.

Sous le Sunset se trouvait un espace ombragé où le sable et le bois se rejoignaient, de sorte qu'il était invisible depuis la plage. Je me cachai là avec mon chien et scrutai la scène à travers les interstices.

Quatre voitures de police hurlantes se garèrent sur le parking, et une escouade d'uniformes bleus en débarqua. Parmi eux, Russo avait l'air fou de rage. Sans doute avait-il déjà mis son Suburban au garage.

Les policiers s'engouffrèrent dans le bar d'un pas lourd, faisant trembler les planches de bois.

— Où est Carpenter ? rugit Russo.

— Dans l'eau ! répondit Whitey.

Russo quitta la salle et emprunta l'étroit escalier. En haut, il s'adressa aux agents qui fouillaient ma chambre.

— Rien à signaler ! cria l'un des hommes.

— Vous n'avez pas pu fouiller cette pièce aussi vite, rétorqua Russo.

— Il n'y a rien ici, insista l'agent.

— Recommencez. Retournez-moi cette chambre, éventrez les matelas, je m'en moque. Ce dossier est forcément ici.

Je me penchai en arrière et fermai les yeux. Le dossier m'était complètement sorti de l'esprit.

Le jour de mon départ du Département du shérif, j'avais emporté le dossier de Simon Skell avec moi, bien décidé à revoir tous les éléments un à un et à découvrir comment il avait réussi à faire disparaître ses victimes sans laisser de traces.

Je n'avais pas pensé que ce dossier serait porté manquant. Tant de choses se perdaient dans ce département – des paquets de marijuana et des milliers de cartouches – que l'absence de ce dossier aurait dû passer inaperçue. Pas de chance.

Russo redescendit l'escalier et se planta devant le bar.

— Cette Acura garée sur le parking. C'est la voiture de Carpenter ?

— Ouais, répondit Sonny.

— Vous avez la clé ?

— Non, mais il la laisse ouverte.

— Je vais la fouiller. Personne ne bouge d'ici, c'est compris ?

— Oui, monsieur, répondirent les sept nains ivres en chœur.

— C'est valable pour vous aussi, ajouta Russo à l'intention de Sonny.

— Je ne vais nulle part, répondit le barman.

Russo quitta le bâtiment et marcha sur le sable jusqu'à ma voiture. Il se trouvait à six mètres de ma cachette et je l'entendais marmonner sous cape. Un jour, il aurait une attaque, j'en aurais mis ma main à couper.

Après avoir fouillé ma voiture, Russo retourna au Sunset, plus furieux que jamais. L'un des agents en uniforme vint le trouver à l'entrée.

— Rien dans la chambre de Carpenter, déclara-t-il.

— Merde, merde, merde ! jura Russo en donnant un coup de pied dans la porte. Je veux que vous passiez cette plage au peigne fin, jusqu'à ce que vous le trouviez. Pas question de partir d'ici sans ce dossier, c'est clair ?

— Oui, chef.

Une vague inattendue se brisa sur moi, et je recrachai une lampée d'eau salée. Russo avait besoin du dossier de Skell pour traiter l'affaire avec le procureur général, qui devait le harceler à propos du cadavre retrouvé dans le jardin de Julie Lopez. Malheureusement, je n'avais aucune intention de le lui rendre. C'était mon seul lien avec l'affaire et je ne comptais pas le lâcher.

Les policiers s'éparpillèrent sur la plage. Les agents s'éloignèrent au lieu de s'attarder sur le rivage, m'octroyant une porte de sortie.

Russo resta en retrait pour fouiller une seconde fois ma voiture, accordant une attention toute particulière à la cavité réservée à la roue de secours. Une autre vague déferla sur mon repaire. Je réalisai que, si je restais là plus longtemps, j'allais finir par me noyer.

Profitant de l'accalmie, je me coulai jusqu'au Sunset avec mon chien. Pendant que Buster se précipitait à l'étage, j'entrai dans le bar. Sonny et les sept nains regardaient de vieilles rediffusions de matches de boxe sur ESPN. Je mis mon index sur ma bouche pour les intimer au silence, puis pris place sur le seul tabouret de bar vacant.

La température de mon corps avait tellement chuté que je ne cessais de frissonner. Sonny m'apporta un t-shirt de rechange et la casquette de pêcheur de l'un des sept compères. Un semblant de déguisement. Je pris ma bière dans le bac à glaçons, et Sonny me servit un verre.

— Tu crois vraiment que ça va marcher ?

— C'est mieux que la noyade. Et si tu servais une autre tournée à mes amis ?

— Petits ou grands modèles ?

— Petits.

La mémoire collective des sept nains se raviva et ils applaudirent ma générosité. Par la fenêtre, je vis Russo relever la tête du coffre de ma voiture. Son radar lui soufflait que quelque chose n'allait pas, et il revint rapidement vers le bâtiment.

Je fis ce que tout alcoolique qui se respecte aurait fait, à savoir baisser le nez sur ma chope. Russo s'engouffra dans le bar, le souffle court et les joues rouges.

— Qu'est-ce que c'est que tout ce raffut ?

Sonny pointa le téléviseur.

— Ali vient de mettre Foreman KO.

— C'est de l'histoire ancienne, dit Russo.

— Pas pour ces types.

Russo les fixa. S'il avait pris la peine de compter les têtes la première fois, il aurait remarqué qu'elles avaient augmenté. Mais il ne l'avait pas fait, son esprit étant préoccupé par bien d'autres choses. Par exemple, comment annoncer au procureur qu'il n'était pas en possession du dossier de Skell.

Grommelant dans sa barbe, Russo retourna dehors. Je continuai à commander des tournées pendant que les flics poursuivaient leur chasse.

Au coucher du soleil, ils regagnèrent leur véhicule et s'en allèrent. Russo fut le dernier à partir, la lumière intérieure de sa voiture illuminant un homme solitaire aux prises avec une situation alambiquée.

Bientôt, tout revint à la normale. Sonny me servit le chili maison avec des crackers. Je mangeai rapidement, me surpris en train de bâiller et me dis qu'il était temps d'aller au lit. Quand je me levai, les sept nains entonnèrent une joyeuse reprise de *For He's a Jolly Good Fellow.*

Une sympathique manière de terminer une journée infernale. Après avoir rendu les vêtements que j'avais empruntés, je leur souhaitai bonne nuit.

9

Ce fut un matin dur et lumineux.

Allongé sur mon lit, j'observai une mouette planer devant ma fenêtre tout en essayant de comprendre ce qui s'était passé la veille au soir. Les policiers avaient mis ma chambre sens dessus dessous, puis tout remis en place. Ce qui n'était pas habituel de leur part.

Sans doute un traitement de faveur dû à mes anciens états de service. Ou alors Russo le leur avait demandé. Je décidai que c'était probablement ce qui s'était passé, ce qui signifiait que Bobby ne me haïssait pas autant que je le croyais.

Un objet se tenait immobile près de moi : Buster était si douillettement lové contre moi que je ne pouvais pas me lever. Je lui attrapai une patte arrière et la tirai.

— Debout !

Nous étions deux créatures pétries de petites habitudes. Buster but à même la cuvette des toilettes, puis m'attendit près de la porte. Je pris une douche, passai un short et un sweat-shirt à manches longues, puis emmenai mon chien faire une balade.

Le petit-déjeuner nous attendait sur le comptoir à notre retour. Un bol de restes pour mon chien, une tasse de café et un exemplaire du *Fort Lauderdale Sun-Sentinel* pour moi. Cela faisait partie de notre arrangement. Je remerciai

Sonny, assoupi sur un tabouret de bar de l'autre côté du comptoir.

D'habitude, je commençais par la rubrique des sports, mais aujourd'hui, les gros titres étaient immanquables. En première page apparaissait une photo macabre du cadavre dans le jardin de Julie Lopez. C'était une vue de dessus, sans doute prise d'un hélicoptère. Dans la presse, il y avait les petits et les grands meurtres, et celui-là était clairement vendu comme une grosse affaire. Un objet était serré dans les mains du squelette. Quand je demandai son avis à Sonny, il ouvrit les yeux et scruta le journal.

— On dirait un crucifix en or, dit Sonny.

Je l'examinai à mon tour.

— Je crois que tu as raison.

— C'était ton affaire, hein ?

Je bus une gorgée de café et hochai la tête. Je pensais au mac de Julie Lopez, Ernesto, qui d'après le journal avait été arrêté sans possibilité de libération sous caution. Ernesto étant très religieux, je me demandais si cela n'était pas sa manière de donner à Carmella une sépulture décente. Ernesto avait très bien pu tuer Carmella, puis attendre que Skell soit en prison pour l'enterrer. J'avais envoyé en prison le bon type pour le mauvais crime. Cela me rendait malade.

— Un type inspectait ta voiture quand je suis arrivé ce matin, dit Sonny après quelques minutes.

— Comment ça ?

— Il a fait le tour, lu la plaque d'immatriculation.

— De quoi il avait l'air ?

— Tenue de ville, la quarantaine passée, cheveux courts.

— Un flic, d'après toi ?

— Plutôt un privé.

— Qu'est-ce qui te fait dire ça ?

— Les flics ne se lèvent pas aussi tôt.

La Legend était mon seul bien de valeur, et personne ne devait y toucher.

Dehors, j'inspectai ma voiture à mon tour, en particulier le dessous. Le transmetteur noir fixé sur le pot d'échappement était impossible à manquer. Je retournai au Sunset.

— J'ai besoin de ton aide, Sonny.

— Dis-moi tout.

— Le privé a collé un transmetteur sur ma voiture. Je voudrais que tu fasses un tour avec. Je te suivrai et je pourrai l'épingler.

— J'ai été arrêté pour conduite en état d'ivresse le mois dernier et on m'a retiré mon permis. Pourquoi tu ne demandes pas à Whitey ?

Il y avait de l'agitation de l'autre côté de la salle. La tête blanche comme neige de Whitey apparut derrière le comptoir. Il portait ses vêtements de la veille, et son visage était nervuré d'une mosaïque de vaisseaux sanguins et de boutons.

— Quoi de neuf, capitaine ? demanda Whitey.

— Tu as une voiture ? demandai-je.

— La dernière fois que j'ai vérifié, oui.

— Ton permis est valide ?

Whitey s'empara de son portefeuille, fit tomber ses cartes de crédit sur le bar et prit son permis de conduire. Il le scruta attentivement, puis hocha la tête avec enthousiasme.

— Voilà ce que je veux que tu fasses…

Cinq minutes plus tard, nous mîmes notre plan en œuvre. Whitey prit la route du sud sur la A1A au volant de ma voiture, pendant que je le suivais dans sa Corolla crasseuse.

Whitey était mal en point et n'aurait probablement pas dû conduire, mais c'était vrai d'un tas de gens en Floride du Sud.

En chemin, je scrutai les trottoirs. Si mon intuition était bonne, le privé embauché par la sœur de Simon Skell apparaîtrait sous peu et filerait le train de Whitey.

La plupart des privés étaient des flics ratés, ce qui expliquait les mauvais traitements qu'on leur réservait souvent.

Deux rues plus loin, je compris que je ne m'étais pas trompé. Une Toyota noire aux vitres teintées apparut et emboîta le pas de la Legend.

A l'intersection suivante, Whitey se gara devant un 7-Eleven et se précipita à l'intérieur, le billet de dix dollars que je lui avais donné lui brûlant la poche.

La Toyota s'arrêta à son tour, et le chauffeur suivit Whitey dans le magasin. Il avait à peu près ma taille, des cheveux gris métal et un costume noir qui lui donnait un air pincé. L'expression de son visage ne me disait rien de bon. Je me précipitai à l'intérieur à sa suite.

Je dénichai mon homme au fond du magasin. Il avait acculé Whitey au rayon des chips et me tournait le dos. Je passai mes mains sous ses aisselles et lui fis une prise de lutte, un full Nelson.

— Hé ! s'écria-t-il, pris de panique.

— Hé ! J'en ai marre de vos conneries.

— Lâchez-moi !

— Pas avant que vous ayez répondu à quelques questions.

Ses muscles se bandèrent. A l'évidence, il n'était guère intimidé. Cela sentait la bagarre.

— Vous êtes Jack Carpenter ?

— Qu'est-ce qui vous fait croire ça ?

— Je dois vous parler.

— Appelez ma secrétaire et prenez rendez-vous.

— Allons, cessez de faire l'imbécile. Je veux seulement vous parler.

— N'est-ce pas ce que nous sommes en train de faire ?

— Vous allez me lâcher ?

— Pas avant que vous ayez fait des excuses à mon ami.

— Je n'ai pas à m'excuser.

Le type était à la fois buté et fort. Il y avait des gens avec qui il était inutile de raisonner, et je décidai qu'il était l'un d'entre eux. Relâchant ma prise, je le poussai vers l'avant. A ma grande surprise, Whitey lui fit un croche-pied.

Le type tomba la tête la première sur les étagères de chips et fit basculer tout le rayonnage avec lui.

Whitey se sauva en riant comme un gamin délinquant. Je le suivis, non sans m'excuser auprès du gérant en passant devant lui.

— Déguerpissez, maugréa-t-il.

Whitey et moi échangeâmes nos clés de voiture sur le parking. Je quittai les lieux au moment où le privé titubait vers la sortie. Sa veste était déchirée au niveau de l'épaule et la défaite se lisait dans ses yeux. Pressant mon klaxon, je m'éloignai à vive allure.

Je retournai au Sunset pour prendre mon chien. Je n'avais pas ressenti un tel regain d'énergie depuis bien longtemps. Il était temps de me rendre à mon bureau et de me mettre au travail.

Je pris le pont qui me ramenait à la civilisation et me dirigeai vers la ville. A mi-chemin, je bifurquai sur une deux-voies poussiéreuse flanquée de palmiers nains, le long d'un chantier naval. Ma destination était un petit bar du nom de Tugboat Louie's, où l'on trouvait tout ce dont on pouvait rêver : bar, grill, restaurant et, non loin de là, une marina avec des entrepôts.

Le restaurant aux bardeaux blanchis était doté de volets censés résister aux ouragans. A l'intérieur, le propriétaire faisait l'inventaire derrière le bar. Kumar portait un t-shirt de coton blanc égyptien et un nœud papillon noir trop grand. C'était un Indien de grande taille au caractère bien trempé.

— Jack, comment vas-tu ? demanda-t-il en me serrant la main. Tu as l'air en forme. Tout va bien ? Qu'est-ce que je peux t'offrir ? Café ? Thé ? Quelque chose à manger ? Des œufs brouillés, peut-être ?

— Non, merci, ça va.

— Comment va ton chien ?

— Il va bien. Et toi, ça roule ?

— Formidable, fantastique. Les affaires marchent bien. Je n'ai pas à me plaindre.

— Tu es un homme chanceux.

Un air de danse du ventre emplit l'atmosphère. C'était la sonnerie du téléphone portable de Kumar, qui l'ôta de sa ceinture pour prendre l'appel. Derrière le bar se trouvait une cage d'escalier barrée d'une chaîne et une pancarte indiquant *Privé*. Me glissant derrière le comptoir, j'ôtai la chaîne et grimpai les marches. Le deuxième étage comportait deux bureaux : celui de Kumar et le mien, qu'il me prêtait gracieusement. Je travaillais là depuis six mois dans le plus grand anonymat. Seuls Kumar et quelques employés étaient au courant de mes activités.

Ma relation avec Kumar était basée sur une raison unique, pour laquelle il semblait vouloir m'être redevable à vie. Lors d'un week-end estival, deux ans auparavant, j'étais venu dîner dans son restaurant avec ma femme et ma fille. A l'extérieur se déroulait un concours de bikinis, dont le sponsor était un distributeur de rhum local. Le rhum et les jolies filles faisaient la fierté de la Floride. Bientôt, une bande de types ivres lorgnait dix jeunes filles court vêtues sur une scène de fortune. Un DJ du coin assurait l'ambiance musicale et, dans un moment d'égarement total, il invita les spectateurs à monter sur scène, puis passa le tube *Born to Be Wild*.

Les ivrognes s'étaient rués sur la scène et avaient commencé à harceler les jeunes filles. Pressentant un désastre, j'avais rejoint le DJ et débranché la principale prise de courant. Puis j'étais monté sur scène en brandissant mon badge de policier. Après avoir escorté les jeunes filles dans le bar et leur avoir donné le temps de se rhabiller, tout était revenu à la normale. Depuis, quand je ne faisais pas des petits boulots bizarres, j'étais ici. Avec sa vue imprenable sur les canaux intercostaux, mon bureau comportait une table, une chaise, un poster de Michael Jackson, un vieux PC avec une imprimante, et le dossier de Skell.

L'ensemble des documents était par terre, divisé en huit piles. Chaque pile correspondait à une victime et contenait le rapport de police, les douzaines d'interviews des amis et voisins, ainsi qu'un historique. Sur le mur au-dessus, j'avais collé les photos des victimes. Leurs noms étaient Chantel, Maggie, Carmen, Jen, Krista, Brie, Lola et Carmella.

Je les avais connues adolescentes, quand elles vivaient dans la rue. Toutes des laissées-pour-compte ou des fugueuses. Je les avais vues grandir et les avais aidées de mon mieux chaque fois que je le pouvais. Jamais je n'avais cessé de m'inquiéter pour elles, même dans la mort.

Derrière mon bureau était affichée une carte du comté de Broward, des punaises colorées indiquant le lieu où chacune des victimes avait été vue pour la dernière fois. Elles n'avaient pas de lien géographique apparent, certaines vivant à la campagne, d'autres en ville, d'autres encore dans des banlieues résidentielles. Ce qui les reliait était leur mode de disparition. Un jour elles étaient là, le lendemain elles s'étaient évanouies. Aucun témoin, aucune trace, rien.

Dès que j'avais un moment de libre, j'étudiais cette carte. C'était devenu une obsession, et pour cause. Comme j'avais mis une raclée à Skell, les médias l'avaient montré sous un jour sympathique. Résultat, le procès avait été suivi de près par la presse, et tout le monde avait compris que le dossier de l'accusation était maigre. Les experts juridiques à qui j'en avais parlé m'avaient dit que Skell pourrait aisément bénéficier d'un nouveau procès ou faire appel. Et cela, par ma faute.

Je lisais mes e-mails quand le téléphone sonna. L'identificateur d'appel m'apprit qu'il s'agissait de Russo. Je laissai le répondeur s'enclencher, puis écoutai le message.

« Jack, petit emmerdeur, vociféra la voix de Russo, je vais lancer un mandat d'arrêt contre toi. »

J'étais tombé plutôt bas ces six derniers mois, mais être jeté dans une prison du comté serait vraiment un sale coup. Je rappelai aussitôt Russo.

— Dis-moi que c'est une plaisanterie.
— Pas du tout, répondit Russo.
— Pourquoi ce mandat ?
— Agression d'un agent du FBI.
Je faillis lâcher mon téléphone.
— Ce type que tu as rudoyé dans un magasin ce matin est un agent du FBI, reprit-il. Il m'a rendu visite hier. Il s'intéresse à l'affaire Skell et veut te parler. Comme je suis un type sympa, je lui ai dit où tu habitais.
Je fermai les yeux, à l'écoute de mon cœur battant.
— Je croyais que c'était ce privé qui me harcelait.
— Erreur.
— Il porte plainte ?
— Non, il ne veut pas porter plainte, dit Russo.
— Alors, pourquoi m'arrêter ?
— Facile. Le gérant du magasin veut porter plainte, lui, et a été assez gentil pour me fournir la vidéo de surveillance où tu apparais.
— Merde.
— Merde, en effet. Tu es piégé, Jack. A moins que tu acceptes de faire un petit échange.
Russo était passé maître dans l'art d'obtenir ce qu'il voulait.
Sans attendre, je répondis :
— Je te donne le dossier de Skell et tu abandonnes les charges.
— Exactement, plus trois cents dollars pour couvrir les réparations de ma voiture, ajouta Russo. Tu as jusqu'à 15 heures pour m'apporter le dossier et l'argent à mon bureau. Sinon, tu auras tous les flics de la ville aux fesses.
Avant de pouvoir négocier, je me retrouvai seul au bout du fil.

10

Les ex-flics ne sont pas les bienvenus en prison. Les autres prisonniers les harcèlent, tout comme les gardiens. Et puis il y a cette petite chose qu'on appelle l'ego. J'avais subi un coup dur récemment et je n'étais pas sûr de pouvoir supporter une telle épreuve.

Donc, je n'avais d'autre choix que de me plier aux exigences de Russo. Face aux victimes, j'arrachai leurs photos du mur une à une. Tiraillé par le sentiment de les abandonner, j'étais incapable de les regarder dans les yeux.

Puis j'enlevai aussi la carte au-dessus de mon bureau. Elle ne faisait pas partie du dossier, mais autant l'inclure et laisser Russo et les autres spécialistes en homicides tenter d'y voir plus clair.

Le tout réintégra son carton d'origine. Au moment où je le hissais sur mon bureau, mon portable sonna. D'habitude, je n'étais pas aussi populaire.

Après avoir posé le carton, je m'emparai de mon téléphone. C'était Jessie, le soleil de ma vie.

— Bonjour, ma chérie.

— Papa, je suis dans ma chambre du foyer en train de te regarder à la télévision, dit ma fille. Je n'arrive pas à croire ce qu'ils racontent sur toi.

— Qui ça, *ils* ?

— Cette limace d'avocat qui représente Simon Skell. Il montre des photos de toi sur Court TV en disant que tu es un flic psychopathe qui a piégé son client.

— J'espère que je suis bien sur les photos ?

— Papa, ce n'est pas drôle ! J'ai lu des trucs sur ces manipulations dans mon cours de criminologie. Il gagne la sympathie de l'opinion publique pour faire pression sur le juge. Il dresse de toi un portrait *horrible*.

Le téléphone plaqué contre l'oreille, je redescendis au bar et demandai au barman de mettre Court TV sur le téléviseur fixé au-dessus du bar. L'homme prit la télécommande et s'exécuta. L'avocat de Skell, l'infâme Leonard Snook, apparut sur l'écran.

Agé d'une soixantaine d'années, il arborait un bouc argenté, des vêtements parfaitement coupés et un bronzage de star de cinéma. Il pratiquait en dehors de Miami et avait bâti sa réputation en représentant les voyous et les criminels de la pire espèce. Voilà bien longtemps qu'il était passé du côté obscur et il flottait sur son siège tel un morceau de lard dans une poêle à frire.

A ses côtés se tenait une femme à la poitrine impressionnante et à la chevelure tout aussi démesurée. Elle s'appelait Lorna Sue Mutter. Lorna Sue s'était matérialisée parmi les proches de Skell au cours du procès et on l'avait vue lui glisser des mots de temps à autre. Deux mois après l'emprisonnement de Skell, ils s'étaient mariés.

Un psychiatre de ma connaissance était persuadé que, si on inventait une émission de télévision avec pour vedettes des meurtriers, des millions de femmes la regarderaient. Lorna Sue serait la présidente de leur club.

On vit deux photographies de Skell. Avant la raclée, puis après. Svelte et athlétique, Skell arborait des cheveux dorés de surfeur, une barbe blonde et des yeux trop petits pour son visage. Fait étrange, chacune de ses mains était rognée d'un bout de doigt. La moitié du petit doigt gauche et la moitié de l'index droit. Avant mon intervention, il avait l'air presque normal.

— Oh ! bon sang, tu lui as réglé son compte, commenta ma fille.

J'avais oublié que Jessie était là.

— Tu ne devrais pas être en cours ? demandai-je.

— Papa, c'est important. Ce salaud de Snook te calomnie.

— Peu importe.

— Son client va être libéré ? Ils vont laisser sortir Skell ?

D'autres images défilèrent, montrant le studio dans la maison de Skell, ainsi que plusieurs cadres de paysages de Floride. Skell prétendait être un photographe professionnel, mais il n'avait jamais pu prouver avoir touché une quelconque rémunération pour ce travail.

— Réponds-moi, papa.

Quand Jessie voulait quelque chose, j'étais « papa ». Pourtant, je ne me laissai pas amadouer.

— Va en cours, Jessie. S'il te plaît.

— Mais…

— Tout va bien se passer, fais-moi confiance.

— Tu en es sûr ?

— Absolument.

— Je t'aime, papa.

— Je t'aime aussi.

Je rangeai mon téléphone sans cesser de fixer le téléviseur. L'émission permettait à Snook de présenter la situation à son avantage et il en profita pour abattre toutes ses cartes. Son client n'avait pas mis le squelette de Carmella Lopez dans la cour de sa sœur – c'était quelqu'un d'autre. Donc, son client n'avait pas assassiné Carmella Lopez et devait être libéré de prison. Lorna Sue Mutter ne dit mot, se contentant de hocher la tête comme une poupée à ressort chaque fois que Snook assénait un argument important. Quand le sujet prit fin, je me dis que j'étais d'accord avec ma fille : Snook tentait de déplacer l'affaire dans le tribunal de l'opinion publique. S'il parvenait à s'adjuger l'appui de quelques rédacteurs en chef de journaux et journalistes télé, il pourrait influencer le juge.

Je grimpai l'escalier jusqu'à mon bureau. De l'autre côté de la porte, Buster haletait frénétiquement.

D'habitude, quand je le laissais seul, il en profitait pour détruire un meuble. Cette fois, comme il m'avait épargné, je le grattai derrière les oreilles.

Le dossier de Skell était toujours sur mon bureau. A côté, du courrier empilé, des prospectus et des réclames pour des cartes de crédit pour la plupart. Au-dessus de la pile, une publicité attira mon attention.

Kinko, les rois de la copie.

Cela me donna une idée et je passai trente minutes à compter le nombre de pages du dossier. Il y en avait huit cent quatre-vingt-quinze.

Puis j'appelai le numéro inscrit sur la réclame. Le type qui prit la communication se montra cordial. Je lui demandai un devis approximatif pour copier le tout.

— Autre chose ? s'informa-t-il.

Je faillis répondre non, quand je me rappelai les photos des victimes.

— Vous faites aussi des copies de photos ?

— Bien sûr.

J'ajoutai les photos au devis.

— Dans combien de temps vous les faut-il ?

— Dès que possible.

Le type me fit patienter, puis reprit la ligne quelques instants plus tard.

— Cela vous coûtera quatre cent vingt-deux dollars, plus les taxes.

Une somme que je n'avais pas. Je le remerciai et mis fin à la conversation. Je dressai une liste des gens que je pourrais solliciter pour un emprunt. En les appelant, je ne récoltai que les excuses habituelles. A la fin de chaque appel, je barrai le nom de la personne d'un trait. Finalement, ma liste ne comptait plus qu'un nom.

Sonny.

Dans mon portefeuille, je pris l'argent que Tommy Gonzales m'avait donné pour avoir sauvé Isabella Vasquez. Je l'avais conservé pour le paiement de mon loyer, mais je décidai de l'utiliser pour les copies et appelai le Sunset pour prévenir Sonny. Il répondit à la dixième sonnerie.

— En plein boulot ? lui demandai-je.

— Pas vraiment.

— Ecoute, je vais avoir un peu de retard pour le loyer ce mois-ci.

La nouvelle fut accueillie par un silence de pierre.

— Tu es toujours là ?

— Combien de retard ? dit Sonny.

— Je ne sais pas, une semaine tout au plus. Tu peux me couvrir ?

En bruit de fond, j'entendais une émission de gymnastique pour femmes. Sonny et les sept nains adoraient regarder les femmes s'exercer à la télévision – plus elles étaient énergiques, plus ils en raffolaient. J'étais convaincu qu'ils étaient atteints d'un désordre psychologique étrange.

— Pourquoi pas ? répondit Sonny. Ecoute, Jack, je peux te faire confiance, hein ?

— Bien sûr, tu peux compter sur moi. Je te vois tout à l'heure.

— Je ne vais nulle part, répliqua Sonny.

Une longue file d'attente s'était formée devant Kinko. L'idée de ne pas payer les gens en temps et en heure ne me mettait pas à l'aise, mais je n'avais guère le choix.

Pourtant, je regagnai Dania, qui avait un magasin de copies de l'autre côté du fronton. Le propriétaire était bourru, peu accommodant, et le lieu, souvent bondé.

Le propriétaire accepta de se caler sur le devis de Kinko et me dit que cela lui prendrait vingt minutes. Je lui confiai le carton du dossier et quittai le magasin.

Claire's Sub Shop se trouvant de l'autre côté de la rue, je décidai d'aller manger un morceau. Dans le restaurant, une jeune femme athlétique au bronzage radioactif me héla.

— Hé ! monsieur, vous n'avez pas vu la pancarte ?

Je m'installai au comptoir.

— Je n'ai pas une bonne vue.

— Assez bonne pour traverser la rue.

Levant les bras, je fis dégringoler plusieurs flacons de condiments alignés sur le bar.

— Oh ! super, un emmerdeur. Qu'est-ce que vous voulez ?

— Deux sandwiches au poulet au pain de seigle, avec de la salade, des tomates et de la mayonnaise. Pour l'un des sandwiches, enlevez le pain et les autres trucs.

Son visage se renfrogna.

— Vous avez l'intention de nourrir le chien ici ?

— J'en rêve.

— Dix minutes. Le cuisinier est débordé.

Je m'installai à une table avec vue sur la rue. Bien qu'il y eût une foule de choses à observer, je concentrai mon attention sur la boîte de copies. Le bâtiment avait au moins cinquante ans, et des fils électriques couraient d'un transformateur fixé sur un poteau à une boîte noire sur le toit. L'endroit était un piège à feu et je l'imaginai brûler du sol au plafond, faisant partir en fumée le dossier de Skell.

Cette idée me fit frissonner. Que faire si un tel drame se produisait ? Trouver un nouveau job ? Retourner auprès de Rose ? Déménager quelque part et repartir de zéro ? Il devrait être facile d'écrire un scénario imaginaire, pourtant, je n'y arrivais pas. Pour le moment, ce dossier était toute ma vie. Je ne pouvais pas renoncer à lui, comme il ne pouvait renoncer à moi. Claire posa avec fracas l'assiette sur le comptoir et fit sonner la clochette. Pendant que je payais mon dû, la voix de Neil Bash filtra par la radio de la cuisine. L'athlète de choc parlait de moi et il n'était pas tendre.

« L'agent Carpenter a torturé votre mari après l'avoir arrêté, dit Bash.

— Absolument, répondit une femme d'une voix mécanique.

— Dans sa cellule ?

— Oui, dans sa cellule.

— Cet homme est une menace.

— Absolument. »

C'était la voix de Lorna Sue Mutter, qui avait appelé pour raconter son histoire. Sous le choc, j'agrippai le bord du comptoir.

« Comment l'agent Carpenter a-t-il torturé votre mari ? demanda Bash.

— Avec une cigarette incandescente, dit Lorna Sue. Il a brûlé mon mari et l'a obligé à confesser un crime qu'il n'a pas commis.

— Le meurtre de Carmella Lopez.

— Mon mari n'a pas tué cette femme, ni personne d'autre.

— Votre mari n'est pas le Tueur de minuit que la police croit responsable des disparitions de huit jeunes femmes ?

— Non ! Mon mari est un photographe professionnel et un artiste. C'est un homme chaleureux et sensible.

— Pour en revenir à la torture supposée, reprit Bash, j'ai suivi le procès de votre mari. Un médecin a attesté les blessures infligées par Carpenter à votre mari, mais il n'a fait mention d'aucune brûlure de cigarette.

— C'est parce que mon mari n'a pas voulu les montrer au médecin, plaida-t-elle.

— Pourquoi pas ?

— Parce qu'il avait peur de ce que l'agent Carpenter risquait de lui faire.

— A savoir ?

— Le tuer.

— Avez-vous vu les brûlures de cigarette ? »

Il y eut une pause. Puis un petit sanglot pathétique. Lorna Sue pleurnichait.

Bash se répéta :

« Vous les avez vues ?

— Oui, souffla-t-elle.

— Oui ?

— En prison, quand je suis allée lui rendre visite.

— Mais sur son corps ? »

Une nouvelle pause, plus longue cette fois.

« Sur les parties génitales », dit Lorna Sue.

Bash laissa échapper un mot qui ressemblait à « Jésus ! » C'était la seule réplique de la conversation qui n'avait pas l'air scénarisée. Je sentis Buster contre mes jambes et je relâchai enfin le bord du comptoir.

« L'agent Carpenter a brûlé les parties génitales de votre mari à l'aide d'une cigarette pour lui faire avouer un crime qu'il n'a pas commis ? demanda Bash.

— Absolument, murmura Lorna Sue.

— Mes amis, nous devons faire une pause publicité. Nous nous retrouvons dans soixante secondes. »

J'avais l'impression d'avoir reçu un coup de poignard. Lorna Sue mentait avec un aplomb remarquable. Mais tant que personne ne la contredisait, ses mensonges faisaient leur office. Je voyais mal Bobby Russo ou le procureur se précipiter à la station pour prendre ma défense.

Buster laissa échapper un gémissement. Je lui glissai un morceau de poulet tout en réfléchissant à l'apparition de Lorna Sue sur Court TV, puis dans l'émission de Bash.

Elle tentait de m'assassiner publiquement, et je me demandais qui la poussait à agir ainsi. Etait-ce Leonard Snook ou Skell qui la manipulait depuis sa cellule ?

— J'ai tout vu ! s'écria Claire.

L'apostrophe me ramena brutalement au présent. Claire se tenait près du comptoir, les yeux fixés sur moi. Son mari, un type élancé aux cheveux coupés en brosse et terminés par une queue de cheval, s'avança vers moi.

— Vu quoi ? demandai-je innocemment.

— Vous avez donné à manger au chien dans mon restaurant.

Aucune repartie intelligente ne me vint à l'esprit. Coupable.

— Désolé, je n'ai pas réfléchi.

— Partez ! lança-t-elle.

— Pardon ?

— Et ne revenez jamais.

— Je ne pensais pas à mal.

— Vous m'avez entendue. Nous savons qui vous êtes.

— Vraiment ?

Son mari intervint.

— Ouais, tu es ce salaud de flic au caractère sadique. Tout le monde sait ce que tu as fait, mon vieux.

Je poussai un soupir. *Piégé.*

— Sortez ou j'appelle la police, menaça Claire.

Je n'avais encore jamais été mis à la porte de nulle part. Cela me donnait le sentiment d'être plus misérable encore. Je pris ma commande sur le comptoir et quittai les lieux avec mon chien.

11

L'heure suivante passa comme dans un brouillard. Je déposai le dossier de Skell au siège du Département du shérif, avec une reconnaissance de dette pour un montant de trois cents dollars à l'intention de Russo. De retour à mon bureau, j'affichai les photos dupliquées des victimes au mur et réorganisai les piles sur le sol, exactement comme avant. La photo de Carmella m'interpella ; je me demandai si le cadavre retrouvé dans le jardin avait été identifié comme étant bien le sien. Sans doute l'apprendrais-je comme tout le monde par la télévision.

Puis je repris la voiture pour aller au Sunset. J'avais besoin de m'abîmer dans l'océan pour balayer la scène que je venais de vivre chez Claire's. De toutes les humiliations que j'avais subies ces derniers temps, me faire virer d'un restaurant minable était sans doute la pire.

Sur le parking du Sunset, je me rappelai soudain que le transmetteur était toujours fixé au pot d'échappement. Celui qui l'avait placé là était sans doute sur mes traces. J'arrachai l'appareil électronique et marchai vers l'océan. Avant d'avoir le temps de le jeter, une Toyota noire se rangea à côté de ma voiture. L'agent du FBI que j'avais rudoyé plus tôt sortit du véhicule et se dirigea vers moi. Il s'arrêta à quelques mètres de moi. D'abord, je fus frappé par son regard. Un regard triste, dont le gris métal rappelait ses cheveux argentés. Je pointai du doigt Buster, qui demeurait à mes côtés tel un brave chien de garde.

— Il n'est pas amical, déclarai-je.

— Pas plus que son propriétaire, répondit l'agent du FBI.

Il avait prononcé cette phrase avec naturel. J'ordonnai à Buster de venir à mes pieds et montrai le transmetteur à l'agent.

— C'est ça que vous cherchez ?

— Qu'est-ce que c'est ?

— Un transmetteur électronique. Quelqu'un l'a collé sous ma voiture.

— Ce n'était pas moi.

Lui tournant le dos, je lançai le transmetteur de toutes mes forces dans l'océan. Puis j'ôtai mes vêtements un à un pour me retrouver en sous-vêtements. Mon regard sur la loi avait changé depuis mon départ des forces de police et je n'allais pas laisser ce type m'empêcher de me baigner.

— Jack, je dois vous parler, insista l'agent.

— Vraiment ?

— Vous savez qui je suis ?

— Non, je devrais ?

Il prit son portefeuille et me montra ses références. Agent spécial Ken Linderman, Quantico, Virginie. J'avais entendu parler de lui. Linderman était le seul agent vivant à avoir reçu le prix des Services spéciaux du FBI pour ses accomplissements dans la traque des tueurs en série.

Il y a cinq ans, sa fille avait disparu pendant qu'elle faisait son jogging près de l'Université de Miami, et tout le monde savait que, depuis, il la recherchait sans relâche.

— Je reviens tout de suite, dis-je avant de plonger dans l'écume.

Dix minutes plus tard, je regagnai le rivage de bien meilleure humeur. Linderman était assis sur le sable et faisait ami-ami avec mon chien. Debout devant lui, je me laissai sécher.

— Qu'est-ce qui vous amène en Floride ? demandai-je.

— J'ai emménagé à Miami il y a six mois. Je dirige les équipes de déploiement rapide du Bureau des enlèvements d'enfants.

J'avais déjà travaillé avec ces équipes. Le FBI les avait créées pour faire face au nombre croissant de disparitions d'enfants dans le pays. Chaque équipe comportait quatre membres : deux agents de terrain secondés par deux profileurs de l'Unité des sciences comportementales de Quantico.

— Peut-on aller discuter quelque part en privé ? demanda Linderman.

— Vous voulez m'interroger ?

— En fait, j'espérais que nous pourrions échanger des informations sur Simon Skell.

Ma mâchoire se crispa. Linderman avait dégoté de nouvelles preuves. Voilà pourquoi il me pistait.

— Si nous allions à mon bureau ? suggérai-je.

— Votre bureau, ça me va très bien.

Il me suivit jusque chez Tugboat Louie's. Comme mon bureau était plongé dans la pénombre, j'ouvris les rideaux et allumai. Il se dirigea instinctivement vers le mur des photos des victimes et les étudia. J'allai dans le bureau de Kumar pour récupérer une autre chaise. A mon retour, Linderman était assis en tailleur par terre et feuilletait le dossier de Skell.

— Faites comme chez vous, lui dis-je.

Il leva les yeux, embarrassé.

— Désolé, j'aurais dû vous demander la permission.

— Ça va.

Il passa plusieurs minutes à examiner les documents. Savoir qu'il avait perdu un enfant le faisait apparaître sous un jour nouveau. Du rez-de-chaussée nous parvenait la musique des Doobie Brothers, *China Grove*. Enfin, l'agent du FBI se leva et prit une chaise.

— Désolé, j'ai une insatiable curiosité pour les affaires qui me laissent perplexe. Ma femme dit que cela confine à la grossièreté.

Rose m'avait fait le même reproche plusieurs fois. Prenant une pièce dans ma poche, je la posai sur mon doigt.

— Pile ou face ?

— Face.

La pièce effectua plusieurs révolutions au-dessus de nos têtes. Puis je la plaquai sur le dos de ma main.

— Face. Vous commencez ou vous préférez que ce soit moi ?

Linderman hésita. La tristesse ne quittait pas son regard. J'avais entendu dire que, lorsqu'on perd un enfant, on meurt chaque jour un peu.

— Vous d'abord, répondit-il. J'aimerais savoir comment vous avez compris que Simon Skell était le Tueur de minuit.

Je marquai une pause pour rassembler mes idées. Je n'avais parlé de l'affaire à personne depuis le procès et je ne voulais pas paraître haineux, étant donné la tournure qu'avaient prise les événements. Comme Jessie aimait à le dire, de l'eau avait coulé sous les ponts.

Linderman avait posé les mains sur ses genoux. Quelque chose dans son attitude m'incitait à me confier à lui. J'appuyai sur le bouton lecture de mon poste et la musique de *Midnight Rambler*, des Rolling Stones, emplit la pièce.

La chanson dite du « Promeneur de minuit » était un hommage à peine voilé à un tueur en série notoire, surnommé l'Etrangleur de Boston.

Elle racontait l'histoire de cet homme qui entrait par effraction la nuit chez des femmes pour les assassiner sauvagement. Les paroles étaient pleines de rage. Elles décrivaient les meubles fracassés, les vitres brisées, ainsi que la traque et l'assassinat des jeunes femmes à coups de couteau ou de pistolet. Ecrite par Mick Jagger et Keith

Richards à Positano, en Italie, en 1969, la chanson avait été enregistrée la même année à l'Olympic Studio de Londres et aux Electra Studios de Los Angeles. A l'époque, les Rolling Stones étaient étiquetés comme l'antithèse démoniaque des Beatles et, sous la pression de leur producteur, ils avaient enregistré plusieurs titres noirs, dont *Sympathy for the Devil*, *Let It Bleed*, ou encore *Paint It Black*. Mais rien n'était comparable à la diabolique *Midnight Rambler*.

La chanson durait six minutes et cinquante-deux secondes, avec quatre changements de tempo brutaux.

Il m'était impossible de l'écouter sans imaginer une femme terrifiée se battre pour sa vie.

— Il y a deux ans et demi, je suis allé dans l'appartement d'une résidence de Fort Lauderdale où vivait une prostituée du nom de Chantel Roberts. Je connaissais Chantel depuis qu'elle était adolescente et vivait dans la rue. Je l'aidais de mon mieux. Nous discutions environ une fois par mois. Quand ses appels ont cessé, j'ai décidé d'aller faire un tour chez elle. Les voisins de Chantel ne l'avaient pas vue depuis un bon moment, mais il n'y avait aucun signe de coup fourré. Sa voiture était garée à sa place habituelle. En quittant la résidence, je me dis néanmoins que quelque chose n'était pas normal. En m'éloignant en voiture, j'ai repéré des graffitis sur le mur d'une école, de l'autre côté de la rue, et je me suis arrêté pour jeter un coup d'œil. Il s'agissait de la première phrase de la chanson des Stones, *Midnight Rambler*, qui contenait les mots « celui qui a fermé la porte de la cuisine ». Comme le graffiti me perturbait, je suis retourné à l'appartement de Chantel et j'ai demandé au concierge de m'ouvrir. Sur la porte battante de la cuisine apparaissait une empreinte de chaussure, du côté où elle avait été frappée du pied. J'ai continué à chercher Chantel, en vain. Je savais qu'elle ne s'était pas enfuie ni n'avait déménagé. Quelque chose n'allait pas, c'était évident.

— Comment le saviez-vous ? demanda Linderman.

— Sur la table de la cuisine se trouvait une brochure du Broward Community College, avec des cours de cosmétologie marqués d'une croix. J'ai appelé l'université qui m'a confirmé qu'elle s'était déjà inscrite.

— Donc, elle avait des rêves, commenta Linderman.

Je pensai à la fille disparue de l'agent et hochai la tête.

— Oui, elle avait des rêves. Durant les quatorze mois suivants, plusieurs jeunes filles dans l'industrie du sexe ont cessé de me donner des nouvelles, à quelques mois d'intervalle. Je me suis rendu dans leurs appartements ou leurs maisons et j'ai découvert chaque fois des paroles de la chanson des Stones peintes sur un mur extérieur. Si les paroles faisaient référence à un objet cassé, je le trouvais systématiquement dans l'appartement. Pendant un moment, je n'ai relevé aucune piste. Puis un jour, une prostituée du nom de Julie Lopez m'a appelé pour me dire que sa sœur, Carmella, elle aussi prostituée, ne donnait plus de signes de vie. Je décidai de fouiller son appartement. Rien ne paraissait suspect. Puis j'examinai les environs. Les paroles avaient été peintes sur le mur du garage. Carmella ayant disparu la veille, j'avais une piste fraîche. Je suis allé trouver Bobby Russo, le chef de la division homicide de la police du comté de Broward. Russo a mis la moitié de son équipe sur l'affaire. L'un de ses hommes a obtenu la liste de tous les appels passés par Carmella le jour de sa disparition. Il y avait plus de quarante noms. Comme Carmella faisait des visites à domicile, nous nous doutions que la majorité des appels concernaient des clients. Chaque membre de l'équipe de Russo et moi avons pris cinq noms en charge. Simon Skell était sur ma liste. Je me suis rendu chez lui, à Lauderdale Lakes, et nous avons discuté. Il s'est montré affable et m'a autorisé à visiter les lieux. Je l'ai interrogé sur Carmella et il a reconnu avoir eu des relations sexuelles avec elle quelques jours auparavant, mais a prétendu ne pas l'avoir revue depuis. Je lui ai demandé s'il acceptait qu'une équipe de spécialistes vienne fouiller sa maison et il a acquiescé. A ce moment-là, je n'imaginais pas Skell en tueur. Il ne cachait rien et se montrait agréable. Sa maison était remplie de livres, et un certificat de Mensa, l'association des génies, était accroché au mur, ce qui ne correspondait pas au profil des tueurs à qui j'avais affaire d'habitude. Je m'apprêtais à partir quand il m'a proposé une boisson fraîche. J'ai accepté et l'ai suivi dans la cuisine. Un lecteur CD se trouvait sur la table et j'ai brusquement réalisé qu'il y en avait dans toutes les pièces de la maison. Skell avait aussi un iPod sur lui. Je lui ai demandé quel type de musique il écoutait. Skell s'est contenté de me fixer. Il avait des yeux étranges, trop petits pour son visage. J'ai lu dans son regard une noirceur nouvelle. Quelque chose n'allait pas. Alors, j'ai appuyé sur le bouton lecture, et *Midnight Rambler* s'est diffusé dans la pièce. C'est là que j'ai su que c'était lui.

— C'est à ce moment-là qu'il est devenu violent ? demanda Linderman.

J'acquiesçai solennellement.

— Vous l'avez provoqué ?

— Non, répondis-je avec fermeté.

— Alors, pourquoi est-il devenu violent ?

— J'ai plusieurs théories.

Linderman s'étira sur sa chaise.

— Je vous écoute.

— La réaction de Skell m'a rappelé plusieurs pédophiles que j'avais arrêtés. Ils savaient que leur existence allait devenir un enfer et étaient devenus fous furieux.

— Vous pensez que Skell est un pédophile ?

Je hochai la tête.

— Mais il n'a pas de casier pour pédophilie, reprit Linderman.

— A mon avis, c'est un pédophile refoulé. Regardez les victimes qu'il choisit. Toutes des filles à qui on a volé l'enfance et émotionnellement immatures.

— Des enfants dans des corps d'adulte, approuva Linderman.

— Exact. Je pense que Skell sait que l'agression d'enfants est sévèrement punie et qu'il cible des jeunes filles immatures à la place. Il choisit des femmes dans l'industrie du sexe parce qu'il sait que leur disparition causera moins de remous.

— Des victimes idéales, renchérit l'agent du FBI.

— Mon autre théorie concerne Melinda Peters, le témoin clé de l'accusation dans le procès de Skell. Il l'avait séquestrée dans une niche pour chien et passait la chanson *Midnight Rambler* sur sa stéréo pendant qu'il était dans l'autre pièce. D'après Melinda, il se masturbait. Un jour, Skell lui a semblé particulièrement nerveux, et Melinda a senti qu'il n'arrivait pas à avoir d'érection. Elle lui a proposé de faire l'amour avec lui et il l'a laissée sortir de sa prison. C'est comme ça qu'elle a pu s'échapper. Je pense que la fuite de Melinda a mis Skell hors de lui et que, de pédophile refoulé, il est devenu un tueur. Il a commencé à enlever des femmes qui étaient d'accord pour coucher avec lui, puis les a assassinées.

— Donc, son fantasme est passé de la torture de femmes à leur meurtre, Melinda étant l'élément déclencheur.

— Exact.

— J'ai lu dans les journaux que la maison de Skell avait été passée au peigne fin par une équipe d'experts et qu'ils n'ont rien trouvé.

— Toujours exact.

— Donc, si vous n'aviez pas mis en route le lecteur CD de Skell, il serait toujours en liberté.

— Oui.

Durant le bref silence qui suivit, Linderman parut digérer tout ce que je venais de lui dire. Parler de l'enquête m'avait fait du bien et je m'adossai à mon siège.

— A votre tour, déclarai-je.

12

Linderman se leva, alla à la fenêtre et tira les rideaux. Alors que j'étais un adepte de la lumière, il préférait apparemment graviter dans les ténèbres. Quand il me fit face, je lus l'inquiétude dans son regard et lui proposai d'aller lui chercher un café au bar.

— Avec plaisir, merci, répondit-il.

En attendant ma commande, j'appelai Jessie et tombai sur sa boîte vocale. Je lui souhaitai bonne chance pour son match de basket et lui dis que j'avais rêvé qu'elle marquait un panier à trois points depuis l'autre extrémité du terrain. Le barman me donna un pot de café fumant et deux mugs sur un plateau. J'emportai le tout à l'étage et servis mon invité.

La caféine met dix secondes pour vous redonner du tonus. Le visage de Linderman revint à la vie et je le resservis sans lui demander son avis. Il hocha la tête et entama son récit.

— Je partage l'une de vos théories, à savoir que les tueurs en série comme Skell commencent par être des prédateurs sexuels et évoluent en tueurs avec le temps. Cette évolution est l'une des raisons pour lesquelles ils sont si difficiles à appréhender. Ils deviennent souvent des experts dans l'art de la manipulation, car ils ont appris à cacher leurs pulsions aux yeux de la société durant de nombreuses années.

— Donc, mon hypothèse selon laquelle Skell est un pédophile est sans doute juste.

Linderman posa sa tasse vide sur le bureau.

— Oh ! vous avez tout à fait raison. J'ai commencé à surveiller Skell dès mon arrivée en Floride. Il a vécu un peu partout dans l'Etat. A Tampa, il a été soupçonné de pédophilie. La police a repéré sa voiture près de différentes écoles. Il a aussi été repéré sur des forums de discussion Internet où il conversait avec des adolescentes. Ce n'était pas suffisant pour l'arrêter, mais il était bel et bien dans notre collimateur.

— Pourquoi vous êtes-vous intéressé à lui au départ ?

— Il vivait à Miami il y a cinq ans.

A l'époque où sa fille habitait cette ville, pensai-je.

— Les méthodes éclairent souvent le mobile, dont nous avons besoin pour lancer des poursuites judiciaires et obtenir une condamnation, reprit l'agent du FBI. Récemment, j'ai étudié les minutes du procès et j'ai peut-être découvert quelque chose.

Instinctivement, je me raidis.

— Quelque chose que j'ai laissé passer ?

— Oui. Je suis sûr que ça ne vous a pas paru significatif à l'époque, mais c'est parce que vous n'avez pas de formation en psychologie criminelle. Mais ça m'a semblé pertinent.

— Qu'avez-vous trouvé ?

— Melinda Peters a déclaré que *Midnight Rambler* passait en boucle durant sa séquestration chez Skell. La chanson qu'elle a entendue était une version différente de celle que vous venez de me faire écouter. Skell a passé la version live à Melinda Peters, extraite de l'album intitulé *Get Your Ya Yas Out*.

Je le savais, puisque j'avais moi aussi écouté cette version. Les paroles étaient les mêmes que dans l'album, et je n'y avais attaché aucune importance particulière.

— Et alors ?

— La version live a une origine unique, expliqua Linderman. Elle a été enregistrée pendant la tournée des Stones de 1969 aux Etats-Unis et fait partie d'un documentaire intitulé *Gimme Shelter.* Le film fait la chronique d'un concert donné au festival d'Altamont Speedway, en Californie. Le concert a été un désastre, avec huit cent cinquante personnes blessées, trois tuées et un homme noir assassiné par un gang de Hells Angels embauchés pour assurer la sécurité du groupe. La publicité qui a suivi a failli détruire la carrière des Stones. Si on regarde attentivement le film, on a l'impression que le groupe *espère* une montée de violence pendant son concert. Quand elle s'est produite, les Stones jouaient *Sympathy for the Devil*, et ils ont continué à jouer !

— Pour encenser la violence ?

— C'est le message du documentaire. Vincent Canby, le critique de cinéma pour le *New York Times*, était tellement outré qu'il a qualifié le film de pornographique et opportuniste.

— Et vous pensez que cela a décuplé la rage de Simon Skell ?

— Non, sa rage est décuplée par ses rituels, rétorqua Linderman.

— Quelle est la différence ?

— Les désordres d'ordre psychosexuel sont définis comme des paraphilies, soit des fantasmes à caractère sexuel récurrents et intenses impliquant souffrance et humiliation. Les partenaires de ces fantasmes sont souvent des mineurs non consentants.

— Jusque-là, je vous suis.

— La présence de paraphilies dans les crimes sexuels correspond généralement à des modèles comportementaux répétitifs et prévisibles ciblés sur des actes sexuels spécifiques. La nature répétitive de la paraphilie est le rituel. Pour être sexuellement stimulé, Skell doit passer à l'acte.

— Et la paraphilie de Skell est d'écouter la version live de *Midnight Rambler* pendant qu'il torture ses victimes.

— Tous les éléments tendent à le prouver. *Gimme Shelter* a été diffusé en 1970, quand Skell avait sept ans. L'âge où la paraphilie se développe généralement. D'après moi, il a vu le film et a été sexuellement stimulé par la violence de la chanson envers les femmes, ainsi que par la violence du film. Avec le temps, les deux entités se sont mêlées.

— Et un pervers est né.

— Précisément. Et c'est là toute la difficulté de cette affaire. D'après ce que nous savons des tueurs sexuels, Skell aurait dû être appréhendé depuis longtemps, et avec bien plus de preuves que celles qui ont été présentées à son procès.

Je déglutis avec peine. Les visages des victimes nous fixaient, et je ressentais presque leur honte.

— Est-ce que j'ai foiré l'enquête ? demandai-je.

— Loin de là, répondit Linderman. Sans vous, Skell continuerait à assassiner des jeunes femmes.

— Alors que voulez-vous dire ?

— Ce que je veux vous dire, Jack, c'est qu'il est miraculeux que vous ayez réussi à le coincer. La plupart des adeptes de rituels sexuels ne peuvent pas changer leurs habitudes, même quand ils sont sous surveillance. Résultat, ils commettent des erreurs et deviennent leur propre ennemi. Mais ce n'est pas le cas de Skell. Il choisit ses victimes avec un soin tout particulier et les fait disparaître d'une manière qui défie toute logique.

— Pourquoi Skell est-il différent ?

Linderman marqua une pause et me fixa longuement.

— C'est une bonne question. Vous pensez que Skell est un pédophile qui a évolué en tueur en série. Je pense qu'il est allé encore plus loin. Il s'est servi de son intelligence supérieure pour mettre au point une organisation meurtrière d'une efficacité redoutable. Une machine à tuer, si vous voulez. Seulement, comme il ne peut agir depuis sa cellule, il est en train d'orchestrer sa propre libération.

— Vous pensez que c'est lui qui mène cette campagne de délation contre moi ?

— Absolument.

— Qu'ont Leonard Snook et Lorna Sue Mutter à gagner dans tout cela ?

— Un cachet d'un million de dollars pour les droits d'un film.

— Mais c'est illégal !

— Skell ne peut tirer profit de ses crimes, mais sa femme en a le droit, et elle a signé un contrat avec un studio hollywoodien. D'après mes sources au FBI, elle a passé un accord avec Snook. Il obtiendra vingt pour cent des droits et sera producteur exécutif du film.

— Vous avez dit tout ça à la police et au procureur ?

— J'ai briefé Bobby Russo et le procureur hier, répondit Linderman. Ils ont tous deux le sentiment qu'à moins de trouver de nouvelles preuves reliant Skell aux victimes, il sera libéré de Starke.

Linderman venait de décrire mon pire cauchemar. Lentement, je me levai.

— Que puis-je faire ?

— Continuer à chercher des preuves. Vous devriez aussi réfléchir à la marche à suivre si Skell sort de prison.

— C'est-à-dire ?

— Si Skell est libre, il s'en prendra à vous. Vous êtes la personne qu'il craint le plus, comme le montre la campagne qu'il mène contre vous. Pour continuer à survivre et pratiquer ses rituels, il doit vous éliminer du tableau.

Un silence de mort s'abattit sur mon bureau. L'atmosphère était soudain si oppressante que j'eus l'impression d'évoluer sous l'eau.

— Et Melinda Peters ? demandai-je. Skell va s'en prendre à elle aussi ?

— Ce serait logique. Melinda est l'objet des fantasmes meurtriers de Skell et est responsable de son incarcération. A l'évidence, elle sera sa première cible.

— Que lui suggérez-vous de faire ?

— Fuir.

C'était facile à dire pour Linderman. Melinda avait quitté son foyer quand elle était adolescente et, comme beaucoup de fugueurs, elle n'avait nulle part où *fuir*.

Linderman consulta sa montre. Puis se leva.

— Désolé, mais je dois partir.

— Bien sûr.

L'agent du FBI posa sa carte de visite sur mon bureau.

Il me remercia pour le café et me pressa de rester en contact. Puis il s'en alla.

13

Bob Dylan a dit : « Pas besoin de connaître la météo pour savoir de quel côté le vent souffle[1]. »

Je m'assis à mon bureau et mon regard se perdit dans le vague. Linderman était parti depuis une heure, mais sa présence flottait toujours tel un nuage inodore. Je réfléchis à sa venue dans mon bureau et à l'avertissement qu'il m'avait donné à la fin de notre conversation. Cela ne pouvait signifier rien d'autre : il savait quelque chose que j'ignorais.

Mais *quoi* ? Avant de me rendre visite, Linderman avait rencontré Bobby Russo et le procureur, et tous trois avaient discuté des éléments qu'il venait de me donner. J'avais travaillé trop longtemps avec le FBI pour ignorer que ce genre d'information avait un prix. Linderman avait obtenu quelque chose en retour et je passai les vingt minutes suivantes à chercher de quoi il s'agissait.

Buster se coula sous mon bureau et nicha sa tête dans mon entrejambe, signe qu'il voulait être gratté entre les oreilles. Je m'exécutai et il frétilla de la queue de plaisir. Puis il se posta devant la porte et poussa un gémissement. C'était toujours la même routine. Sieste, grattements, besoins. Si seulement ma propre vie pouvait être aussi simple.

---

1. *You don't need a weatherman/To know which way the wind blows*, paroles tirées de la chanson *Subterranean Homesick Blues*. (NDT)

Les coudes sur la table, j'enfouis ma tête dans mes mains. Je n'étais pas très doué pour rester immobile longtemps et réfléchir aux vicissitudes de l'existence. Mon truc, c'était plutôt le terrain. Mais la situation exigeait une réflexion sérieuse et je repassai l'avertissement de Linderman dans ma tête.

Si Skell est libre, il s'en prendra à vous.

Ce n'était pas le genre de choses qu'un représentant de l'ordre disait à un frère d'armes. Skell était en prison pour meurtre au premier degré et, avant sa libération, un certain nombre de conditions étaient nécessaires, à savoir la demande de révision du procès par l'avocat de Skell, la disponibilité du juge pour revoir l'affaire, le temps qu'il fallait au juge pour étudier les nouveaux éléments de l'enquête. Les rouages du système légal étant notoirement lents, il faudrait des semaines, voire des mois, avant la libération de Skell, si le juge décidait effectivement de le relaxer.

Alors, pourquoi Linderman m'avait-il prévenu ? Quel désastre me garantissait-il que Skell allait bientôt frapper à ma porte ?

Cinq minutes plus tard, j'eus une révélation.

Ce n'était pas *si* Skell était libéré de prison, mais *quand* Skell serait libéré de prison… Russo avait dû dire à Linderman que le cadavre retrouvé dans le jardin de Julie Lopez avait bien été identifié comme étant celui de Carmella et qu'il allait faire une démarche inhabituelle, à savoir demander au juge de libérer Skell afin que son département puisse sauver la face. En apprenant la nouvelle, Linderman était venu me trouver en espérant obtenir de moi des preuves supplémentaires pour garder Skell derrière les barreaux. Et quand il avait découvert que je n'avais aucun autre élément, il m'avait averti à demi-mot du drame qui se préparait.

Sur la 595, je me retrouvai rapidement prisonnier des embouteillages de fin d'après-midi. Sentant mon appréhension, Buster se tenait raide sur le siège passager. Une seule pensée occupait mon esprit : mettre Melinda en lieu sûr. C'était ma faute si elle se retrouvait impliquée dans cette affaire ; aussi était-il de ma responsabilité de m'assurer qu'il ne lui arriverait rien.

Ma propre sécurité ne m'importait guère. J'avais déjà eu une confrontation avec Skell et en étais sorti vainqueur. Jusqu'au prochain round, j'étais le mâle dominant.

Mais Melinda, c'était toute autre chose. En dépit de sa force de caractère apparente, ce n'était pas une combattante. Dès que Skell serait libre, elle serait une proie facile. Je devais absolument la retrouver.

J'appelai Cheever.

— Claude, c'est Jack. Tu as des femmes nues sous les yeux ?

— Oui, monsieur le président, répondit-il.

— Quel club ?

— Le temple sacré du Baby Shot.

— Melinda Peters travaille dans les parages ?

— Ouais, si tu considères que rendre les hommes dingues est un travail.

— J'arrive. Attends-moi, d'accord ?

— Pas de problème. Deux jours de suite, tu veux que je t'obtienne une carte de membre ?

— Non, mais merci de me l'avoir proposé.

Après avoir raccroché, je sortis la carte de visite de Dennis Vasquez de mon portefeuille et composai son numéro. Quand il décrocha, j'entendis *La Cinquième Symphonie* de Beethoven à plein volume en fond, ainsi que des éclats de rire féminins.

— Monsieur Vasquez ?

— Qui êtes-vous ? demanda-t-il d'un ton suspicieux.

— C'est Jack Carpenter.

— Jack, Jack ! Comment allez-vous ?

— Très bien.

— Vous ne devez rien entendre. Ma femme et moi parlions justement de vous. Attendez une minute, voulez-vous ?

Eloignant sa bouche du combiné, Vasquez dit :

— Chérie, c'est Jack Carpenter en ligne.

Le téléphone passa dans les mains d'une femme à la voix essoufflée et au léger accent espagnol.

— Oh ! monsieur Carpenter, c'est merveilleux de vous avoir au téléphone. Nous avons ramené Isabella cet après-midi à la maison et nous sommes là, en train de remercier Dieu de votre intervention.

— C'est une enfant magnifique. J'espère que votre mari et vous en aurez beaucoup d'autres.

Elle rit de plaisir et m'invita à dîner samedi soir. Ils habitaient à Key Biscane. Je les imaginais dans une superbe demeure au bord de l'océan et je savais que je ne cadrerais pas dans ce tableau idyllique, avec mes vêtements miteux et ma voiture délabrée, même durant quelques heures.

Je lui proposai de reporter ce dîner à une autre fois, puis son mari reprit le combiné.

— J'ai besoin d'une faveur, monsieur Vasquez.

— Tout ce que vous voudrez, Jack.

— Ma demande va vous sembler un peu présomptueuse, mais auriez-vous une autre résidence ?

— Nous en avons deux. Une maison de vacances à Key West et une maison de quatre chambres à Aspen. Elles sont toutes les deux à votre disposition.

— Votre maison d'Aspen dispose-t-elle d'un système de sécurité ?

— Le meilleur qui soit. En plus du système de sécurité, la maison se trouve à l'intérieur d'une enceinte avec un gardien à l'entrée, et un autre qui patrouille la nuit. Comme ma femme et moi n'avons pas prévu de l'utiliser avant un moment, vous pouvez vous y installer aussi longtemps que vous le désirez.

— Ce n'est pas pour moi.

— Un ami ?

— Un témoin clé dans une affaire de meurtre. J'ai besoin de mettre cette jeune femme en lieu sûr dans un autre Etat, de la faire disparaître un moment. Vous êtes sûr que cela ne vous pose pas de problèmes ?

— Considérez que c'est fait. Donnez-moi simplement la date de son arrivée et je m'occupe de tout. Elle sera en sécurité là-bas, Jack.

— Merci, monsieur Vasquez. J'apprécie vraiment le geste.

— Inutile de me remercier, Jack, inutile.

Quand j'arrivai au Body Shot, le ciel avait pris une teinte ambrée. Une fois garé devant le centre commercial de l'autre côté de la rue, j'ordonnai à Buster de garder le fort.

Le club était bondé et je dus jouer des coudes pour me frayer un chemin dans la foule des travailleurs qui reluquaient les femmes nues ondulant sur la scène. Etre sans emploi avait ses avantages. Nous étions jeudi, premier jour officiel du week-end en Floride.

Cheever me héla depuis le bar. Une bière fraîche m'attendait.

— Désolé de t'avoir laissé tomber hier soir, j'ai eu un appel urgent, dit-il en trinquant avec moi. Comment ça s'est passé avec Melinda ?

— Elle m'a jeté dehors ! criai-je à son oreille.

— Et tu en redemandes ?

— Je dois lui parler. Ils vont libérer Simon Skell de prison.

Sa canette heurta le comptoir.

— Putain ! Qu'est-ce que tu as dit ?

— Tu as bien entendu. Je l'ai appris par le FBI. Je dois absolument mettre Melinda à l'abri.

Cheever m'adressa un regard pensif. Même dans ce club faiblement éclairé aux néons, je vis qu'il était ivre. Il m'agrippa l'épaule et la serra.

— Ça, c'est mon Jack.

— Je vais dans le salon VIP. Quand tu verras Melinda, demande-lui de venir me rejoindre. Elle t'écoutera, toi.

— Bien sûr, mec, pas de problème.

— Et assure-toi que le videur ne me cherche pas.

Au moment de partir, Cheever commanda une bière fraîche et la fourra dans mes mains.

— Tu l'as méritée, me dit-il.

Le salon VIP était réservé aux danses privées et, si vous n'y preniez pas garde, vous écopiez d'une bouteille de champagne rosé à cinq cents dollars. Je m'assis sur le canapé au moment où la chanson favorite des clubs de strip-tease, *Shake Your Body*, du groupe KC and the Sunshine Band, se déversa par les haut-parleurs. KC était un groupe originaire de Miami et vous ne pouviez passer un séjour sérieux dans cette ville sans entendre au moins l'un de leurs tubes.

Le show se termina, et les lumières vacillèrent. Trois nouvelles danseuses s'avancèrent et ôtèrent leurs vêtements. Je sirotai ma bière en pensant à Skell. L'une de ses victimes était une strip-teaseuse, une autre travaillait dans un salon de massage, et les autres étaient des prostituées employées par des agences d'escorte.

Cependant, en dehors de l'appel que Skell avait passé à Carmella Lopez, il n'y avait aucune preuve que Skell se fût rendu dans un club de strip-tease ou un salon de massage. Il ne connaissait pas ses victimes personnellement ou professionnellement, même si toutes avaient le même profil. C'était une autre pièce mystérieuse du puzzle.

J'avais une théorie à quatre sous sur le sujet. Voilà : nous avancions tous dans l'existence avec des chances différentes. Certains sont nés sous une bonne étoile, d'autres, sous une mauvaise. Cet état de fait est déterminé par l'éducation, la chance, la puissance de nos désirs.

A mes yeux, tous les gens dans ce club étaient nés sous une mauvaise étoile, moi y compris.

Ils avaient choisi un métier par nécessité et vivaient en proie au désespoir. Ils avaient été rejetés à la fois par leur famille et par la société, et luttaient pour ne pas tomber dans les abysses. D'une manière ou d'une autre, Skell connaissait la faille de ses victimes, raison pour laquelle il les avait choisies. Un jour, je découvrirais comment.

Melinda pénétra dans le salon VIP, le regard brûlant. Elle incarnait le fantasme de tout mâle : toge blanche, talons aiguilles de dix centimètres, natte de cheveux ramenée sur l'épaule. Elle s'assit près de moi et tira sur le nœud qui retenait son vêtement. Il glissa à terre, révélant un simple string. Face au danger, sa réaction était de sniffer de la coke et il était évident qu'elle planait.

— Oh ! mon chevalier avec sa brillante armure, susurra-t-elle.

Ses seins se balançaient doucement quand elle parlait. Elle n'avait pas d'implants, et sa beauté naturelle était bien supérieure à celle de toutes les autres filles du club.

— Il faut qu'on parle.

Elle prit un air rêveur.

— Tu m'aimes ?

J'hésitai. Prenant ma tête entre ses mains, elle m'embrassa sur les lèvres.

— Oui, tu m'aimes, dit-elle.

Je scrutai son regard. Difficile de dire si elle était avec moi ou bien très loin d'ici.

— J'ai une solution à notre problème.

— Tu veux t'enfuir avec moi ?

— Ecoute-moi. J'ai une solution à notre problème, répétai-je.

— Quel problème, Jack ?

— Celui dont nous avons parlé hier soir. Simon Skell.

— Je ne veux pas parler de lui.

— Nous *devons* parler de lui.

Son visage s'assombrit. Puis des larmes roulèrent sur

ses joues. Elle craquait. Je sentis alors une autre présence dans le salon et levai les yeux. Le videur de la veille était de retour. Je n'offris aucune résistance quand il me tira du canapé.

— Je t'avais dit de ne plus remettre les pieds ici ! grogna-t-il.

Melinda enfouit sa tête entre ses mains. Je repérai Cheever au bar et lui fis un signe de la main. Il accourut et obligea le videur à me lâcher. L'homme serra le poing, mais Cheever lui montra son insigne.

— Merde, grommela-t-il.

Cheever le força à vider ses poches, qui contenaient un tas de joints et assez de poudre pour l'armée mexicaine. Mon comparse lui lut ses droits. Je retournai sur le canapé et remis la toge de Melinda en place.

— Je ne veux pas mourir, sanglota-t-elle. Je ne veux pas mourir.

— Tu ne vas pas mourir.

— Si, Skell va me tuer.

— Non, il ne le fera pas. Tu ne vas pas mourir.

Je nourris Melinda d'un hot-dog dans un restaurant IHOP du coin, et ses joues reprirent des couleurs. Elle essaya de parler, mais je l'en empêchai. Elle était encore dans un sale état. Peur et drogue ne font pas bon ménage. Il fallait absolument qu'elle recouvre ses esprits.

— Que va-t-il arriver à Ray ? demanda-t-elle après avoir bu sa troisième tasse de café.

Ray devait être le videur.

— Il va écoper d'une peine de prison, peut-être quelques mois, ou bien il sera seulement en probation.

— Alors, quelle est la solution ? demanda-t-elle.

Je lui racontai le sauvetage du bébé Vasquez et de la faveur accordée par ses parents. Je pouvais disposer de leur maison d'Aspen.

— Tu es déjà allée à Aspen ?
— Je n'ai jamais quitté la Floride.
— Je veux que tu ailles là-bas et que tu y restes pendant un moment.
— Donne-moi le temps d'y réfléchir, d'accord ?
Comme Melinda n'avait pas de voiture, elle dépendait de la générosité de ses collègues danseuses pour se déplacer. Je la conduisis jusqu'à un grand complexe d'appartements près de Weston et me garai devant le sien.
Un insecte géant s'écrasa sur le pare-brise, nous faisant tous les deux sursauter.
— Oh ! Dieu du ciel, je hais ces trucs ! s'exclama Melinda. Fais-le partir.
Je nettoyai les restes de la bestiole sur la vitre et remontai en voiture.
— Tu le feras ? lui demandai-je.
Son regard erra par la fenêtre.
— Quitter la Floride ? Je ne sais pas.
— Tu dois partir pendant quelques semaines. Je t'achèterai le billet d'avion, je t'enverrai de l'argent pour la nourriture.
Elle posa ses mains sur mes cuisses.
— Cela va faire de moi ta prisonnière ?
Je descendis du véhicule, vins de son côté et ouvris sa portière. Puis je la raccompagnai à la porte de chez elle, où elle me serra dans ses bras.
— Un jour, Jack. Un jour.
— Tu iras à Aspen, n'est-ce pas ?
— On dirait un message enregistré. Je déteste ça.
— Désolé. C'est oui alors ?
Armée de ses clés, elle déverrouilla sa porte.
— Laisse-moi y réfléchir. J'y verrai plus clair demain.
Sur ces mots, elle disparut.
Sur le trajet du retour, je me rappelai le match de Jessie. Il était tard et elle était probablement endormie, mais je l'appelai malgré tout. Sa voix était pâteuse quand elle répondit.

— Désolé de te réveiller. Comment s'est passé ton match ?

— On a gagné. C'était exactement comme dans ton rêve ! J'ai marqué huit des douze paniers à trois points et réussi quatre-vingts pour cent de mes lancers francs.

— Tu es une star.

Ma fille gloussa.

— Merci d'avoir appelé. Comment était ta journée ?

— Excellente.

— Bien. Bonne nuit, papa. Je t'aime.

— Je t'aime aussi.

Je mis fin à l'appel. Parler à Jessie donnait un objectif à ma journée et je regardai par ma fenêtre les lumières vacillantes des centaines de maisons dans le lointain. Il n'y a pas si longtemps, je vivais dans l'un de ces quartiers avec une femme et un enfant, ainsi qu'un grand jardin où j'espérais faire un jour construire une piscine.

A l'époque, ma vie était remplie de maux de tête et de rêves, et je désirais sans cesse des choses que je n'avais pas. Il ne m'était jamais venu à l'esprit que j'avais de la chance et que j'aurais dû me contenter de ce que j'avais.

Maintenant, je le savais. Je voulais retrouver mon ancienne existence. Et tous les problèmes qui allaient avec. D'une certaine manière, je me disais que ce n'était pas trop demander.

Deuxième partie

Dieu a fermé les yeux

14

Dieu a fermé les yeux. Juste une seconde.

Ma fille âgée de cinq ans se tenait devant moi, vêtue d'un bikini rose à pois, un seau en plastique à la main. Nous rendions visite à des amis sur Hutchinson Island pour le week-end, et Jessie voulait aller à la pêche aux coquillages sur la plage avec les autres enfants.

— S'il te plaît, papa, je veux y aller !

Ma canette de bière était vide et je mourais d'envie d'en boire une autre. Sous la véranda vitrée, les autres enfants attendaient impatiemment. Je n'aimais pas que Jessie quitte mon champ de vision. Percevant mon hésitation, ma fille tapa du pied.

— S'il te plaît, papa !

Je sentais une dispute se profiler, et ma résolution fléchissait.

— Promets-moi que tu n'embêteras pas les tortues que nous avons vues hier.

Jessie fit la moue. La veille au soir, à la faveur de la pleine lune, notre famille avait observé des tortues géantes caouannes, qui avaient nagé jusqu'ici depuis l'Afrique du Sud, déposé des douzaines d'œufs blancs et parfaitement ronds dans des trous qu'elles avaient creusés dans le sable. Jessie n'avait cessé d'en parler depuis.

— Mais je veux les voir !

— Je t'emmènerai plus tard.

— Pour de vrai ?

— Maintenant, promets-moi que tu ne t'en approcheras pas.

Elle baissa les yeux.

— D'accord.

— Parfait. Allez, amuse-toi bien.

Je la regardai s'éloigner, puis allai me chercher une bière fraîche. En chemin, plusieurs amis m'apostrophèrent.

— Hé ! Jack ! J'en voudrais une bien fraîche.

— Jack, un peu de vin ne serait pas de refus.

Jack, Jack, Jack.

Nous avions fait la fête toute la journée, et tout le monde passait du bon temps.

Dans la cuisine, je préparai les boissons et les plaçai sur un plateau. Je servis Rose, qui m'embrassa. Puis je servis mes amis, qui voulurent m'embrasser eux aussi.

Je retournai m'asseoir, mais quelque chose n'allait pas. Je m'approchai de la baie vitrée et scrutai les dunes derrière la maison. Les enfants riaient et faisaient un boucan du tonnerre. Soudain, je compris ce qui n'allait pas. Je n'entendais pas Jessie. Ouvrant la baie vitrée, je criai son nom.

Pas de réponse.

Le vide abyssal du silence était un bruit bien plus effrayant que n'importe quel cri ou hurlement. M'avançant sur la plage, je me précipitai à l'endroit où les autres enfants jouaient dans les dunes, m'attendant à voir ma fille bondir vers moi en criant « Bouh ! »

Mais ce ne fut pas le cas.

— Où est Jessie ? demandai-je aux enfants. Où est-elle ?

Ils me regardèrent avec des expressions vides. Puis l'un d'eux désigna un endroit un peu plus loin sur la plage. Je me précipitai vers le lieu indiqué et trouvai le seau de Jessie. Il y avait trois dollars de sable à l'intérieur.

Je n'arrivais pas à y croire. J'étais un flic, je savais que ce genre de choses arrivait.

— Pa-pa !

Je courus vers la voix. Vingt mètres plus loin, Jessie était assise dans l'herbe, en pleurs, les bras serrés autour de ses genoux.

— Fais-le partir, sanglota-t-elle. Fais-le partir.

— Qui, chérie ?

— L'homme dans l'herbe !

— Quel homme ?

— L'homme nu ! Il a dit qu'il voulait jouer avec moi. Fais-le partir !

Je serrai ma fille contre ma poitrine. Mon cœur battait à tout rompre et je ne cessais de me blâmer de ce qui venait d'arriver. Rose apparut, l'air bouleversé, et je lui confiai Jessie.

— Ne la quitte pas des yeux, lui dis-je.

Je courus à toutes jambes sur la plage pour retrouver l'homme qui avait voulu abuser de ma fille.

15

Le lendemain matin, des coups frappés à ma porte me tirèrent de mon sommeil. Remontant le drap sur mon torse, j'agrippai le collier de Buster.

— Seuls les amis sont les bienvenus ici.

Sonny pénétra dans ma chambre, vêtu d'un t-shirt noir troué aux aisselles et portant un crucifix noir – sombre présage s'il en était.

— Hé ! La Belle au bois dormant, il faut que tu viennes voir ça.

J'enfilai mes vêtements de la veille et le suivis au rez-de-chaussée. Une tasse de café fumant m'attendait sur le bar. Je sirotai ma boisson en regardant Bobby Russo à la télévision. Russo donnait une conférence de presse dans le quartier général de la police et répondait aux questions d'une batterie de journalistes. Il était bien habillé, ayant troqué sa cravate aux allures de poisson mort pour un modèle bleu plus respectable.

— Comment la police a-t-elle eu la confirmation que le cadavre retrouvé dans le jardin de Julie Lopez était bien celui de Carmella Lopez ? demanda un journaliste.

— Dossiers dentaires.

— Depuis combien de temps le corps était-il là ?

— Nous n'avons aucun moyen de le savoir. La pluie a effacé la majorité des indices.

— La police a-t-elle confirmé qu'il s'agissait d'un assassinat ?

— Oui.

— Connaissez-vous la cause de la mort ?

— Strangulation.

— Vous avez un suspect ? demanda un autre journaliste.

— En effet. Ernesto Sanchez.

— Pouvez-vous nous dire quelle preuve vous détenez contre lui ?

— Monsieur Sanchez était une connaissance de Carmella Lopez et vivait dans la même maison que sa sœur, expliqua Russo. Nous avons également trouvé un objet appartenant à monsieur Sanchez serré dans les mains de la victime.

— Pouvez-vous nous dire de quel objet il s'agit ?

— Un crucifix en or.

— Le suspect a-t-il été inculpé ?

— Non, le suspect n'a pas été inculpé, répondit Russo.

— Alors, que va-t-il se passer ?

— Je ne peux le dire pour le moment.

La conférence de presse prit fin. Russo retardait l'inculpation d'Ernesto afin de donner à ses agents plus temps pour étudier le dossier de Skell. Une tactique intelligente, mais qui ne faisait que repousser l'inévitable. Je terminai mon café et me dis que j'avais fait tout ce que j'avais pu. J'avais mené le bon combat et demain serait un autre jour. Ces mots étaient vides de sens, mais c'était tout ce qui me restait.

Une journaliste guillerette apparut sur l'écran. En fond, on voyait une photo de Simon Skell avec la mention « L'appel d'Hollywood ? »

— L'affaire Simon Skell attire l'attention d'Hollywood, déclara-t-elle avec entrain. D'après le magazine *Variety*, la Paramount a acheté les droits de l'histoire de la vie de Skell à sa femme, Lorna Sue Mutter. Les stars potentielles pressenties pour jouer le rôle de Skell sont Brad Pitt, Tom Cruise et Russell Crowe. Pas un mot sur l'acteur qui jouerait le personnage de Jack Carpenter, l'agent du comté de Broward qui, d'après Lorna Sue, a torturé et piégé son mari.

Je me mis à jurer en boucle, comme si j'étais atteint du syndrome de La Tourette. A la télévision, un journaliste au brushing impeccable apparut à côté de sa collègue enjouée.

— Que diriez-vous de Vince Vaughn ? suggéra-t-il.

— Pour jouer le rôle de Carpenter ?

— Absolument. Je l'ai vu jouer un tueur sociopathe dans un film intitulé *Turbulences domestiques* avec John Travolta. Il était fantastique !

— J'ai aussi vu ce film. Excellent choix !

Sur une impulsion, je m'emparai du distributeur de serviettes en papier sur le bar. Sonny hurla « Non ! », mais trop tard. Le distributeur percuta violemment l'écran qui se brisa en mille morceaux. Les bris de verre tombèrent en pluie sur le comptoir. Sonny parla d'histoire ancienne, puis alla chercher un balai et commença à nettoyer les dégâts.

— Qu'est-ce que tu as dit ? demandai-je.

— Toi et moi, c'est de l'histoire ancienne si tu ne remplaces pas la télévision.

— Tu vas me jeter dehors ?

— Si tu ne remplaces pas la télé.

— Tu peux me prêter l'argent ?

— Non.

— Allez, juste pour quelques jours. Je te rembourserai. Je suis bon pour ça.

Derrière le bar, Sonny prit une boîte noire sous la caisse, en sortit une note et me la fit lire. Je devais au bar près de cinq cents dollars.

— Remplace la télé et paie tes dettes, ou tu es de l'histoire ancienne.

— Tu es sérieux ?

— Tu peux le dire.

Il récupéra le distributeur de serviettes et le replaça sur le bar. Puis il se remit à balayer. J'avais l'impression d'avoir perdu mon dernier ami au monde.

Pivotant sur mon tabouret, je me plongeai dans la contemplation de l'océan. Ne ferais-je pas mieux d'aller nager et ne jamais revenir ? L'idée m'avait déjà traversé l'esprit, mais jamais sérieusement. Cette fois, j'étais sérieux.

Le téléphone du bar sonna. Sonny répondit, puis me passa le combiné.

— C'est ta petite copine.

Melinda, me dis-je, acceptait mon offre de la veille. Mais il s'agissait en fait de Julie Lopez.

— Je sais qui a enterré ma sœur dans le jardin, dit Julie.

Je passai plusieurs fois en voiture devant la maison de Julie, peu désireux de tomber sur des flics ou des journalistes. Tout paraissait calme ; pourtant, je jetai plusieurs coups d'œil par-dessus mon épaule au moment de frapper à la porte.

Julie m'ouvrit et m'entraîna précipitamment à l'intérieur, puis elle referma vivement la porte derrière moi. Ses yeux étaient cernés à cause du manque de sommeil, son visage, bouffi et dépourvu de maquillage. Ses vêtements sales et chiffonnés ne faisaient que renforcer le tableau.

Il n'y avait aucun meuble dans le salon, en dehors de trois chaises pliantes en métal et d'une table avec un sachet McDonald's graisseux dessus.

La dernière fois que Julie avait vu sa sœur, c'était lors d'un petit-déjeuner chez McDonald's, et j'étais surpris de constater qu'elle mangeait encore leur nourriture. Nous nous assîmes sur des chaises face à face.

— Alors, qui a enterré ta sœur dans le jardin ?

Julie regarda tout autour d'elle avant de me répondre. L'expression de son visage me faisait penser à une paranoïaque. Je balayai à mon tour la pièce du regard. Il n'y avait pas de cadres au mur, à moins que la moisissure fût considérée comme de l'art.

— Tu as peur de quelque chose ?

Elle hocha la tête. C'était une fille de grande taille, avec une poitrine imposante et de larges hanches. Les Hispaniques âgés qui louaient ses services la considéraient comme très séduisante. Dans un murmure, elle dit :

— C'étaient les types du câble. Ils ont mis Carmella dans le jardin.

— Les types du câble ?

— Oui.

— C'est pour ça que tu m'as fait venir ?

— Oui, Jack.

Toute force m'abandonna brusquement. Ouvrant le sachet McDonald's, je pris la grande portion de frites et me servis. Julie me jeta un regard courroucé.

— C'est mon petit-déjeuner ! dit-elle avec aigreur.

— Rien pour moi ?

Julie ne répondit pas à ma question. J'étais furieux et je n'avais pas honte de le montrer. Mille choses plus importantes me préoccupaient. Comme remplacer la télé du Sunset et réfléchir à ce que j'allais faire le reste de mon existence. Elle m'arracha les frites des mains avec la dextérité d'un chat et en fourra plusieurs dans sa bouche.

— Je peux le prouver, dit-elle.

— Très bien, prouve-le.

— La semaine dernière, les chaînes du câble ont cessé de fonctionner. Ernesto a appelé la compagnie, et deux réparateurs sont venus dans l'après-midi. Ils ont dit que le fil du jardin était vieux. Ils ont creusé une tranchée pour poser un nouveau câble. Mais devine quoi ?

Ne voyant pas du tout où elle voulait en venir, je secouai la tête.

— Ça ne fonctionnait toujours pas. Ernesto a observé leur manège. Puis il est monté sur le poteau. Quand il est revenu à la maison, il les a traités d'imbéciles. Je lui ai demandé pourquoi et il a répondu que le problème venait du poteau. Voilà pourquoi on ne captait pas la chaîne HBO. Le problème provenait du poteau !

— Et alors ?

— Tu ne vois pas ?

— Non.

— Pourquoi es-tu aussi énervé, Jack ?

— Je suis désolé, Julie, mais tu me fais perdre mon temps.

Elle jeta ses frites et me frappa à la tête. Je bondis de ma chaise.

— Je n'ai pas le temps pour ça ! criai-je, furieux.

Elle agita le doigt sous mon nez.

— Ecoute-moi ! Les types du câble n'avaient pas besoin de creuser le jardin. Le problème venait du poteau.

— Et alors ?

— Les types du câble ont coupé le fil exprès. Puis ils ont creusé une fosse pendant notre sommeil et ont mis Carmella dedans. Tu saisis ?

Les prostituées travaillent la nuit et dorment le jour. Quelqu'un avait en effet pu venir chez Julie et creuser un trou pendant qu'Ernesto et elle dormaient.

— Et le crucifix en or qui était dans les mains de ta sœur ? Il a été identifié comme appartenant à Ernesto.

Julie m'entraîna dans la cuisine et me désigna une étagère de livres à côté du réfrigérateur vrombissant. Deux crucifix étaient posés dans un coffret censé en contenir trois. L'emplacement du milieu était vide.

— Un des types du câble est venu boire un verre d'eau et en a volé un, expliqua Julie.

Je fixai le coffret. Deux jours plus tôt, quand je patientais dans l'allée, menottes aux poignets, j'avais vu un van de la compagnie du câble avec deux employés à l'intérieur et une foreuse. Les types du câble.

— Montre-moi le poteau.

Dans le jardin, la tombe de Carmella était toujours à ciel ouvert, ce qui me donna la chair de poule. Julie pointa du doigt le poteau électrique dans le coin de sa propriété.

— C'est celui-là, dit-elle.

Je pris une échelle dans le garage, la posai contre le poteau et grimpai les barreaux. Le câble était agrafé au poteau, qui avait été sectionné à mi-chemin.

L'entaille se trouvait au niveau d'une agrafe, de sorte qu'il était difficile de la repérer d'en bas. Je baissai les yeux sur Julie, qui avait gardé les bras croisés.

— Tu vois ?

— Ouais, je vois.

Mon regard erra sur la tombe ouverte.

— Qui a appelé la police pour lui parler du squelette ?

— Les types du câble. Ils étaient en train de creuser une tranchée quand ils sont tombés sur des bijoux. Ils ont continué à creuser et ont découvert le corps de Carmella.

— Enfin, c'est ce qu'ils disent.

— Tu me crois, finalement ?

Je hochai la tête.

— Putain, il était temps, grommela-t-elle.

Je commençai à redescendre, puis me figeai. De mon promontoire, je voyais la rue par-delà la maison de Julie. Un van blanc occupé par deux Hispaniques était garé derrière ma Legend. Le type sur le siège passager descendit du van et s'approcha de ma voiture. Un individu costaud avec un bandana rouge autour de la tête. Il se mit à genoux et regarda sous ma voiture. Il me fallut un moment pour comprendre ce qu'il cherchait.

Le transmetteur.

Buster dormait sur la banquette arrière. Il se réveilla et se mit à aboyer à travers la vitre mi-ouverte. L'homme se recula vivement et me vit, perché sur mon échelle. Il retourna précipitamment dans le van qui démarra dans un crissement de pneus.

Je descendis l'échelle à toute allure. J'aurais voulu m'excuser auprès de Julie, mais je n'avais pas le temps. Je lui ordonnai de rester chez elle et de s'enfermer à double tour.

— Et appelle la police ! ajoutai-je.

En démarrant, ma décision était prise. Si je voulais fuir quelqu'un, où me réfugierais-je ? Quelques minutes plus tard, je m'engageai sur la 595. La circulation était dense. Maints véhicules se dirigeaient vers Fort Lauderdale, y compris le van blanc, me dis-je. J'accélérai en direction de l'est, le vent cinglant mon visage par la vitre ouverte.

Un van blanc roulait sur la voie de gauche. Je me calai à sa hauteur et cherchai à croiser le regard du conducteur âgé d'une trentaine d'année qui parlait dans son portable. Captant son clin d'œil coquin, j'enfonçai l'accélérateur.

Je ne perdis pas espoir. Plusieurs sorties plus loin, je repérai un van blanc lancé à toute vitesse sur l'autoroute. J'accélérai encore et lui filai le train. La plaque d'immatriculation, à moitié cachée par la boue, indiquait qu'il venait de Broward. Seuls trois chiffres étaient visibles, que je mémorisai aussitôt.

Passant dans la file de droite, j'observai l'homme sur le siège passager. L'homme de type hispanique au bandana rouge était accoudé à la fenêtre du véhicule, fumant une cigarette. Agé d'une quarantaine d'années, il avait la joue balafrée, tel un pirate.

Quelque chose me disait qu'il s'agissait d'un type de Mariel, l'organisation criminelle la plus célèbre du sud de la Floride. Quand il jeta sa cigarette, il m'aperçut.

L'Hispanique plissa les yeux, s'efforçant visiblement de se rappeler où il m'avait vu. Puis il repéra Buster, et la panique se peignit sur son visage. Plongeant en avant, il s'empara d'un objet par terre. J'allais avoir des ennuis, mais ma voiture n'était pas assez puissante pour les devancer. J'aurais voulu ralentir, mais un camion de livraison me collait au train. Piégé.

L'Hispanique étendit le bras par la vitre, une barre de fer à la main. La barre frappa violemment mon pare-brise, et un millier de toiles d'araignée se dessinèrent sur le verre. Incapable de distinguer quoi que ce soit, je donnai un coup de poing dans le pare-brise, qui vola en éclats.

Ma voiture n'était plus qu'un tunnel où s'engouffraient des rafales de vent. Je m'efforçai de maintenir le cap, quand une brève pétarade, qui me fit penser à un feu d'artifice, m'obligea à regarder le van. L'Hispanique tenait un revolver rutilant et prenait ma voiture pour cible.

Buster glapit de terreur quand je quittai la route.

16

Je me retrouvai sur la bande d'arrêt d'urgence, un Buster tremblant pressé contre moi. Le van blanc avait disparu depuis longtemps.

Ma Legend se trouvait à soixante mètres de là. Sans pare-brise, le siège passager et la banquette arrière percés de trous de balles. Sans doute devrais-je être reconnaissant d'être encore en vie, mais je n'avais qu'une chose en tête : pourchasser ces voyous.

Les voitures me dépassaient en rugissant, mais aucune ne s'arrêta. Les conducteurs me regardaient sans me voir. En dehors d'une île déserte, il n'y avait pas d'endroit plus solitaire qu'une bande d'arrêt d'urgence autoroutière. J'appelai le 911, et une opératrice me mit en attente.

Buster aboyait après les voitures. Je l'avais mis en laisse de peur qu'il ne se jette au milieu de la circulation et ne mette un point d'exclamation à ma misérable journée. Rejoignant la Legend, je réglai la radio sur ma station FM favorite. Elle diffusait une chanson des Fine Young Cannibals intitulée *She Drives Me Crazy.*

Autrefois, c'était mon groupe préféré, puis ils avaient soudainement disparu. On aurait dit une métaphore de ma propre situation. Las, je m'adossai à ma voiture et fredonnai les paroles.

J'aurais dû être mort. Trois coups de feu et vous êtes généralement fini. J'avais été épargné ; seulement, à présent, je n'avais plus de moyen de locomotion.

Un pas de plus vers le statut de sans-abri. J'imaginai pousser un chariot rempli de cochonneries à travers les rues de Dania, un homme abattu et oublié.

Une téléphoniste prit la ligne. Je lui donnai mon nom et lui expliquai ce qui venait de se passer. Elle me demanda si j'étais blessé. Je savais que, si je répondais oui, une voiture de police apparaîtrait dans la minute.

— Je vais bien.

— Tenez bon. Je vous envoie une voiture.

Je repliai mon téléphone. Une dépanneuse se profila sur l'autoroute. Sauvé.

Le véhicule se gara, et un jeune homme dynamique sauta à bas du camion. Il inspecta rapidement mon véhicule, puis fourra sa carte de visite dans ma main. Il y avait sa photo et une inscription : Larry Littlejohn's dépannage 24/24.

— Qu'est-ce qui s'est passé, bon sang ? demanda Larry.

Je suis tombé sur de vieux amis. Vous pouvez me remorquer jusqu'à Dania ?

— Quelle est votre adresse ?

— Sunset Bar. C'est sur la plage.

Il se gratta le menton.

— D'accord, ça me va.

— Deuxième question. Vous prenez les reconnaissances de dette ?

Quand la dépanneuse s'éloigna, je déchirai la carte de Larry. La radio jouait une autre chanson d'un groupe oublié. Cette fois, je ne chantai pas.

Quinze minutes plus tard, un van apparut avec Bobby Russo au volant. Il se gara sur le bas-côté, devant ma voiture, et descendit de son véhicule. Il avait toujours le costume impeccable qu'il portait lors de la conférence de presse, ainsi que des lunettes d'aviateur armature métallique, véritables miroirs sous le soleil aveuglant de Floride. Il s'arrêta à deux mètres de moi.

— Fais reculer ce monstre, maugréa-t-il.

— Il est très gentil une fois qu'on le connaît.

— J'ai appris qu'il avait planté ses crocs dans le cul d'un type du Grove.

— Tu as parlé à Tommy Gonzales ?

— Ouais. Il a dit que tu étais une star.

C'était la chose la plus gentille qu'on eût dit de moi depuis bien longtemps.

— Comment m'as-tu retrouvé ?

— L'opératrice a reconnu ton nom et m'a appelé. Ça te dérange si j'examine ta voiture ?

— Je t'en prie.

Pendant que Russo inspectait la Legend, je lui racontai ce qui s'était passé chez Julie Lopez et lui donnai les chiffres de la plaque d'immatriculation que j'avais mémorisés, ainsi qu'une description du véhicule. Sans un mot, il retourna à son van et grimpa dedans. De nouveau, j'eus le sentiment d'être invisible et me penchai vers sa fenêtre ouverte.

— Tu vas m'aider, oui ou non ?

— Que veux-tu que je fasse, Jack ? répondit Russo en regardant droit devant lui. Passer mes journées à chercher le van blanc de Broward qui appartient aux types qui t'ont tiré dessus ?

— Tu pourrais lancer une recherche d'immatriculation avec le numéro partiel.

— Ça coûte cher.

— Ce genre de choses ne t'arrête pas d'habitude.

— Au cas où tu ne l'aurais pas compris, notre budget a été gelé. J'ai besoin d'une autorisation pour lancer ce genre de recherche. Et si je dis à mon boss que tu es impliqué, il refusera.

— Dis-lui que ça a un rapport avec l'affaire Skell.

— Tu n'en es pas sûr.

— Si, j'en suis sûr. Ces types ont mis un mouchard sur ma voiture. Ils ont aussi enterré le corps de Carmella dans le jardin de Julie. Bon sang, Bobby, ils sont impliqués ! Tu dois les traquer. Tu ne veux pas que Skell soit libéré de prison, n'est-ce pas ?

— Cette décision appartient au juge, pas à moi.

— J'ai la preuve que Skell n'agit pas seul, insistai-je. Tu ne crois pas que le juge devrait en être informé ?

Russo secoua la tête. Il ne m'aiderait pas.

— Mais qu'est-ce qui ne tourne pas rond chez toi ? m'écriai-je.

— Qu'est-ce qui ne tourne pas rond ? Je vais te le dire : j'ai une femme, deux enfants et une belle-mère malade. J'ai des responsabilités, au cas où tu aurais oublié ce que ça signifie.

Je n'avais rien à répondre à cela et baissai la tête, soudain honteux.

— Mince, Jack, je ne voulais pas dire ça. Je suis désolé, reprit-il.

Je le regardai droit dans les yeux.

— Aide-moi. S'il te plaît.

— Tu as le transmetteur que ces types ont utilisé pour te pister ?

Le transmetteur reposait au fond de l'océan. Mais mieux valait lui mentir.

— Oui.

— Apporte-le à mon bureau et je ferai une demande de recherche pour une immatriculation partielle sur tous les vans de Broward. Si mon boss râle, je lui montrerai le transmetteur et lui dirai que ça concerne une autre affaire.

Russo était de nouveau dans mon camp, et il menait le bon combat. Comme il mettait le contact, je lui demandai de me déposer à Dania.

— Pourquoi n'utilises-tu pas ta propre voiture ?

— Aux dernières nouvelles, rouler sans pare-brise est contraire à la loi.

— Je vais t'escorter jusque chez toi.

***

J'abandonnai mon véhicule devant un magasin de Dania, et Russo me déposa au Sunset. Il se gara sur le parking et laissa le moteur tourner. Une autre fabuleuse journée au paradis… Sous le charme, nous restâmes un moment dans sa voiture à regarder les vagues s'écraser sur le rivage.

— J'ai toute une équipe sur le dossier Skell, déclara Russo. La moitié du Département des homicides, deux enquêteurs du Département des forces de l'ordre de Floride, et l'un de ces cracks du FBI. Je ferais appel aux boy-scouts s'il le fallait.

— Rien de neuf, hein ?

— En fait, il y a un truc qui pourrait nous servir.

Un faible espoir brilla en moi.

— Qu'est-ce que tu as trouvé ?

— Melinda Peters.

— Mais elle a témoigné au procès. Le juge l'a déjà entendue.

— J'ai lu son témoignage et l'ai comparé à la déposition qu'elle avait faite avant le procès, dit Russo. Son témoignage au procès était plus court. Elle a passé sous silence certains actes sadiques que Skell lui a fait subir quand elle était enfermée dans la niche de la maison.

— Elle était traumatisée, elle ne voulait pas donner tous les détails. C'était la seule manière de la faire venir à la barre.

— Accepterait-elle de raconter toute l'histoire maintenant ?

Je secouai la tête. Les victimes de crimes sexuels mettaient beaucoup de temps à guérir, si jamais elles y parvenaient un jour. Je n'imaginais pas Melinda revivre cette atroce expérience.

— Je veux que le juge entende ce qu'il lui a fait, expliqua Russo. Ce sont des preuves formelles que Skell est un prédateur sexuel. Les prédateurs peuvent être maintenus en captivité indéfiniment en Floride s'ils constituent une menace.

— Mais Skell n'a pas été incarcéré pour ce délit.

— Peu importe. Si le juge détermine qu'il en est un, l'Etat le suivra. Ça s'appelle la loi de William et nous allons lui demander de l'invoquer.

Je secouai de nouveau la tête. Je voyais mal Melinda se résoudre à faire une chose pareille.

— Tu pourrais lui parler, insista Russo. Emmène-la dîner, supplie-la, couche avec elle s'il le faut, mais persuade-la de nous aider. Elle est notre dernière chance.

Le flirt de Melinda me revint en mémoire. Elle serait probablement d'accord pour témoigner si je lui mentais sur mes sentiments, mais je n'allais pas m'engager sur cette voie.

— J'essaierai, dis-je.

Je descendis du van et récupérai Buster sur la banquette arrière. Russo recula et ouvrit sa vitre.

— Je t'apporterai le transmetteur plus tard et tu pourras lancer la recherche d'immatriculation, lui dis-je.

— On fait comme ça, répondit Russo. Oh ! au fait : je ne prends pas les reconnaissances de dette. Tu me dois toujours trois cents dollars pour les réparations de mon Suburban.

Il disparut avant que je puisse lui répondre que je n'avais pas d'argent.

17

L'océan était déchaîné.

Grâce à mes palmes, je fendis les vagues houleuses jusqu'au point où le transmetteur avait, selon moi, coulé. Là, j'ajustai mon masque et plongeai.

Touchant le fond, je m'arrêtai et vis un requin-tigre doté d'une série de dents effrayantes et de petits yeux perçants. Ayant passé toute ma vie à nager dans les eaux de la Floride, j'étais habitué à rencontrer des requins et n'en avais pas peur. C'était des créatures dociles, qui se contentaient généralement de chasser des petits poissons ou de fendre les eaux en compagnie d'autres requins.

Le requin-tigre s'en alla et je repris mes recherches. Le fond de l'océan était couvert d'une vase brunâtre. Nageant au-dessus, je battis des pieds et remuai la vase. Des bris de coquillages et tout un assortiment de bouteilles et de canettes rouillées apparurent, mais pas la moindre trace du transmetteur. Je m'attardai encore un peu, puis remontai pour reprendre ma respiration.

A la surface, je repérai Sonny sur le rivage, qui scrutait la plage, un téléphone sans fil à la main.

— Par ici ! criai-je.

En me voyant, Sonny agita le bras.

— Un appel pour toi !

— Qui est-ce ?

— Kumar.

— Qu'est-ce qu'il veut ?

— Il a un boulot pour toi. Aider un couple à retrouver leur gamine.

— Dis-lui que je suis occupé.

— Bon sang, Jack ! Ralph vient demain. Qu'est-ce que je vais lui dire ?

Propriétaire du Sunset, Ralph faisait une apparition chaque mois pour s'assurer que son affaire n'avait pas disparu en fumée. D'habitude, Sonny se moquait de ses visites, mais il avait sans doute peur de se faire virer à cause de la télévision fracassée. L'idée que Sonny puisse perdre son job par ma faute était inacceptable.

— Dis à Kumar que je m'en charge.

— Sûr ?

— Ouais, sûr.

Sonny transmit mon message, puis mit fin à l'appel.

— Kumar a dit que le couple va venir dans son restaurant et que tu dois le retrouver à son bureau ! cria Sonny.

— Maintenant ?

— Ouais.

Je ne pouvais m'occuper de Russo et aider Kumar en même temps. Décidant que les amis de Kumar pouvaient attendre, je replongeai.

Parvenu au fond, je rencontrai un autre requin. Celui-là faisait un mètre quatre-vingts de long, arborait une teinte jaunâtre, une double nageoire dorsale et de petites dents pointues. C'était apparemment un requin-citron adulte, ce qui était extrêmement rare.

Les marins disaient que le requin-citron portait chance et je fus presque tenté de lui caresser le dos.

M'éloignant de l'animal, je choisis une autre zone et battis des pieds. Le limon se souleva pour révéler tous les déchets empêtrés dans le fond de l'océan. Ces objets rendaient mes recherches encore plus difficiles.

Je répétai l'opération plusieurs fois, en vain, ce qui ne faisait qu'augmenter ma frustration. A ce rythme, il me faudrait des heures pour trouver le transmetteur. Peut-être ne le trouverais-je même jamais.

C'est alors que j'eus une idée. Personne n'avait vu le transmetteur en dehors de moi. Il me suffisait donc d'acquérir un autre transmetteur, l'abîmer et le faire passer pour l'original. C'était le genre de manipulations que les flics véreux faisaient constamment. Au vu de ma situation désespérée, cela valait le coup d'essayer.

Une paire de requins-citrons surgit d'un rideau de corail et m'encerclèrent. Les requins ne devenaient agressifs que lorsqu'on les affrontait et je décidai d'attendre leur départ. En économisant mes mouvements, je pouvais retenir l'oxygène plus longtemps dans mes poumons.

Bientôt, d'autres requins-citrons se profilèrent. Ils nageaient en cercle autour de moi. J'avais l'impression d'assister à un ballet aquatique. En voir autant au même endroit était inhabituel. Aussi m'interrogeai-je sur la raison de leur présence massive. La température élevée de l'océan les avait-elle attirés ? Ou bien sa salinité ? Peut-être les femelles étaient-elles en état de procréer et envoyaient de puissants signaux chimiques pour attirer les mâles ? Ou alors ils avaient trouvé de délicieuses poubelles jetées d'un bateau de plaisance et je perturbais leur festin.

Au bout d'une minute, mes poumons se mirent à me brûler et je n'eus d'autre choix que de battre des jambes et de remonter à la surface. A mon grand soulagement, aucun requin-citron ne me toucha. Quelques minutes plus tard, je regardai sous l'eau et constatai qu'ils s'étaient dispersés.

***

J'enfilai des vêtements propres et filai en voiture jusque chez Tugboat Louie's. Après avoir laissé Buster dans mon bureau, je gagnai celui de Kumar et frappai à la porte. Il m'invita à entrer et je passai la tête dans la pièce. Kumar et le couple dont l'enfant avait disparu m'attendaient.

— Jack, Jack, nous t'attendions, dit Kumar.

Quand j'agaçais les gens, ils avaient tendance à prononcer mon prénom plusieurs fois. Je m'excusai platement et entrai. Voyant mes vêtements chiffonnés et mes cheveux en bataille, le couple m'observa d'un air perplexe.

Kumar me les présenta : Amrita et Sanji Kahn. La femme avait dans les quarante ans, l'homme, plus de cinquante. Elle était jolie, avec sa peau hâlée et ses yeux ambre. Tous deux portaient des vêtements de prix et des montres de platine assorties. Ouvrant son sac, Amrita prit une photo et me la tendit. Je savais qu'il s'agissait de leur fille sans même avoir besoin d'y jeter un coup d'œil.

Pourtant, j'observai la photo. Leur fille de seize ans en faisait vingt-cinq, avec ses multiples piercings aux oreilles, ses lèvres boudeuses et son sourire énigmatique. Elle avait la peau foncée, comme ses parents, mais l'étincelle de son regard disait que c'était une pure Américaine. Je laissai passer un laps de temps approprié avant de rendre la photographie à la mère.

— Elle s'appelle Katrina, dit-elle.

— C'est une très jolie jeune femme. Depuis combien de temps a-t-elle disparu ?

— Trois jours, répondit le père.

— L'un de vous lui a-t-il parlé ?

— En effet, dit Amrita.

— Récemment ?

— Hier soir, en fait. Enfin, nous n'avons pas parlé. Ma fille a écrit un message sur le National Runaway Hotline et je lui ai répondu de la même façon.

— Donc, elle n'a pas été enlevée.

— Oh non, ce n'est pas ça, intervint le père.

— Sa vie n'est pas menacée ?

Tous deux secouèrent la tête.

— L'un de vous lui a-t-il demandé de partir ?

— Non, répondirent-ils en chœur.

— Où est-elle ? Chez des amis ?

— Non, à l'hôtel, répondit sa mère.

Cela en disait long. Les hôtels n'acceptaient pas l'argent liquide, uniquement les cartes de crédit, ce qui signifiait que les parents payaient la note. Ils auraient pu forcer la main de leur fille en annulant ses cartes de crédit, mais ils ne semblaient pas savoir comment gérer la situation. J'observai Kumar. Il était assis à son bureau, les mains croisées. Je lui jetai un regard qui signifiait que j'avais besoin d'intimité.

— Si vous voulez bien m'excuser, dit-il aussitôt, j'ai deux ou trois choses à régler en bas.

La porte se referma derrière lui. Je rapprochai ma chaise des parents. Attendre trois jours pour agir était une erreur et risquait de causer des problèmes.

Mais je ne voulais pas les diviser en pointant cette erreur, aussi adoptai-je une autre tactique.

— Avez-vous pensé à appeler la police ? demandai-je au père.

Sanji me dévisagea.

— Oui.

— Pourquoi ne pas l'avoir fait ?

— Je lui ai demandé de ne pas le faire, intervint sa femme.

— Pourquoi ?

— Je pensais que notre fille serait rentrée à la maison.

Sanji avait les mains sur son pantalon, exposant ses doigts. De longs doigts aux ongles manucurés, mais sans lustre. Je l'imaginais bien chirurgien.

— Et quand elle n'est pas réapparue, vous avez décidé de demander une aide extérieure.

— Oui, répondit Sanji. Au début, nous avons pensé engager un détective privé, mais tous ceux que nous avons auditionnés étaient louches. Puis Kumar nous a parlé de vous. Il a dit que vous étiez un homme bien, en dépit de tout ce que les journaux écrivent sur vous.

— Sanji ! le réprimanda sa femme. Ce n'était pas nécessaire.

Son mari la regarda.

— Désolé si je vous ai offensé.

Je me renfonçai dans mon siège. J'avais eu ma dose de Sanji ces dernières années. Comme la plupart des gens riches, il pensait que ses problèmes pouvaient se régler en glissant une carte de crédit dans une machine ou en embauchant quelqu'un pour le faire, au lieu d'arranger les choses lui-même.

Je me demandai si Kumar les connaissait bien et à quel point j'allais entamer leur relation avec ce que je m'apprêtais à dire.

Je décidai de m'en moquer et me jetai à l'eau.

— Tous deux vous devriez vous considérer comme chanceux.

Amrita me regarda avec surprise, Sanji, l'air contrarié.

— Essayez-vous de vous montrer sarcastique ?

— Pas du tout.

— Alors, expliquez-vous.

— Votre fille n'est pas morte. Elle n'a pas été vendue sur le marché du sexe, ni enfermée dans la cave d'un psychopathe. Elle n'a pas été enlevée par un voisin ou une connaissance et, d'après moi, aucun de vous ne l'a abusée sexuellement ni violentée. Ce sont les cas d'enlèvement que je traite d'habitude. Et ils ont rarement des fins heureuses. Votre situation est différente. Votre fille a fait une fugue, ce qui est malheureux, mais cela aurait pu être pire. A mon avis, vous savez tous les deux quel est le problème, mais vous refusez de l'affronter.

Sanji semblait sur le point d'exploser.

— Pas question de parler de ça ! Allez-vous retrouver notre fille, oui ou non ?

— Je peux retrouver votre fille, mais qu'est-ce que ça changera ? Si vous ne réglez pas le problème, elle se sauvera encore. Prenez les choses en main.

Amrita hochait la tête comme un métronome. Je sentais qu'elle voulait tenter de raisonner son mari et décidai de pousser mon avantage.

— C'est à propos d'un garçon, n'est-ce pas ?

— Vous êtes très intuitif, dit-elle.

Sanji bondit de sa chaise et se rua sur la porte.

— Revenez, dis-je.

— Pourquoi devrais-je vous écouter ? rétorqua-t-il avec aigreur.

— Parce que j'essaie de vous aider.

Sanji se statufia. Il ne retourna pas s'asseoir, mais il ne s'en alla pas non plus. Prenant mon portefeuille, j'en sortis une photographie de Jessie et la montrai à sa femme. Mon bébé me ressemblait assez pour que personne ne se demande qui elle était. Amrita esquissa un faible sourire.

— Charmante jeune fille, commenta-t-elle.

— Elle s'appelle Jessie. Quand elle avait seize ans, elle nous a annoncé qu'elle sortait avec un garçon de dix-neuf ans. Quand j'ai entendu Jessie décrire ce garçon, j'ai su que cette relation était sérieuse et que ma femme et moi avions un problème.

Sanji revint vers nous et s'assit.

— J'étais persuadé que ma fille couchait avec ce garçon, continuai-je. Cela m'a rendu fou. J'ai pensé à le faire arrêter pour viol de mineur. Je voyais ma fille comme une victime. Je savais aussi que la loi était de mon côté. Mais ma femme m'en a empêché.

Amrita glissa sa main dans celle de son mari et la serra.

— Continuez, s'il vous plaît, dit-elle.

— Ma femme a parlé à ma fille et a compris que ma

fille ne se voyait pas comme une victime. Ce garçon était son meilleur ami et son confident. Il donnait à ma fille une attention que ma femme et moi n'avions pas le temps de lui accorder. Il la satisfaisait. Aux yeux de ma fille, il était naturel de coucher avec lui.

— Mais ce garçon tirait avantage de votre fille, dit Sanji.

— Oui, répondis-je. Mais ce n'était pas le problème.

— Non ?

— Non. Le problème, c'était de faire revenir ma fille à la raison. C'était de maintenir notre autorité sur elle. Et de contrôler la situation sans la traumatiser dans le processus.

— Vous avez réussi ? demanda Amrita avec espoir.

— Oui, grâce à ma femme.

Elle regarda son mari, qui déglutit, l'air mal à l'aise.

— Voulez-vous partager votre solution avec nous ? me demanda-t-il.

— Avec plaisir. Ma femme a invité le garçon à dîner. Il a accepté et nous avons passé la soirée à l'assaillir de questions. Irait-il à l'université ? Comment comptait-il gagner sa vie après la fac ? Quelle était sa religion ? Quand pourrions-nous rencontrer ses parents ? Nous lui avons fait comprendre que, s'il voulait fréquenter notre fille, il allait faire partie de notre famille et aurait des responsabilités. Nous l'avons traité en adulte.

Une lueur dansait dans les yeux d'Amrita.

— Ça a marché ?

— Ils se sont séparés deux semaines après. Je ne peux pas vous garantir que cela se produira avec votre fille, mais cela vous permettra de reprendre le dessus pendant quelque temps.

Ils échangèrent un regard éloquent.

Je ne connaissais pas de plus grande télépathie que la communion silencieuse entre un mari et sa femme. Je donnai une claque sur mes genoux et me levai.

— Bonne chance, dis-je.

Je les accompagnai jusqu'au parking. Ils conduisaient une Mercedes blanche, avec un sac de raquettes de tennis sur la banquette arrière. Sanji ouvrit la portière de son épouse, puis vint vers moi. Il sortit une enveloppe de sa poche et la mit dans ma main.

— Kumar m'a dit que vous préfériez le liquide.

L'enveloppe était épaisse et je sentis mon cœur s'accélérer. Sanji était un connard arrogant, comme la plupart des pères quand il s'agissait de leur fille adolescente. Moi y compris.

Je lui tendis la main. Il me la serra avec chaleur et je décidai que je l'aimais bien.

— J'espère que ça marchera.

De retour dans mon bureau, j'étalai vingt billets de cent dollars flambant neufs sur ma table et laissai échapper un sifflement de contentement. C'était suffisant pour payer mon loyer, mes dettes et la nouvelle télé du Sunset.

Je repensai à ma rencontre avec les requins-citrons et me dis que ma chance avait tourné.

18

Kumar me déposa devant le magasin de Big Al, sur Sheridan Street. Ma Legend était garée sur le parking avec un pare-brise tout neuf. Je fis grimper Buster à l'arrière, puis entrai dans le magasin.

Big Al était à son bureau, en train de manger un sandwich. C'était un adepte de la musculation et des stéroïdes, de sorte que son corps était un énorme paquet de muscles nervurés. C'était un copain de lycée dans les années 1980, qui avait été arrêté pour trafic de marijuana.

Je suppose qu'il avait toujours quelques petites activités illicites. Il était difficile de refuser de l'argent facile. Je lui réglai la note du pare-brise et lui demandai s'il avait des transmetteurs à vendre.

Ouvrant un tiroir, il m'en montra un. Sale et abîmé, exactement ce qu'il me fallait.

— Combien ?

— Offert par la maison.

— Merci. Et merci d'avoir réparé mon pare-brise aussi vite.

— A quoi servent les amis ?

— Tu plonges toujours, n'est-ce pas ?

Big Al acquiesça et je lui racontai l'incident avec les

requins-citrons. Je n'avais cessé de penser à eux et écoutai attentivement sa réponse.

— Les requins-citrons sont étranges, dit Big Al. J'en ai rencontré une tripotée au cours d'une plongée. Ils tournoyaient au-dessus d'un point précis et ne voulaient pas partir. En fait, ils avaient trouvé une épave. Un bateau avait pris feu et coulé la veille.

— Ils cherchaient des restes ?

— Non, ils le protégeaient, dit Big Al.

— De quoi ?

— Crois-le ou pas, Jack, mais c'était ce qu'ils faisaient.

Big Al me raccompagna dehors. Avec sa taille imposante, il projetait une ombre immense sur la cour poussiéreuse. Au niveau de ma voiture, il posa la main sur mon épaule.

— J'ai écouté les infos un peu plus tôt, dit-il. Cette histoire avec Skell est en train de dérailler. Tu vas quitter la ville ?

— Je n'en avais pas l'intention.

— Avec un merdier pareil, moi je le ferais.

— Où irais-tu ?

— Sur la côte Ouest.

— Hors de Floride ?

— Californie. Le Sud, où le temps est clément. On peut disparaître là-bas.

Je me rendis compte qu'il me donnait un conseil. De la part d'un type qui avait passé plusieurs années à reconstruire sa vie, cela n'était pas à prendre à la légère.

Big Al savait quelle tempête houleuse j'affrontais et voulait me faire comprendre que rester pour sauver ma réputation était une cause perdue. Peut-être avait-il raison. Pourtant, je n'étais pas prêt à abandonner la partie.

Après une poignée de main, je repris la route.

Au magasin Best Buy, j'achetai une télévision pour le Sunset. Pour trente dollars de plus, le vendeur me promit de la faire livrer dans l'après-midi.

Puis je me rendis au quartier général du shérif du comté de Broward et cherchai une place sur le parking bondé. Des véhicules étaient même illégalement stationnés sur les places réservées aux handicapés. Jamais je n'avais vu une telle affluence.

Enfin, une place se libéra. Je me garai et, le transmetteur en main, traversai le parking en direction du bâtiment rutilant que je considérais auparavant comme mon foyer. En chemin, je repérai les voitures des policiers. Les flics étaient faciles à identifier : ils se garaient toujours à reculons.

Une foule de gens bien habillés était rassemblée devant les marches de l'entrée du bâtiment. Une conférence de presse avait lieu, et une voix de femme prononça mon nom.

— Jack Carpenter est un véritable monstre ! s'écria Lorna Sue Mutter dans les micros.

Elle portait sa marque de fabrique : robe noire et maquillage outrancier. Derrière elle, Leonard Snook, dans son costume noir à fines rayures et larges revers, hochait la tête avec conviction.

— Jack Carpenter devrait croupir derrière les barreaux, pas mon mari ! continua-t-elle. La police a-t-elle besoin de plus de preuves après ce qu'elle a entendu aujourd'hui ?

— Avez-vous demandé au juge de libérer votre mari ? demanda un journaliste.

Leonard Snook intervint :

— Nous ne pouvons pas le faire tant que le bureau du shérif du comté de Broward n'inculpe pas formellement Ernesto Ramos du meurtre de Carmella Lopez.

— Pourquoi la police ne l'a-t-elle pas encore inculpé ? poursuivit le journaliste.

— Le bureau du shérif fait intentionnellement traîner l'affaire, répondit Snook. Il serait temps qu'ils regardent les choses en face : Simon Skell n'a pas tué Carmella Lopez, pas plus que les sept autres jeunes femmes du comté de

Broward, dont les corps, dois-je le répéter, n'ont jamais été retrouvés. Mon client n'est pas le Tueur de minuit !

Je m'approchai furtivement pour mieux voir la scène. Snook se pressait contre Lorna Sue et une réelle tension sexuelle régnait entre eux. D'autres personnes l'avaient-elles remarqué ? Lorna Sue reprit la parole.

— Mon mari a été condamné à cause du témoignage d'une femme du nom de Melinda Peters. Elle a prétendu que mon mari l'avait séquestrée et torturée. Ce qu'elle a omis de préciser, c'est qu'elle entretenait une liaison avec mon mari *et* avec Jack Carpenter. Quand Jack Carpenter l'a découvert, il a forcé Melinda Peters à inventer cette histoire à propos de mon mari qui l'a envoyé tout droit en prison.

On m'avait souvent lavé la bouche avec du savon quand j'étais petit, mais cela ne m'avait jamais empêché de jurer quand la situation l'exigeait.

D'une voix forte, je lançai :

— C'est un ramassis de mensonges, et vous le savez !

La foule des journalistes se scinda, telle la mer Rouge, pour ouvrir un passage entre mes deux accusateurs et moi.

Pointant le doigt vers eux, je poursuivis :

— Pourquoi ne leur dites-vous pas la vérité ? A savoir que vous avez les droits d'un film en jeu ? La seule raison pour laquelle vous défendez Simon Skell, c'est que vous espérez tirer un bon paquet de fric de sa libération.

Un journaliste fourra un micro sous le nez de Snook.

— C'est la vérité ? demanda-t-il.

— Pas de commentaire, répliqua Snook.

— Il va se prendre vingt pour cent des recettes et avoir son nom dans les crédits ! criai-je.

Quelqu'un avait sans doute dit à Snook que la lâcheté était une valeur sûre. Il se recula, heurta une marche et tomba en arrière avec un grognement. Lorna Sue l'ignora et pointa un doigt manucuré sur moi.

— Vous avez piégé mon mari !

— Votre mari est un tueur en série, et vous, une garce folle de l'avoir épousé.

— Comment *osez-vous* ?

Lorna Sue fonça droit sur moi. Je ne m'étais pas battu avec un membre du sexe opposé depuis mes bagarres avec ma sœur, et je m'efforçai de ne pas rire pendant qu'elle me martelait en vain de ses petits poings. Au lieu de se disperser, l'équipe de télévision nous filma. Je me rendais compte du terrible résultat que cela produirait sur le journal de 18 heures et décidai de me sortir de là.

Faisant une feinte sur la droite, Lorna Sue frappa dans le vide. J'en profitai pour la contourner et grimpai les marches quatre à quatre.

Où étaient les agents ? D'habitude, ils étaient les premiers sur le pont quand une rixe se déclenchait à leur porte.

A l'intérieur, ils s'étaient regroupés dans le hall, près de la fenêtre. Plusieurs visages m'étaient familiers, dont celui de Russo.

Dès qu'il m'aperçut, Russo se précipita sur moi et me poussa dans un ascenseur pour me traîner jusqu'à la cellule de crise, au dernier étage. Il s'agissait d'une salle de conférences spacieuse équipée de seize lignes téléphoniques et d'un mur de téléviseurs retransmettant les principales chaînes d'information.

C'était dans ce lieu que les stratégies d'intervention étaient mises en place lors de crises majeures telles qu'un ouragan ou un incendie incontrôlable. La salle me faisait penser à mon bureau chez Tugboat Louie's, où les photos des victimes de Skell étaient épinglées au mur, et le dossier de chaque victime, étalé sur une grande table ovale. Il y avait des gobelets de café vides un peu partout, qui tremblèrent quand Russo claqua la porte.

— Tu es un cas désespéré, tu le sais ? cria-t-il après moi. Chaque fois que je tourne le dos, l'affaire empire et tu es toujours en plein milieu, à faire semblant de ne pas comprendre ce qui se passe.

Je voulais m'excuser de mon comportement lors de la conférence de presse, mais je me doutais que cela n'arrangerait guère la situation.

Je lui tendis le transmetteur.

— Voilà ce que j'ai trouvé sur ma voiture. C'est le type hispanique que j'ai vu qui l'a placé là. Celui qui a criblé ma voiture de balles sur la 595.

Bobby observa le transmetteur d'un air bovin et le jeta à la poubelle.

— Qu'est-ce que tu fais ?

— Pose ton cul sur cette chaise et tais-toi.

— Mais c'est une preuve !

— Laisse-la où elle est.

Sa voix était réellement menaçante. Je pris place sur la chaise la plus proche et l'observai prendre une cassette dans sa poche et la glisser dans un lecteur sur le bureau.

— Quand as-tu parlé à Melinda Peters pour la dernière fois ? demanda Russo.

— Hier soir.

— Dans quel état d'esprit était-elle ?

Elle était affolée à l'idée que Skell soit libéré.

— Alors, elle ne t'a pas dit qu'elle allait faire une déclaration publique ?

— Je ne sais pas de quoi tu parles, Bobby.

Russo mit en marche le lecteur. Une musique s'en échappa, puis disparut derrière la voix rauque de Neil Bash. C'était un enregistrement de son émission.

« J'ai une invitée spéciale en ligne aujourd'hui avec moi, dit Bash. Son nom est Melinda Peters, qui en plus de travailler dans l'un des clubs pour adultes les plus connus de Fort Lauderdale, était le témoin clé du procès pour meurtre de Simon Skell, dit le Tueur de minuit. Comment allez-vous aujourd'hui, Melinda ? »

Il y eut une courte pause.

« Ça va, répondit Melinda.

— Puis-je vous appeler Melinda ?

— Bien sûr.

— Je suis heureux que vous soyez parmi nous aujourd'hui. De nombreuses rumeurs ont circulé ces derniers jours à propos de Simon Skell. Il aurait été piégé par Jack Carpenter, un agent de police du comté de Broward. Jusqu'à présent, le bureau du shérif n'a pas souhaité faire de commentaires. Comme vous étiez un témoin clé du procès, j'espérais que vous pourriez partager vos impressions avec nous. »

Une autre pause.

« C'était l'idée de Jack, dit Melinda.

— Qu'est-ce qui était l'idée de Jack ? demanda Bash.

— Mon témoignage.

— Eh bien, c'est son travail. En tant que policier, il incite les gens à témoigner. Rien d'étonnant à cela.

— Il m'a dit ce que je devais dire. »

Mon poing s'abattit sur le bureau, envoyant valdinguer plusieurs gobelets vides par terre.

— C'est encore pire après, commenta Russo.

Je me penchai en avant et fixai la bande.

« Etes-vous en train de dire que Jack Carpenter vous a *dicté* vos paroles ?

— Il a tout inventé, lâcha Melinda.

— *Tout* ?

— Oui.

— Mais il est ou plutôt était policier. Pourquoi aurait-il fait une chose pareille ? »

Une autre pause.

« Jack et moi sortions ensemble…

— Vous voulez dire que vous aviez une liaison, intervint Bash.

— Oui. J'ai rencontré Simon Skell à mon club, quand je

dansais, et il m'a proposé de sortir avec lui. Il était gentil, alors j'ai commencé à le voir en dehors du club.

— Donc, vous sortiez avec Jack Carpenter *et* Simon Skell.

— Oui.

— Que s'est-il passé ?

— Jack l'a découvert et n'a pas apprécié.

— Attendez une minute, Melinda, dit Bash. Si mes souvenirs sont bons, vous avez témoigné au procès que Simon Skell vous avait séquestrée, enfermée dans une niche pour chien et torturée pendant qu'il passait des chansons des Rolling Stones, en particulier *Midnight Rambler*. Etes-vous en train de nous dire que rien de tout cela n'était vrai ?

— Ce n'est jamais arrivé », dit Melinda.

Je fermai les yeux et m'imaginai encore immergé à trois mètres sous l'eau, les requins-citrons louvoyant autour de moi ; seulement cette fois, ils me mettaient en pièces, membre après membre. L'eau se colorait de sang et je criais en silence.

« Donc, tout ce que vous avez raconté n'était qu'un tissu de mensonges », dit Bash.

Nouvelle pause.

« C'est ça.

— Et vous avez participé à la condamnation d'un innocent.

— Hum, hum. »

J'ouvris les yeux. A présent, tout devenait limpide. Les questions de Big Al, pour savoir si j'allais quitter la ville, la scène hystérique avec Lorna Sue.

« Vous êtes toujours là, Melinda ? demanda Bash.

— Oui.

— Dites-moi pourquoi vous avez fait ça. »

De nouveau, elle ne répondit pas.

« Vous l'aimiez ? Je parle de Jack Carpenter.

— Non.

— Mais vous aviez une liaison avec lui.
— J'ai découvert qu'il me trompait.
— Il voyait une autre femme ?
— Oui. Son nom est Joy Chambers.
— C'est une danseuse ?
— Une prostituée.
— Si vous n'aimez pas Jack Carpenter, pourquoi avez-vous agi ainsi ? »

Une autre pause.

« Il m'a menacée. Il a dit que ma vie deviendrait un enfer si je ne lui obéissais pas. Il avait toutes ces affaires de filles disparues sur les bras, et Simon était le suspect idéal. Alors, j'ai joué le jeu.
— Donc, vous avez suivi son plan.
— C'est ça.
— Puis-je vous poser une autre question, Melinda ?
— Oui.
— Avez-vous honte de ce que vous avez fait ? »

Il y eut un bref silence, suivi de la tonalité. Bash lança la publicité, et Russo stoppa le lecteur de cassette en me regardant comme si j'étais un voyou dans une cellule de détention. Je voulais me défendre, mais je ne savais pas par où commencer. Je repensais à ma dernière conversation avec Melinda. Mes paroles l'avaient-elles incitée à se retourner contre moi de cette manière ?

Russo s'éclaircit la gorge. Il avait levé le bras et désignait la porte. Je sortis trois cents dollars de mon portefeuille et les posai sur la table.

— Pour ta voiture, dis-je avant de quitter la cellule de crise aussi vite que possible.

19

Il ne me restait plus qu'à me saouler. Ce qui restait de ma réputation venait de partir en fumée, et la suggestion de Big Al de quitter l'Etat me paraissait maintenant une bonne idée.

Mais avant de m'abîmer dans la boisson, je voulais regarder Melinda dans les yeux et lui demander pourquoi elle m'avait fait ça. Il me semblait cruel de m'accuser d'avoir couché avec elle après toute l'énergie que j'avais déployée pour repousser ses avances. Cette accusation était difficile à démentir. Quand une femme prétendait que vous couchiez avec elle, il était inutile de nier.

Je pris la route en direction de son appartement. Ayant perçu mon désarroi, Buster rampa sur mes genoux. Il voulait me réconforter, mais je n'étais pas d'humeur et le repoussai sur le siège passager.

Je garai la Legend à quelques blocs de chez Melinda. Une fois devant sa porte, je frappai avec véhémence. Comme elle ne répondait pas, je me mis à tambouriner, puis donnai des coups de pied dans la porte.

— Ouvre ! C'est Jack Carpenter !

Plaquant mon visage contre la vitre, je scrutai l'intérieur. A travers l'interstice entre les rideaux, je distinguai un linoléum semblable à celui des hôtels miteux.

Tout semblait normal. Un chaton noir sauta sur la vitre, tentant de griffer mon visage.

Je frappai à la porte des voisins. Melinda passait ses journées à regarder des séries télé et à lire des romans à l'eau de rose. Cela n'était guère une existence à mes yeux, mais c'était mieux que vivre dans la rue sans savoir de quoi le prochain repas sera fait. Une voisine âgée, chaussée de pantoufles fourrées, accepta de me parler.

— J'ai vu Melinda ce matin, dit-elle, le visage noyé dans un nuage de fumée de cigarette. Je lui ai donné un paquet de gâteaux. Vous êtes flic ?

— Non, un ami.

— Petit ami ?

— Non, juste un ami.

— Vous avez l'air d'un flic. Enfin, votre façon d'être.

— Je l'étais autrefois. Quel était le comportement de Melinda ?

— Que voulez-vous dire ?

— Son attitude. Etait-elle bizarre ? Elle avait l'air heureuse ou triste ? Ce genre de choses.

La voisine prit le temps de réfléchir.

— Enervée, voilà comment je la décrirais.

— Par quoi ?

— Sa télé ne marchait plus.

Une sonnette d'alarme se déclencha dans ma tête.

— Quand est-ce arrivé ?

— Ce matin, je pense. Melinda avait un de ces écrans plats plasma et aimait regarder Discovery Channel quand ils montrent ces magnifiques couchers de soleil un peu partout dans le monde. Je suis allée chez elle plusieurs fois pour les regarder. Vous avez déjà vu cette émission ?

Je faillis lui dire de sortir ses fesses de son lit un matin et d'aller à Dania pour admirer le spectacle en vrai.

Je secouai la tête.

— Le réparateur du câble est venu ?

— J'ai vu le van garé devant chez elle ; donc, je suppose que oui.

— Il était blanc ?

— Maintenant que vous le dites, oui, je crois.

— Quelle heure était-il ?

— C'était il y a quelques heures.

— Alors, ils sont venus tout de suite.

Elle gloussa.

— On aurait dit qu'ils venaient éteindre un incendie. Vous avez déjà vu cette fille en maillot de bain ? C'était tout ce qu'elle portait dans son appartement. A vous faire sortir les yeux de la tête. Même les miens.

— Oui, c'est une beauté. Puis-je aller dans votre jardin pour jeter un coup d'œil ?

— Vous ne pensez pas qu'il est arrivé quelque chose à Melinda, n'est-ce pas ? demanda-t-elle.

— C'est ce que j'essaie de découvrir.

Elle hésitait. Un caniche de la taille d'une tasse à thé se faufila entre nous et renifla mes sandales. Puis il se frotta contre mes jambes.

Normalement, j'aurais envoyé le chien valser dans un autre Etat. Je le grattai plutôt entre les oreilles.

— Vous avez un chien ? demanda la voisine.

Je montrai Buster, royalement assis dans la Legend. Elle hocha la tête d'un air approbateur.

— Les propriétaires de chiens sont forcément des gens bien d'après moi. Je m'appelle Gladys.

— Jack, répondis-je.

— Enchantée, Jack. Entrez, je vous en prie.

Le jardin de Gladys avait la taille d'un timbre-poste et était entouré d'une solide clôture. L'enjambant, je m'approchai du poteau électrique et entamai son ascension. Sur le côté du poteau courait un fil noir identique à celui que j'avais vu dans le jardin de Julie Lopez. A quatre mètres cinquante de hauteur, je m'arrêtai. Le câble était sectionné juste en dessous de l'agrafe métallique, comme sur le poteau de Julie. Je redescendis.

— Vous avez trouvé quelque chose ? demanda Gladys.

— La ligne a été coupée.

— Vous pensez que quelqu'un a coupé la ligne exprès ?

— Possible.

Repassant dans le jardin de Gladys, j'examinai les alentours. A travers une vitre coulissante, je pouvais voir la cuisine de Melinda. Tout semblait normal, excepté une chaise renversée par terre. M'emparant de mon téléphone, j'appelai mon copain flic Claude Cheever.

— Je suis à l'appartement de Melinda Peters, dis-je. Il est arrivé quelque chose.

— Je viens tout de suite, répondit Cheever.

Cheever gara sa Pontiac Firebird sur le parking. En plus de la crasse et de la poussière maculant le véhicule, un assortiment de cancrelats, mites et autres insectes étaient écrasés sur le pare-chocs et les phares. Le succès de Claude en tant que flic ne venait pas de son intelligence supérieure ou de ses extraordinaires techniques d'investigation. Son don était sa capacité à passer pour le commun des mortels. Cela lui était naturel, et il était ainsi efficace dans ses interrogatoires. Je le guidai vers l'arrière de l'appartement de Melinda.

— J'ai entendu ce que Melinda a dit à la radio, dit Claude en examinant la cuisine par la vitre coulissante.

— Les mauvaises nouvelles vont vite.

— Tu l'as baisée ?

— Non.

— Même pas une fois ?

— Non, pas une fois.

— Tu penses que quelqu'un l'a forcée à faire cette interview ?

Claude observait mon reflet dans la vitre. Je hochai la tête.

— J'ai appelé l'émission de Bash une fois, à propos du contrôle des armes, dit Cheever. Son émission est en direct, tu sais.

Il me fallut un moment pour saisir l'allusion. Si Melinda avait été forcée à appeler l'émission de Bash, ses kidnappeurs avaient pris un risque, car elle pouvait tout révéler à tout moment. Pourtant, Melinda n'avait pu agir de son propre chef.

— Quelqu'un a obligé Melinda à raconter tous ces mensonges.

— Ça me va, répondit Cheever.

Il dénicha le gérant de la résidence et lui fit ouvrir l'appartement de Melinda. Demandant au gérant de l'attendre, il pénétra dans l'appartement. Je le suivis le long d'un étroit couloir jusqu'à la cuisine.

Tout semblait normal, en dehors de la chaise retournée. J'enroulai un papier toilette autour de ma main et remis la chaise à l'endroit.

Puis j'étudiai les éraflures apparentes sur tout un côté. Les marques étaient fraîches et j'imaginai les kidnappeurs de Melinda la traîner sur le sol pendant qu'elle était encore assise dessus. Je fis glisser la chaise à sa place à la table.

Kitty était contente de me voir. Je remplis un bol de céréales pour elle et le posai par terre. Puis j'examinai le plan de travail et la table. Apparemment, rien n'avait été déplacé. Prenant un crayon, j'utilisai le côté gomme pour presser sur le bouton lecture du répondeur et écoutai les messages. Aucun.

A côté du téléphone se trouvait un calepin rempli de dessins humoristiques. Je feuilletai les pages du bout du crayon et vis des dessins de chats, de chevaux et d'autres animaux domestiques. L'image de la dernière page me saisit. Il s'agissait de deux personnages debout devant une maison de deux étages, avec un arbre à sucettes et de la fumée s'échappant de la cheminée. Les deux personnages se tenaient la main et affichaient de grands sourires. Il s'agissait d'une femme et d'un homme, lequel portait un badge.

— Hé ! Jack, par ici ! cria Cheever.

Je délaissai le calepin et entrai dans la chambre. Cheever était assis sur le lit à eau, au milieu des peluches. A ses pieds, une valise ouverte, à moitié remplie de vêtements d'hiver.

— On dirait que Melinda prévoyait de partir en voyage, me dit-il d'un air soupçonneux.

— Elle allait à Aspen.

— Elle te l'avait dit ?

— Je lui avais trouvé une planque là-bas. Elle avait peur que Skell la traque après sa sortie de prison.

— Tu comptais partir avec elle ?

— Non.

— Tu es sûr que tu ne la baises pas ?

— Sûr et certain, Claude.

Il tapota le lit pour m'inviter à m'asseoir près de lui. L'expression de son visage n'était plus celle d'un ami. Il affichait son visage de policier, froid et implacable.

Quand je m'assis, le lit à eau se déplaça sous mon poids. Cela me procura un sentiment désagréable, tout comme les mots qui sortirent ensuite de la bouche de Cheever.

— Moi, je crois que tu la baises, Jack, et que tu n'as pas le courage de l'admettre. Vous aviez prévu tous les deux de quitter la ville, seulement Melinda a eu les jetons et elle est allée vider son sac dans l'émission de Bash. Ensuite, elle a filé, et tu n'arrives pas à la retrouver. Alors, tu m'as appelé en espérant que je t'aiderais à la traquer. Eh bien, je ne vais pas faire ça, Jack. En fait, je ne ferai plus rien du tout tant que tu ne m'auras pas dit toute la vérité.

C'était un coup dur. Si Cheever n'était pas de mon côté, j'étais fichu.

— Je ne couche pas avec elle, Claude. Mais elle est mon amie, comme toutes les autres filles que j'ai aidées et qui vivent dans la rue.

— Tu en as baisé combien ?

— Aucune !

— Et Joy Chambers ? Melinda a dit que tu la voyais en même temps qu'elle.

Je n'avais pas l'intention de me quereller avec Cheever sur ce sujet. Marié, père de deux enfants, il avait plus de liaisons sans lendemain que n'importe qui d'autre de ma connaissance. Comment pouvait-il me harceler à propos d'adultère ? Cela dit, c'était lui qui portait le badge.

— Il faut que tu m'aides à trouver Melinda. Son témoignage est la seule chose qui peut maintenir Skell en prison. Sans elle, l'Etat n'a plus rien.

Cheever tira sur sa moustache broussailleuse.

— Qu'est-ce qui lui est arrivé d'après toi ?

— Elle a été enlevée par deux réparateurs du câble. Ils ont sectionné le fil de son téléviseur et elle les a appelés. Ils sont venus ce matin et l'ont emmenée de force. Ces mêmes types ont coupé le fil de la maison de Julie Lopez et, quand elle les a contactés pour une réparation, ils ont creusé une fosse dans le jardin et y ont déposé le corps de Carmella Lopez. Je les ai vus ce matin et me suis lancé à leur poursuite sur la 595. Ils ont tiré trois balles dans ma voiture et ont essayé de me tuer.

— Où les as-tu vus la première fois ?

— Dans la rue, devant chez Julie Lopez.

— C'est une prostituée, hein ?

— Oui.

— Tu la baises, elle aussi ?

Mon regard se fixa sur le sol.

Les policiers ont des opportunités et beaucoup en tirent avantage. Mais ma conscience ne me l'avait jamais permis. Je me levai du lit à eau, de sorte que Cheever s'enfonça comme si nous avions chevauché un cheval à bascule. Je décidai de partir.

— Je prends ça pour un oui, conclut Cheever.

Il n'y avait plus rien à dire. Dehors, le gérant nous attendait. Il referma la porte derrière nous. Postée devant chez elle, Gladys se rongeait les ongles.

— Est-ce que Melinda va bien ? demanda-t-elle.

— Melinda Peters n'est pas là, répondit Cheever.

— Oh non, dit la voisine.

Parvenu à ma voiture, Cheever examina les trous de balle. Je pouvais presque entendre les rouages de son cerveau s'actionner. J'avais envie de l'agripper par les épaules et de le supplier de revoir sa position, mais j'avais peur qu'il se méprenne sur mes intentions.

La confiance ne régnait plus entre nous.

— A quelle distance étaient-ils quand ils ont tiré ? demanda-t-il.

— Un mètre cinquante environ. Ils étaient dans une autre voiture.

— C'est sacrément près.

— Ce qui veut dire ?

— Ce qui veut dire qu'ils essayaient peut-être de te mettre en garde, de te dire de ne pas t'approcher de la maison de Julie Lopez. Son petit ami est aussi son mac, hein ?

— Oui.

— Tu penses qu'il a des acolytes ?

— C'est sûr.

— Peut-être qu'il a demandé à ses potes de surveiller la maison de Julie pour s'assurer qu'elle ne se tapait pas un autre mec pendant qu'il croupissait en tôle. Et quand ils t'ont vu, ils ont décidé de te faire passer un petit message.

— Ce n'est pas ce qui s'est passé.

— Je cherche seulement des preuves, Jack.

— Tu penses que je mens ?

— Tu me racontes une histoire, et les preuves m'en racontent une autre.

Mentir à un policier était un crime, et Cheever avait

le droit de m'arrêter. Je décidai de le tester et pris place derrière le volant. Quand je mis le contact, il se pencha vers ma vitre, le regard rivé sur moi.

— Je dois te demander quelque chose, Jack.

— Vas-y.

— Quand tu as démissionné, de quel côté étais-tu ?

Sa question me laissa sans voix.

— Qu'est-ce que ça veut dire ?

— Tu n'agis plus comme un flic et, à en juger par ton mode de vie, tu as tout d'un escroc. Tu vis dans une zone grise et tu établis tes propres règles. Je ne te comprends plus, Jack, et je ne suis pas le seul.

J'avais envie de hurler à pleins poumons. Huit femmes étaient mortes, et une autre, disparue, mais personne ne semblait s'intéresser à autre chose qu'à mon comportement.

— Je suis de mon propre côté, Claude, répondis-je en démarrant. C'est le seul qui a un sens désormais à mes yeux.

20

En quittant la résidence, la tête me tournait.
Je devais prouver que Melinda mentait. Ce ne serait pas facile, étant donné que c'était sa parole contre la mienne. Mais si je parvenais à mettre en avant des incohérences de son récit, les gens commenceraient peut-être à m'écouter.

Joy Chambers pouvait sûrement m'aider. Joy était une prostituée du coin qui était sortie avec plusieurs flics. Je n'étais pas l'un d'entre eux, mais je lui avais rendu service en l'aidant à localiser l'enfant qu'elle avait placé dans un service d'adoption il y a quelques années. J'en savais long sur Joy, notamment son adresse et son vrai nom, Joyce Perkowski. Si je lui demandais de contacter les journaux pour déclarer que nous ne couchions pas ensemble, j'étais certain qu'elle le ferait. Je tentai de la joindre par téléphone, sans succès. Quinze minutes plus tard, je me garai dans son allée, à Tamarac. Sa maison à clins grise était masquée par l'enchevêtrement de buissons qui bordait la route et la vigne luxuriante qui descendait du toit.

Après avoir tambouriné à la porte d'entrée, je pressai la sonnette. Personne. Je fis le tour de la maison et trouvai la porte de la cuisine ouverte.

— Joy ? appelai-je après avoir toqué à la vitre. Tu es là ? C'est Jack Carpenter. Il faut que je te parle.

Pas de réponse. Je pénétrai dans la cuisine, mon chien sur les talons. Tout était étonnamment propre. Joy maintenait son intérieur immaculé. Elle n'amenait pas de clients chez elle, ni aucun de ses bienfaiteurs. Seulement quelques personnes de confiance.

J'empruntai le couloir pour gagner le salon. Avec ses meubles flambant neufs et son équipement dernier cri, il ressemblait à la salle d'exposition d'un magasin de hi-fi. Dans un coin, l'immense écran de télévision était strié de lignes statiques. Je m'emparai de la télécommande posée sur la table basse et appuyai sur un bouton pour obtenir les chaînes du câble. Rien.

Buster laissa échapper un gémissement. Je me précipitai dans la chambre à coucher, sur le côté de la maison. Joy était allongée sur le lit, nue, la tête tournée selon un angle inhabituel. Son visage était de cendre, sa bouche grande ouverte, comme figée. Près du lit, Buster lécha les doigts de la main qui pendait, inerte.

J'ordonnai à mon chien de se coucher, puis étudiai la scène. La position du corps de Joy indiquait qu'on l'avait traînée à travers la pièce, jetée sur le lit, puis qu'on lui avait arraché ses vêtements. Son assaillant l'avait enfourchée – les empreintes des genoux de l'homme étaient encore apparentes sur les draps –, puis étranglée.

Les hématomes violacés autour du cou de Joy indiquaient que le tueur s'était servi de ses mains. Il était parti précipitamment, sans se soucier de couvrir le corps ou de refermer la bouche de la jeune femme. Cela s'était passé très vite, ce qui était un piètre soulagement.

Je m'agenouillai à côté du lit. Joy était une battante et elle avait sûrement résisté. J'examinai ses mains. La gauche était fermée en un poing, la droite, grande ouverte. Les jointures de la gauche étaient brisées. Joy avait donné un coup de poing à son agresseur, laissant son empreinte sur lui.

— On l'aura, lui murmurai-je.

Avant de partir, je voulus la recouvrir, mais je craignais de souiller la scène du crime. Je me rendis dans la cuisine et appelai le 911. En composant le numéro, je vis une enveloppe sur la table de la cuisine. A mon nom.

Je raccrochai le téléphone, pris l'enveloppe et la déchirai. A l'intérieur se trouvait une lettre manuscrite de Joy, datée d'il y a deux jours. Elle révélait la liaison que nous n'avions jamais eue. Mes mains se mirent à trembler. Le tueur avait tout prévu. En fourrant la lettre dans ma poche, je réalisai soudain une chose importante : l'assassinat de Joy faisait partie de la machination pour me faire couler. Elle incluait les aveux de Melinda Peters à Neil Bash au sujet de ma liaison avec Joy. Aussi pénible que cela me fût de l'admettre, Melinda faisait partie intégrante de toute cette histoire.

Je fouillai la maison, à la recherche d'indices me reliant à Joy. Ne trouvant rien, je pris un mouchoir en papier dans la cuisine et astiquai tous les objets que j'avais touchés. Y compris le téléphone, mais seulement après avoir composé le 911.

Je regagnai le Sunset à la nuit tombée. La nouvelle télévision trônait au-dessus du bar, et les sept nains commentaient la qualité des images avec entrain.

Je me plantai au bar et attendis Sonny. Quand il arriva, je lui donnai mille dollars pour couvrir mes dettes et mon loyer. La vue de l'argent le laissa bouche bée.

— Tu n'es pas obligé de tout me payer en une seule fois, dit-il.

J'étais tenté d'en reprendre une partie.

— Garde-le, répondis-je.

Sonny posa une canette de Budweiser fraîche devant moi.

— Une journaliste a appelé un peu plus tôt. Elle voulait te parler de Melinda Peters. J'ai son numéro dans la caisse.

Je poussai un juron, ce qui attira l'attention de tous les clients du bar.

— Sale journée, ajoutai-je.

Je bus ma bière d'un trait, puis m'apprêtai à partir.

— Tu te rappelles ce qu'a dit le prophète, Jack ? me lança Whitey.

Je m'arrêtai sur le seuil.

— Quoi ?

— Au royaume des aveugles, les borgnes sont rois.

— Ouais, ouais, approuvèrent plusieurs nains.

Grimpant les marches jusqu'à ma chambre, je me demandai si Whitey n'avait pas raison. Peut-être étais-je un borgne qui ne voyait que ce qu'il avait décidé de voir.

Le meurtre de Joy me hantait. Russo voudrait me questionner. S'il n'aimait pas mes réponses, il m'arrêterait comme suspect. Comme je ne pouvais pas payer de caution, je resterais en prison plusieurs semaines, peut-être plus longtemps.

Les mensonges de Melinda aussi me perturbaient. Non seulement Skell serait libéré, mais le dossier du Tueur de minuit serait rouvert.

Cette fois, l'enquête ne se focaliserait pas sur Skell, mais sur moi et la façon dont j'avais mené l'investigation.

Dans ma chambre, j'allumai. J'étais dans un sacré pétrin. C'était tout juste si je pouvais compter les gens prêts à m'aider : Kumar, Sonny, ma femme et ma fille. Un groupe restreint, mais c'était mieux que rien.

Mon téléphone portable sonna : Jessie. Je m'assis sur mon lit et envoyai valdinguer mes chaussures. Puis je pris l'appel.

— Comment va la meilleure joueuse de basket du monde ?

Ma fille sanglotait. Cela me rappela brusquement cette horrible journée sur Hutchinson Island.

— Comment as-tu pu ? gémit-elle.

— De quoi tu parles ?

— Je regardais CNN dans ma chambre, quand ils ont montré ta photo et celle d'une strip-teaseuse. Ils ont dit que tu étais avec elle et que tu avais fabriqué des preuves et toutes sortes d'autres choses horribles. *Comment as-tu pu nous faire ça, à maman et à moi ?*

— Ce sont des mensonges ! dis-je avec emphase.

— Alors, pourquoi ils les montrent à la télé ?

— C'est sûrement pour faire grimper l'audimat.

Jessie ne comprit pas mon humour et cria de plus belle. Je tentai de m'expliquer, mais elle refusa de m'écouter. Mon seuil de tolérance était atteint.

— Change de ton ou je raccroche.

Ma fille se tut et je poursuivis.

— Peu importe ce que tu penses en ce moment de moi, je suis toujours ton père.

— Oui, souffla-t-elle.

— Bien. Maintenant, laisse-moi te poser une question. T'ai-je déjà menti ?

Mes paroles furent accueillies par un bref silence.

— Jamais, répondit-elle enfin.

— Exact. Jamais, jamais je ne t'ai menti.

— Enfin, pas à ma connaissance, ajouta-t-elle.

— Jamais, au grand jamais. Ce que tu as entendu à la télévision n'est qu'un paquet de mensonges.

— Mais cette strip-teaseuse a dit que tu avais une liaison avec elle, et aussi avec une autre femme.

Mes mâchoires se crispèrent. Je me moquais comme d'une guigne du reste du monde, mais pas de Jessie.

— Rien de tout ça n'est vrai.

— Tu dois parler à maman, dit-elle. Elle a appris la nouvelle à Tampa. Elle est totalement bouleversée.

— Je vais l'appeler tout de suite.

— Promis ?

— Oui, promis. Je t'aime.

— Je t'aime aussi, papa.

Je mis fin à l'appel. Puis je pris une minute pour trouver le courage d'appeler Rose.

Je m'étais toujours senti responsable de notre rupture. Originaire du Mexique, ma femme était profondément religieuse. Dans sa religion, les esprits des morts erraient parmi les vivants longtemps après la disparition du corps. Plusieurs fois, elle m'avait dit que les victimes de Skell étaient collées à moi et qu'elle ne pouvait pas lutter contre leurs fantômes. Comme un imbécile, je n'avais pas voulu me battre, et elle m'avait quitté.

Je pressai sur le bouton d'appel.

— Bonjour, Rose, dis-je quand elle décrocha.

— Qui est-ce ? demanda-t-elle d'un ton suspicieux.

— C'est moi. Jack.

— Qu'est-ce que tu veux ?

— M'excuser.

— C'est un peu tard pour ça.

— Non, écoute. Tout ce que tu as entendu à la télé, ce sont de purs mensonges.

— Je ne te crois pas.

— Tu dois me croire.

— Non, je n'y arrive pas.

Je plaquai ma main sur mes yeux.

— Rose, s'il te plaît, écoute-moi.

— Je lance la procédure de divorce.

— Quoi ? Non, s'il te plaît, ne fais pas ça.

— Demain. A la première heure. J'ai déjà un avocat. Je t'envoie les papiers. Maintenant, je dois aller me coucher.

Mon cœur était sur le point de se briser. Je ne pouvais pas la laisser partir.

— Tu ne peux pas m'abandonner, dis-je.

— Donne-moi une bonne raison de ne pas le faire ?

— J'ai besoin de toi, Rose. Et je t'aime.

J'entendis ma femme pousser un profond soupir.

— Va en enfer, Jack Carpenter.

Je n'avais aucune réponse à cela, et elle raccrocha.

21

À 4 heures du matin, mon réveil sonna. Je me hissai sur un coude et réveillai Buster. Mon chien roula sur le côté, espérant obtenir des gratouilles. Je lui tirai plutôt les pattes arrière.

— On part en balade, lui annonçai-je.

Cinq minutes plus tard, nous quittâmes le parking du Sunset. Tampa se situait à près de cinq cents kilomètres de là. Mon objectif était d'atteindre la maison de ma femme avant son départ pour le boulot et de la supplier de m'accorder une seconde chance.

Nous étions mariés depuis vingt ans, et je n'allais pas la laisser mettre fin à notre union en un coup de fil.

Dans les rues de Dania, je me demandai si je retournerais jamais en Floride du Sud. Je n'avais jamais refusé un combat auparavant, mais cette bataille me détruisait. Je devais rassembler mes esprits et trouver une autre stratégie.

Mais avant tout, il fallait que je parle à Rose.

Après la A1A, j'empruntai la 595, puis le Florida Turnpike. Ma voiture était si vieille qu'elle disposait d'un lecteur de cassette, et j'avais toute une collection de cassettes que je considérais comme la bande sonore de mon enfance. Des tubes des Doors, des Allman Brothers, des Eagles, Crosby, Stills, Nash & Young, de Grateful Dread, et un enregistrement du concert de Led Zeppelin au Madison Square Garden de New York.

Deux heures et demie plus tard, j'empruntai la sortie de Vero Beach, puis je continuai ma route sur l'autoroute 60. Quarante-cinq minutes après, je m'arrêtai au McDonald's de Bartow et commandai un petit-déjeuner. Au poste du drive-in, une adolescente ouvrit la vitre.

— Deux sandwiches à la saucisse et des frites ? dit-elle.

— Non, ce n'est pas pour moi.

Elle fixa son écran d'ordinateur.

— Un sandwich aux œufs et un café ?

— Non plus.

— Vous feriez mieux de répéter votre commande. Mon ordinateur a planté.

Comme j'étais le seul véhicule dans la file, je me demandai comment son ordinateur pouvait afficher des commandes pour des clients qui n'existaient pas.

— Un grand café et des pommes de terre.

De retour sur l'autoroute 60, je sirotai ma boisson quand mon téléphone sonna. Le centre de la Floride était autrefois une immense zone désertique, mais la technologie moderne avait changé tout cela. L'identificateur indiquait « inconnu ».

— Carpenter, dis-je.

— Jack, Veronica Cabrero à l'appareil.

— Comment va mon procureur préféré ?

— J'ai peur d'avoir de mauvaises nouvelles.

Bartow était réputée aller droit au but.

— Qu'est-ce qui ne va pas ? Ne me dites pas que l'affaire Lars Johannsen se passe mal.

— Lars a été retrouvé mort ce matin.

— Qu'est-ce qui s'est passé ?

— Il s'est ouvert les veines. La police pense que sa femme lui a fait passer une lame de rasoir au tribunal hier.

Je faillis dire « Bon débarras », mais me mordis la langue. Veronica était une catholique dévouée qui ne croyait pas à la peine capitale ; aussi était-elle sans doute bouleversée par la tournure des événements.

— Pourquoi a-t-il fait ça, d'après vous ?

— Lars savait qu'il était fichu.

— Comment ?

— J'ai suivi votre intuition, dit Cabrero. Vous m'aviez dit que le profil de Lars correspondait à celui d'un prédateur sexuel qui brutalisait des prostituées dans les quartiers ouest. J'ai passé une annonce dans l'un des magazines des clubs de strip-tease avec une photo de Lars et demandant à toute femme qui aurait été victime de sa violence de se faire connaître. L'une d'elles a fini par se manifester et a accepté de témoigner.

— Donc, Lars savait que vous le teniez.

— Oui. Maintenant, je dois vous poser une question. La police se demande si elle ne va pas accuser la femme de Lars de complicité. Qu'en pensez-vous ?

Arrêté à un stop, je réfléchis à la question de Veronica. S'il y avait une chose que j'avais apprise en tant que policier, c'était combien les relations entre hommes et femmes étaient complexes. Peut-être la femme de Lars, portée sur les mêmes déviances que son mari, était-elle sa complice. Mais il était plus probable qu'elle l'aimait sincèrement et que, quand elle a appris la vérité, elle lui a offert une porte de sortie honorable.

— Je pense que vous devriez la laisser tranquille.

— Vous êtes sérieux ?

— Oui. Elle va devoir vivre avec ça le reste de son existence. C'est une punition suffisamment lourde.

Il y eut un bref silence, empli de réflexion.

— Merci, Jack. J'apprécie vraiment votre aide.

— Il n'y a pas de quoi, Veronica.

A Tampa, la circulation était particulièrement dense à cette heure. On aurait dit une petite ville du Sud, avec son centre-ville aux ruelles pavées et enchevêtrées. Les gens étaient chaleureux et faisaient rarement usage de leur klaxon. Les plages n'étaient pas les plus belles de la région, mais la plupart demeuraient sauvages. Et les couchers de soleil n'avaient pas leur pareil ici.

A 8 h 30, je m'arrêtai devant la résidence de Rose, à Hyde Park. J'avais noté son adresse sur un morceau de papier et trouvai l'immeuble sans problème. Repérant sa Nova bleue, je me garai juste à côté.

Je laissai Buster dans la voiture, vitres ouvertes. L'appartement de Rose se trouvait au deuxième étage. Dans l'escalier, l'appréhension m'envahit.

Ma femme et moi ne nous étions pas vus depuis un bon moment ; c'était tout juste si nous avions eu une vraie conversation.

Un exemplaire du *Tampa Tribune* était fourré dans la boîte aux lettres. Je le pris, puis frappai à la porte. Rose ouvrit dans son uniforme d'infirmière.

— Surprise, dis-je.

La gifle qu'elle m'asséna avait le goût du venin.

— Espèce de salaud !

Elle leva la main pour me frapper de nouveau. Je l'attrapai au vol.

— Je n'ai pas couché avec Melinda Peters. Ni Joy Chambers.

— Lâche-moi le bras, jeta Rose.

— Tu dois me croire.

— Lâche-moi.

J'obtempérai et elle me claqua la porte au nez.

— Tu ne veux pas ton journal ? demandai-je.

— Non ! cria-t-elle à travers la porte.

— Il y a ma photo en première page.

— Tu en as de la chance.

— La tienne aussi.

La porte s'ouvrit, et ma femme m'arracha le journal des

mains. Je mis un genou à terre et levai les yeux sur son visage.

— Je te le jure, Rose. Je n'ai pas couché avec ces femmes. Tu dois me croire.

Impassible, Rose me dévisagea. Elle était exactement la même que le jour où je l'avais rencontrée. Frêle et parfaitement proportionnée, avec sa peau couleur caramel et ses grands yeux. Pendant ses études d'infirmière, elle était serveuse à Fort Lauderdale, alors que je venais d'entrer dans la police.

Elle avait vu en moi les gènes des Amérindiens séminoles de mon père et m'avait pris pour un Mexicain. Nous avons commencé à sortir ensemble et, dix mois après, Jessie était née.

— Une femme n'inventerait jamais une chose pareille.

— Elle a menti. Tout est faux.

— Tu as plutôt intérêt à ne pas me mentir, Jack Carpenter.

— Je n'ai pas fait tout ce chemin pour te mentir.

Rose étudia le journal pour s'assurer que sa photo n'était pas en première page, puis retourna à l'intérieur. Cette fois, elle ne me claqua pas la porte au nez, et je la suivis.

L'appartement de Rose était un deux-pièces décoré de meubles d'occasion. Ma femme gagnait assez d'argent pour se créer un charmant intérieur, mais elle préférait envoyer de l'argent à Jessie, chose que je n'étais pas censé savoir.

— Tu veux une tasse de café ?

— Avec plaisir.

Je débarrassai la table basse pendant qu'elle préparait le café. Sur la table se trouvaient cinq boîtes de bois faites à la main, que Rose possédait depuis que je la connaissais. Chaque boîte avait le dessin d'un squelette et contenait un objet ayant appartenu à l'un de ses proches : un bouton de son grand-père, une mèche de cheveux de sa grand-mère, ainsi que d'autres articles de ses oncles et tantes. Les boîtes étaient destinées au *Dia de los Muertos*, ou jour des Morts, une fête religieuse célébrée chaque année au Mexique. Dans la foi de ma femme, ne pas célébrer les morts était considéré comme une disgrâce.

Je déposai les boîtes avec précaution par terre. Rose revint dans la pièce avec deux tasses fumantes, puis s'assit à côté de moi.

— Pourquoi es-tu venu si tôt ? demanda-t-elle.

— Je voulais te voir avant que tu ailles chez ton avocat.

Nous bûmes en silence. Mon regard balaya l'appartement. Au mur étaient accrochés les cadres des photos de famille qui se trouvaient aussi sur ma table de nuit. Un souvenir pénible de notre passé.

— Tu as maigri, dit-elle.

— Près de neuf kilos.

— Tu es exactement comme le jour de notre rencontre. Mince, bronzé et…

— Et quoi ?

Elle ne parvint pas à terminer sa phrase.

— Tu es la même, toi aussi.

— Non, c'est faux.

— Tu es magnifique.

— Pourquoi es-tu venu, Jack ?

— Parce que je t'aime et que je ne veux pas te perdre.

Sa soucoupe heurta la table basse.

— Alors, pourquoi n'es-tu pas venu me chercher ? Pourquoi être resté en Floride du Sud et avoir laissé les gens détruire ta réputation ? Je t'aime, moi aussi.

— Je sais.

— Alors, pourquoi n'es-tu pas venu me chercher ? répéta-t-elle.

Je me rapprochai d'elle sur le canapé et posai ma main sur la sienne.

— Parce que je ne pouvais pas partir sans savoir comment Simon Skell a tué ces femmes. Si je le découvre, il croupira en prison. Sinon, il sera libéré. Je dois résoudre ce mystère. Ensuite, je reviendrai.

Son visage se craquela, et des larmes roulèrent sur ses joues.

— C'est une promesse ?

— Oui, c'est une promesse.

Elle prit ma main gauche et regarda l'alliance dorée encerclant mon annulaire. Rivé sur l'anneau, son regard ne vacilla pas une seule fois.

— J'aimerais que tu l'enlèves, dit-elle.

— Quoi ? Mon alliance ?

Elle acquiesça, puis ôta l'anneau de mon doigt. Je ne comprenais pas où Rose voulait en venir et la regardai lever ma main gauche et la fixer. L'endroit où se trouvait l'alliance était d'un blanc laiteux, contrastant avec le reste de ma main d'un brun foncé.

— Tu ne l'enlèves jamais ? dit-elle.

C'est alors que je compris.

— Jamais.

— Tu ne l'as jamais enlevée un vendredi soir pour passer du bon temps ?

— Non, chérie.

— Pas de strip-teaseuses, d'aventures avec des femmes de flics ? Deux ou trois avaient des vues sur toi.

— Aucune.

— Tu savais que je t'attendais, n'est-ce pas ?

Elle se leva du canapé et s'avança vers moi. Je me levai à mon tour et elle déboutonna ma chemise et fit courir ses doigts sur mon ventre glabre. Son nez se fronça, renifla ma peau et, avant de comprendre ce qui se passait, sa tête reposait sur ma poitrine et je la serrais contre moi.

— Je t'aime tant, murmura-t-elle.

Après quelques minutes, elle appela à son lieu de travail pour annoncer qu'elle serait en retard. Puis, prenant ma main, elle m'emmena dans sa chambre. Elle me déshabilla, puis je la dévêtis à mon tour. C'était notre petit rituel et il n'avait jamais cessé de nous émoustiller. Nous jetâmes les draps par terre et nous laissâmes tomber sur le lit.

— Je veux être au-dessus, dit-elle.

— Tu es sûre ?

— Oui. Allonge-toi.

J'étais trop grand pour son lit : mes pieds dépassaient. Je bougeai mes orteils et les pointai du doigt. Elle rit et me donna une tape sur la cuisse.

— Viens ici, mon grand.

Je glissai sur le lit de façon à me placer en diagonale. Puis Rose me chevaucha. Au début, notre mouvement était bizarre, et je me sentais dans la peau d'un adolescent qui faisait l'amour avec une fille sur la banquette arrière de sa voiture. Au lieu de paraître agacée, ma femme me sourit.

Il ne nous fallut qu'une minute pour accorder notre rythme et, bientôt, nous flottions sur un petit nuage.

Rose savait ce qui me rendait heureux et, quand j'atteignis l'orgasme, je me rappelai toutes les fois dans notre relation où elle m'avait transporté ainsi.

Ensuite, elle se coula sur moi et posa sa tête sur ma poitrine. Puis elle sombra dans le sommeil. Son énergie s'infiltrait par tous les pores de ma peau.

Et, durant un bref instant, je me sentis de nouveau entier.

22

A 11 heures, je regagnai ma voiture et l'embrassai pour lui dire au revoir. Rose avait remis sa tenue d'infirmière et relevé ses cheveux en chignon. En voyant Buster, elle laissa échapper un gloussement amusé.

— Tu as un chien !

Elle passa la main par la vitre ouverte et gratta la tête de l'animal. A ma grande surprise, Buster agita la queue comme un chien normal.

— J'aime ce chien. Tu devrais le faire reproduire, dit-elle.

— Tu es la deuxième personne à me dire ça.

— Alors, pourquoi ne le fais-tu pas ?

— Il n'a pas un comportement très académique.

— Peut-être que c'est à cause de tes fréquentations.

Rose s'installa au volant de sa Nova et baissa sa vitre. Quand j'étais un policier, on ne se disait jamais au revoir. C'était toujours « A tout à l'heure ». Je le dis à cet instant et décelai un voile de doute dans ses magnifiques yeux bruns. Aussi ajoutai-je un post-scriptum.

— Je te le promets.

— Quand ?

— Quand j'aurai réglé cette affaire.

— Encore six mois ?

Je secouai la tête.

— Ils m'auront jeté hors de la ville bien avant ça. Quelques semaines.

— Ne fais pas de promesses que tu ne peux pas tenir, Jack.

— Je le pense.

— Je sais que tu le penses. Mais ça ne veut pas dire que tu y arriveras. Tu vas devoir découvrir ce que Skell a fait de ces filles. Si tu n'y parviens pas, tu ne pourras pas vivre avec ce fardeau. Et moi non plus.

Nous nous embrassâmes de nouveau, puis je regardai la voiture de ma femme s'éloigner.

Je décidai d'aller déjeuner et me baladai dans le quartier. Hyde Park était un mélange éclectique de vieilles maisons, d'abreuvoirs originaux et de restaurants ethniques.

Rose aimait cet endroit et je tentai de m'imaginer dans ce décor. Devant un restaurant, un panneau vantant les meilleurs sandwiches de la ville attira mon attention, et je poussai la porte.

Bientôt, Buster et moi partagions un gros steak dans ma voiture. Mon véto m'avait dit que la nourriture des humains n'était pas bonne pour les animaux ; alors, je lui avais demandé pourquoi nous la mangions. Comme il n'avait pas su me donner de réponse convaincante, j'avais continué à partager mes repas avec mon chien.

De l'autre côté de la rue, deux travailleurs remplaçaient un panneau publicitaire. A cent cinquante mètres du sol, ils utilisaient des couteaux à mastic pour enlever une publicité pour une bière bon marché.

Cela semblait dangereux comme travail, et je me demandais pourquoi ils le faisaient.

Quand la pub pour la bière chuta, l'ancienne réclame en dessous apparut. Celle-ci, pour une émission de radio matinale, montrait un DJ rebelle assis sur un trône avec une fourche, les oreilles pointues pour le faire ressembler au diable. En dessous de l'image, l'accroche suivante : *Matinales 6 h-10 h. Préparez-vous à être bâchés !*

Je tendis le dernier morceau de mon sandwich à mon chien. Le type sur la publicité était Neil Bash. Même si je l'avais entendu à la radio bien des fois, je n'avais jamais vu son visage. Il avait un physique plutôt ingrat, corpulent avec le nez plat et de grandes oreilles. A mesure que son visage apparaissait, je distinguai le message que quelqu'un avait écrit à l'aide d'une bombe de peinture rouge. Il disait :

CET HOMME EST UN GROS PORC !

Ces mots me déstabilisèrent. Quiconque les avait écrits avait pris un sacré risque en grimpant tout là-haut. Je voulais savoir pourquoi. Je descendis de voiture et appelai les deux travailleurs.

— Hé ! Vous, là-bas !

L'un des deux hommes s'arrêta et me chercha des yeux. Sa peau avait la couleur de l'albâtre, ses cheveux étaient d'un noir de jais.

— Qu'est-ce que vous voulez ? répondit-il.

Ce type sur l'affiche. Qu'est-ce qu'il a fait ? demandai-je.

— Sais pas.

— Demandez à votre collègue, vous voulez bien ?

L'homme s'adressa à son partenaire, qui secoua la tête. Sans doute étaient-ils tous deux des clandestins, effrayés par les services de l'immigration. Le premier se tourna de nouveau vers moi.

— On a du boulot, jeta-t-il.

— Votre collègue le sait ? insistai-je.

Il hésita.

— Je veux juste vous poser quelques questions.

— Revenez plus tard, dit le travailleur.

Je savais ce qui se passerait si je revenais plus tard. Tous deux se seraient évanouis.

Une échelle était posée contre le panneau. Je traversai la rue et me mis à grimper. Une brise âpre soufflait et je m'arrêtai à mi-chemin, priant pour ma vie.

L'une de mes plus grandes peurs était de mourir bêtement, comme en traversant la rue sans regarder. Pourtant, sans savoir pourquoi, je continuais à faire des choses stupides. Enfin, le vent s'apaisa et je repris mon ascension.

Parvenu en haut, j'agrippai la rampe et admirai la vue. Je voyais les gratte-ciel miroiter à l'horizon et les rangées d'entrepôts dans le port de Tampa. En me voyant, les travailleurs cessèrent leur activité. Je pointai le doigt vers le visage diabolique sur l'affiche.

— Dites-moi ce qu'il a fait.

Le deuxième homme fit un pas vers moi. Lui aussi était hispanique et semblait plus paniqué que jamais. Je lui tendis un peu d'argent, et tous deux se détendirent.

— Il a fait un sale truc.

— Quoi ?

L'homme se frotta le menton.

— Je crois que c'était avec une fille.

— Une jeune fille ?

— Ouais. Il a fait un sale truc à une jeune fille pendant son émission de radio. Ils l'ont jeté de la ville.

— C'était il y a combien de temps ?

— Deux, peut-être trois ans.

— Merci beaucoup, répondis-je.

Il sourit. J'avais illuminé sa journée, tout comme il avait éclairé la mienne. Neil Bash vivait à Tampa à la même époque que Skell et s'était mal comporté avec une fille très jeune, ce qui lui avait attiré des ennuis.

J'avais trouvé un lien entre les deux hommes.

Je redescendis l'échelle et regagnai ma voiture. Mon téléphone portable était fixé par un morceau de velcro au tableau de bord. Je l'ôtai et pris la carte de visite de Linderman dans mon portefeuille pour l'appeler. Tombant sur sa boîte vocale, je lui dis que j'avais un besoin urgent de lui parler. Cinq minutes plus tard, il me rappelait.

— Je suis à Tampa, sur une piste dans l'affaire Skell. Vous auriez un agent avec qui je pourrais faire équipe pendant quelques heures ?

— Bien sûr, répondit Linderman.

Le trajet pour gagner l'immeuble du FBI, sur Gray Street, était bref. Bien que Tampa fût une petite ville, le FBI y avait ses quartiers, et je dus attendre plusieurs minutes devant le poste de contrôle avant de pouvoir passer la sécurité. Un berger allemand renifla ma voiture sous toutes les coutures, puis je fus autorisé à pénétrer dans l'aire sécurisée.

L'immeuble de trois étages était situé sur sept acres immaculées surplombant la baie miroitante de Tampa. On aurait dit le siège de l'une des cinq cents plus grandes sociétés du magazine *Fortune*. Je repérai une place ombragée et m'y engouffrai. Peu enthousiaste, Buster se roula en boule et se prépara à dormir.

Je passai les portes d'entrée avec l'impression de ne pas être à ma place avec mes vêtements de plage. Ayant travaillé maintes fois avec le FBI, je savais que, derrière ces murs, plusieurs centaines d'agents étaient entièrement dévoués à leur devoir, qu'il s'agît de la recherche d'enfants disparus ou la traque de terroristes.

A l'accueil, je présentai mon permis de conduire au gardien en uniforme. Il conserva mon permis et me demanda de patienter. Une minute plus tard, il me fit venir à son bureau et me rendit mon permis.

— Allez près de ces portes vitrées, dit le gardien. L'agent spécial Saunders sera bientôt là.

Je le remerciai et me postai devant les portes vitrées rutilantes. Trente secondes plus tard, Saunders apparut. Il portait une chemise blanche impeccable et une cravate bleu marine. Agé d'environ trente-cinq ans, il avait un physique de joueur de football américain avec ses larges épaules et sa taille imposante. Sa paume engloutit la mienne quand nous échangeâmes une poignée de main.

— Ken Linderman m'a dit que vous aviez une piste dans l'affaire du Tueur de minuit, dit Saunders une fois dans son bureau.

Il s'agissait d'une pièce minuscule au deuxième étage, avec vue sur la baie.

— J'ai été assigné à l'affaire Skell quand il habitait ici. Je ferai tout mon possible pour vous aider, ajouta-t-il.

— Que savez-vous à propos de Neil Bash ?

— Le présentateur radio ?

— Oui. Que pouvez-vous me dire à son sujet ?

Saunders ne semblait pas à l'aise sur une chaise.

Je comprenais cette attitude et me levai pour le rejoindre près de la fenêtre. Nous contemplâmes les eaux agitées de la baie.

— Bash est un type tordu, dit Saunders. Il semble prendre un malin plaisir à mettre ses invités mal à l'aise. Une fois, il a fait castrer un verrat dans son émission. La station a dû verser deux cent mille dollars à la Société protectrice des animaux.

— Il a été arrêté ?

— Croyez-le ou non, il n'a enfreint aucune loi. Le verrat devait être castré de toute façon. Bash l'a seulement fait à l'antenne.

Une équipe de rameurs passa devant le bâtiment. Après leur départ, Saunders déclara :

— Très bien. Alors, comment Skell et Bash sont-ils connectés ?

— Ils vivaient à Tampa au même moment et maintenant, Bash fait la promotion de Skell dans son émission de radio à Fort Lauderdale, et il s'en prend à moi.

Saunders haussa les sourcils.

— On dirait qu'on tient une piste.

— J'espère bien, dis-je. J'ai entendu dire que Bash avait été viré de Tampa il y a un bout de temps. Une histoire avec une mineure. Est-ce qu'il est pédophile ?

— Il n'est jamais apparu sur notre radar.

— Vous vous rappelez ce qui s'est passé avec cette fille ?

Saunders croisa les bras et se mit à réfléchir.

— Non, mais je connais quelqu'un qui doit le savoir.

Saunders prit son téléphone et appela un rédacteur du *Tampa Tribune* nommé Gary Haber. Ils échangèrent des plaisanteries, puis Saunders enclencha le haut-parleur et me présenta à son interlocuteur.

Harber avait un léger accent new-yorkais et semblait un type honnête. Je l'interrogeai sur Neil Bash.

— Ça s'est passé il y a trois ans, expliqua Harber. Si mes souvenirs sont bons, c'est une journaliste de la Fox qui a révélé toute l'histoire.

— Qu'est-ce qui s'est passé ? demanda Saunders.

— Une pom-pom girl de seize ans du lycée de Plant High School a accusé son professeur d'histoire d'avoir une liaison avec elle. Bash a réussi à inviter la fille dans son émission et l'a piégée pour lui faire dire qu'elle avait provoqué la relation et que ce n'était pas le professeur qui était à blâmer.

— Comment Bash a-t-il procédé ? demandai-je.

Il y eut une pause, durant laquelle Harber fit appel à sa mémoire.

— Ça a un rapport avec l'équipement du studio de Bash, finit par dire le journaliste. Je ne me souviens pas comment, mais grâce à certaines techniques, il arrivait à faire dire à la fille des choses qu'elle n'avait jamais dites.

— Vous voulez dire qu'il manipulait les réponses ?

— Exact.

— La fille savait-elle ce que faisait Bash ?

— En fait, non. D'après mes souvenirs, Bash était vraiment astucieux.

— C'était en direct ? demandai-je.

— Oui, en direct.

Je repensai au témoignage de Melinda durant l'émission de Bash de la veille. Ses réponses étaient lentes, ponctuées de longues pauses. Bash avait-il employé la même astuce avec Melinda ?

— Comment s'appelait cette journaliste de la Fox ? demanda Saunders.

— Kathy Fountain.

Saunders me regarda.

— Je connais Kathy. Vous voulez aller faire un tour à la station pour avoir une petite conversation avec elle ?

— Absolument, répondis-je.

— Nous devons y aller, dit Saunders à Harber. Merci pour votre aide.

— Pas de quoi, répliqua Harber.

23

Je suivis Saunders jusqu'aux studios de Fox News, sur le trépidant Kennedy Boulevard. L'immeuble élégant et ultramoderne, doté d'immenses vitres teintées, donnait sur le boulevard et était flanqué d'une tour de trois cents mètres de haut, avec le numéro de la station, 13, affiché en gros sur son flanc. L'idée que je me faisais de Tampa – une petite bourgade tranquille – changeait à mesure que je découvrais ces éléments architecturaux.

Je me garai à l'ombre, sur le parking visiteurs. Toujours grincheux, Buster refusa de bouger.

Saunders et moi franchîmes les portes coulissantes pour pénétrer dans l'aire d'accueil. Sur le bureau du réceptionniste, un homme aux cheveux blancs et au sourire avenant, une petite plaque indiquait : *Directeur des premières impressions*. Saunders demanda à voir Kathy Fountain après avoir montré son badge et décliné son identité. Le réceptionniste désigna l'écran plat au-dessus de nos têtes.

— Elle est au studio, en pleine émission. Je vais avertir son assistant de votre arrivée. Prenez un siège, je vous en prie.

Nous nous assîmes sur le canapé de cuir et regardâmes Kathy Fountain interviewer deux invités dans son studio. Agée d'une quarantaine d'années, Kathy était une femme séduisante, mince et blonde, dont les manières chaleureuses donnaient à penser qu'elle avait des enfants. A 13 heures, son émission se termina et, soixante secondes plus tard, elle se tenait devant nous, hors d'haleine.

— Salut, Scott, dit Fountain. Quelque chose ne va pas ?

— Nous avons besoin de ton aide pour une enquête, répondit Saunders.

— Bien sûr, dit-elle.

— Voici Jack Carpenter, dit Saunders. Il travaille avec moi.

Un léger changement d'expression me fit comprendre que la journaliste m'avait reconnu. J'étais reconnaissant à Saunders de sa présence.

— J'aimerais vous parler de Neil Bash, dis-je.

Fountain roula les yeux.

— Neil est un type dérangé.

— C'est ce que j'ai entendu dire.

— Il a fait quelque chose de mal ? Ça ne me surprendrait guère.

— Oui, répondis-je. Y a-t-il un endroit où nous pourrions parler en privé ?

— Mon bureau. Suivez-moi.

Fountain nous conduisit à l'autre extrémité de l'immense bâtiment labyrinthique. Les rideaux étaient tirés, et l'air conditionné était réglé au minimum. Sur son bureau, une photo de famille confirma ma première impression. Saunders et moi restâmes debout, tout comme elle.

— Gary Harber, du *Tampa Tribune*, nous a dit que vous aviez révélé l'histoire qui a obligé Bash à quitter les lieux. Pouvez-vous me raconter ce que Bash a fait pour avoir autant d'ennuis ?

Fountain croisa les bras sur sa poitrine, et son attitude plaisante s'évanouit.

— Une lycéenne du coin avait une liaison avec son professeur d'histoire. Un jour, l'affaire a été révélée, et le professeur, arrêté. D'une manière ou d'une autre, Bash a réussi à inviter la fille dans son émission. C'était en direct, mais il y avait quinze secondes de différé, ce qui permettait à Bash de supprimer les appels gênants. Bash s'est servi de ce délai pour manipuler les réponses de la gamine. Il a posé des questions du genre : « Vous avez demandé à votre professeur d'histoire de coucher avec vous, n'est-ce pas ? » La fille répondait non, alors il poursuivait : « Donc, vous n'avez pas demandé à votre professeur d'histoire de coucher avec vous ? » La fille disait oui, et Bash supprimait la première réponse et la remplaçait par la seconde. Ainsi, on avait l'impression que la fille répondait oui à la première question.

— Elle s'est rendu compte de la supercherie ?

— C'est là où le présentateur était très malin, dit Fountain. Bash lui avait fait éteindre la radio pour éviter tout problème. Elle n'entendait l'interview qu'au moment de sa diffusion.

— Comment avez-vous découvert ce qu'il manigançait ?

— A vrai dire, dit Fountain, ce n'est pas moi. Il y avait un magicien en ville qui était venu deux ou trois fois à mon émission. Il avait entendu celle de Bash et m'a contactée. Il m'a dit que Bash utilisait une astuce inventée par un télépathe appelé l'Incroyable Dunninger. Dunninger avait créé un programme de radio où il utilisait ce tour pour « lire les pensées » des auditeurs qui l'appelaient.

— Avez-vous confronté Bash dans votre émission ? demandai-je.

— Evidemment, répondit-elle en hochant la tête.

— Que s'est-il passé ?

— Au début, il a nié, puis il a menacé de nous attaquer en justice. Ensuite, la fille a contacté les journaux et déclaré qu'elle avait été piégée. Bash s'est rétracté et a déclaré que certaines des réponses avaient été programmées.

Saunders et moi sourîmes.

— Qu'est-il arrivé au professeur d'histoire ?

— Il y a eu un procès. Le professeur a été reconnu coupable et envoyé en prison, dit Fountain. Si mes souvenirs sont bons, Bash est venu au tribunal pour le soutenir. Juste après, l'émission de Bash a été annulée et il a été obligé de quitter la ville.

— Votre station a-t-elle couvert le procès ?

— Bien sûr. C'était un événement.

— Serait-il possible de voir les bandes ?

Fountain me proposa d'aller les chercher et nous laissa tous deux dans son bureau. Dans le regard de Saunders brillait une étincelle, signe qu'il pensait lui aussi qu'il fallait enquêter sur Bash. Dans les investigations criminelles, de telles coïncidences sont rares. Saunders et moi pensions que Bash et Skell étaient connectés. Les manipulations de Bash le prouveraient. Fountain réapparut quelques minutes plus tard, l'air satisfait.

— Vous avez de la chance, messieurs, dit-elle. Suivez-moi.

La station était telle une petite usine, avec des émissions sur la cuisine, le temps, l'éducation des enfants, toutes enregistrées dans des studios différents. Fountain nous emmena dans la vidéothèque de la station et nous présenta un jeune homme mince aux cheveux noirs et bouclés du nom de Kevin Ford. Fountain expliqua à Kevin ce que nous cherchions, et Kevin fouilla sa base de données informatique pour retrouver les bandes du procès du professeur d'histoire.

— Ça risque de prendre un moment, indiqua-t-il.

Le bureau du jeune homme étant recouvert d'une foule de documents, je lui proposai d'aller lui acheter quelque chose pour le déjeuner.

— Bonne idée, répondit-il.

Fountain et Saunders acceptèrent eux aussi ma proposition et je quittai la station pour me rendre dans un snack à quelques pâtés de maisons du lieu de travail de Rose. Son souvenir ne me quittait plus et j'étais impatient de la revoir. Je savais qu'elle prenait son déjeuner à cet endroit. Dès que je la vis, je me postai derrière elle et baissai la voix.

— Excusez-moi, mademoiselle. Ne seriez-vous pas Jennifer Lopez ?

— Laissez tomber, dit-elle sans même me jeter un regard.

— Vous avez la même voix que ma femme.

Elle se raidit et se retourna. Je l'embrassai sur les lèvres.

— Bonjour, Rose, dit une femme vêtue d'un tablier derrière le comptoir.

Ma femme ne détacha pas son regard de moi.

— C'est ton mari ?

— Oui, c'est lui.

— Enfin, il montre le bout de son nez !

Je commandai quatre sandwiches cubains à emporter. En attendant la commande, Rose et moi nous installâmes à une table et je lui racontai tout ce qui s'était passé depuis notre séparation. Rose pensait que Dieu communiquait avec nous au moyen de signes. Si nous croyions vraiment en Lui, ces signes nous étaient visibles. A ses yeux, l'affiche de Neil Bash en était un, et elle hocha vigoureusement la tête quand j'eus terminé mon récit.

— Il y a une raison à toute chose, dit-elle.

— Tu le crois vraiment, n'est-ce pas ?

— Oui, Jack, je le crois.

Ma commande prête, je la réglai. Puis je l'embrassai de nouveau avant de partir. Je notai chez elle une froideur nouvelle. Cela me parut compréhensible. Rose n'allait pas s'investir émotionnellement avec moi tant que je ne me serais pas de nouveau solennellement engagé avec elle.

Une idée avec laquelle je pensais pouvoir vivre.

***

Les sandwiches furent chaleureusement accueillis à la station. Kevin avait trouvé les bandes qui couvraient les minutes du procès du professeur. F

ountain, Saunders et moi mangeâmes nos sandwiches tout en regardant l'écran plasma fixé au mur.

— Comme la fille était mineure, le juge n'a pas autorisé les caméras dans la salle d'audience, expliqua Fountain quand le premier dessin apparut. Du coup, nous avons employé un artiste pour saisir les expressions des différentes personnes qui ont témoigné au procès.

Je mangeai mon sandwich en essayant de masquer ma déception. Si je voulais visionner les bandes du procès, c'était pour voir si Skell avait assisté à l'audience et se trouvait parmi les spectateurs. Sans caméra dans la salle, je n'avais aucun moyen de le savoir.

Donc, je décidai de me concentrer sur les films réalisés à l'extérieur du tribunal, chaque jour après l'audience, quand le procureur général et l'avocat de la défense faisaient tous deux des déclarations aux médias. Avec un peu de chance, le visage de Skell apparaîtrait à un moment ou à un autre.

Sur la quatrième bande, nous eûmes un espoir. C'était le jour de la venue de Bash, et les caméras le captèrent au moment où il quittait le tribunal. Dans ses vêtements noirs flottants, il avait l'air du diable en personne. Quand le journaliste lui posa une question, il repoussa la caméra de la main et dit : « Pas de commentaires, connard ! »

— Puis-je revoir ce passage ?

Fountain rembobina la bande et la repassa. Je lui demandai de mettre sur pause au moment où Bash apparaissait en haut de l'escalier, puis de passer l'enregistrement au ralenti. Quand il descendit les marches, un autre homme le rejoignit à sa droite. Nous nous penchâmes pour mieux le voir.

— Une idée de l'identité de ce type ? demanda Saunders.

— Il me semble familier, mais je ne suis pas sûr de moi, dis-je.

— Ça pourrait être Skell ?

— Possible.

Nous visionnâmes de nouveau la bande. Le visage du deuxième homme n'était visible à aucun moment. J'avais l'impression de regarder un film d'Hitchcock, où le maître me mettait à l'épreuve.

— Vous avez eu des contacts avec Skell, n'est-ce pas ? demanda Saunders.

— C'est une manière de voir les choses.

— D'après sa taille, vous pensez que ça pourrait être lui ?

J'hésitai. Les parties de son corps étant à peine visibles, je ne pouvais rien affirmer. Le type semblait mesurer un mètre quatre-vingts et peser environ quatre-vingts kilos, ce qui correspondait aux proportions de Skell. Il avait aussi une démarche dynamique ; or, Skell était athlétique. Mais je n'avais aucun moyen d'en être sûr. Fountain rembobina la bande, et nous la regardâmes encore.

— Je ne sais pas, finis-je par dire.

L'air s'était raréfié dans la pièce. Nous terminâmes notre repas en silence. Un coup frappé à la porte nous fit lever la tête. Kevin se tenait sur le seuil, l'air satisfait.

— Devinez ce que j'ai trouvé, dit-il en brandissant une bande.

Kevin entra dans le bureau et me tendit l'enregistrement.

— J'ai fouillé dans les archives vidéo pour voir si on avait autre chose sur Bash. Et qu'est-ce que j'ai là ? La vidéo de l'émission où il a castré un porc !

Fountain laissa échapper un hoquet de dégoût.

— Oh ! s'il te plaît, Kevin, on vient juste de déjeuner.

— La station a tout filmé, continua Kevin, mais c'était tellement déplacé que le film n'a jamais été diffusé.

Je me tournai vers la journaliste.

— Ça vous dérange si on le visionne ?

— Bien sûr que non, répondit-elle. Ça vous dérange si je quitte la pièce ?

— Pas du tout.

Fountain sortit du bureau, et Kevin inséra la bande dans le lecteur attaché au téléviseur. Puis il appuya sur le bouton lecture.

— Avec ou sans le son ? demanda-t-il.

— Avec, répondit Saunders.

L'écran revint à la vie. Vêtu de noir, Bash se tenait dans un champ herbeux, un micro sans fil à la main. A côté de lui se tenait un fermier aux dents cassées, habillé d'une combinaison sale. Derrière les deux hommes, un porc était attaché à un piquet planté dans le sol. Bash et le fermier discutaient de tout et de rien comme une paire de vieux amis. Puis le fermier extirpa un couteau recourbé d'un étui de sa ceinture à outils et s'agenouilla près du porc. On ne voyait pas la scène, mais les cris étaient intolérables.

— Ça suffit ! lança Saunders.

Kevin coupa le son à l'aide de la télécommande. Bientôt, l'opération prit fin, et la caméra recula. Bash se tenait sous un immense chêne, aux côtés de quatre hommes masqués par l'ombre des feuillages.

— Arrêtez ! m'écriai-je.

Le technicien mit l'image sur pause. J'étudiai attentivement les quatre visages, tout comme Saunders.

— L'un d'eux vous paraît familier ? demanda-t-il.

Je me concentrai. Puis je secouai la tête. La résolution était mauvaise, et les visages, flous.

— Il faudrait agrandir l'image et l'éclaircir.

— Vos désirs sont des ordres, déclara Kevin en éjectant la cassette.

Nous le suivîmes dans un long couloir jusqu'à une salle de production sans fenêtre, mais néanmoins fraîche. Un technicien était à l'œuvre, et Kevin lui expliqua ce qu'il attendait de lui. L'homme inséra la bande dans un appareil et nous invita à nous installer dans la pièce contiguë, un studio aux lumières vives avec un écran géant sur le mur.

— Je veux voir la tête de ces types, dit Saunders.

L'image que nous venions de voir apparut sur le grand écran. Cette fois, Bash et ses quatre acolytes avaient l'air disproportionnés.

— Regardez-moi ça ! dit Saunders.

A côté de Bash se tenait le professeur d'histoire qui avait abusé de la lycéenne. Il portait une casquette de base-ball baissée sur les yeux, mais cela ne suffisait pas à masquer son visage. Pas de doute, c'était bien lui.

— Vous reconnaissez les autres ? demanda Saunders.

Je fixai les trois autres hommes. Le sourire aux lèvres, ils avaient l'air d'une bande de copains à une soirée barbecue.

— Peut-on éclaircir les visages ? demandai-je au technicien.

— Bien sûr, dit-il depuis l'autre pièce.

Les visages devinrent de plus en plus clairs. Le type à la gauche de Bash, qui portait des lunettes de soleil et une veste de cuir, s'efforçait d'avoir l'air cool. Comme il ressemblait étrangement à Skell, j'observai ses mains. Il leur manquait des doigts.

— C'est Skell ! m'écriai-je.

— Bon sang, vous êtes sûr ?

— J'en mettrais ma main à couper.

— Et les deux autres ?

Le visage du troisième homme était légèrement tourné. Type hispanique, larges épaules, joue balafrée. C'était l'homme qui avait pris ma Legend pour une cible mouvante sur la 595.

— Ce type a essayé de me tuer l'autre jour, dis-je en le pointant du doigt.

Saunders vint se poster à côté de moi.

— Et le quatrième ? Vous savez qui c'est ?

Le quatrième homme de l'image avait environ dix ans de moins que les autres. Des cheveux blonds de surfeur. Un collier en or massif pendait à son cou, et sa montre ressemblait à une Rolex.

— Jamais vu, répondis-je.

Saunders regarda Kevin.

— Ce serait possible d'obtenir des impressions en couleurs ?

Kevin alla parler au technicien dans l'autre pièce. Une minute plus tard, Saunders et moi étions en possession d'impressions laser. Quand je regardai Bash, Skell et les autres membres du gang, mes mains se mirent à trembler.

Enfin, après six mois de recherches infructueuses, je commençais à comprendre à qui j'avais affaire.

— Je dois parler à Linderman, dis-je.

24

— Je voudrais vous exposer ma théorie, annonçai-je à Linderman.

Nous étions retournés au quartier général du FBI, sur Gray Street. Assis dans le bureau de Saunders, nous parlions à un speaker.

— Je vous écoute, dit la voix de Linderman dans l'appareil.

— Je pense que Skell fait partie d'un gang de prédateurs sexuels. Skell, un présentateur radio du nom de Neil Bash, un professeur d'histoire et deux autres hommes qui vivaient à Tampa il y a trois ans. Quand le professeur d'histoire s'est fait épingler et s'est retrouvé en prison, les autres membres du gang se sont déplacés vers de plus verts pâturages.

— Vous parlez de Fort Lauderdale ? dit Linderman.

— Exact. Ils sont venus dans ma ville et ont commencé à enlever des jeunes femmes qu'ils ont violentées. Ils choisissent des femmes sans famille, qui ne manqueront à personne. Ils les prennent aussi émotionnellement immatures, afin d'avoir l'impression qu'il s'agit de mineures qui peuvent réaliser leurs fantasmes.

— Comme dans un jeu de rôle, compléta Linderman.

— Parfaitement. Les pédophiles le font souvent. Mais le groupe de Skell est différent. Au lieu de laisser ces femmes partir après en avoir terminé avec elles, ils les tuent. D'après moi, ils ont compris que c'était le meilleur moyen de couvrir leurs arrières.

— Si je vous ai bien compris, dit Linderman, Skell et son équipe se sont transformés *en* tueurs afin de cacher leur vraie nature ?

— Tout à fait. Ils n'ont jamais cessé d'être des pédophiles. Ils ont simplement trouvé un moyen de satisfaire leurs désirs sexuels sans crainte de persécutions.

Assis en face de moi, les mains sur les genoux, Saunders m'écoutait attentivement. Il me jeta un drôle de regard.

— Vous pensez que ces types ont tué leurs victimes parce que c'était *moins* dangereux que ce qu'ils faisaient avant ? dit-il, incrédule.

— Exactement.

— Vous ne croyez pas que c'est un peu tiré par les cheveux ?

Linderman répondit avant moi.

— Pas vraiment. Les systèmes juridique et pénal sont moins durs envers les meurtriers qu'envers les prédateurs sexuels qui s'en prennent aux enfants. C'est tout particulièrement vrai pour les meurtriers non récidivistes. En termes d'instinct de conservation, Skell et ses amis ont fait un choix judicieux.

Saunders se recula dans son siège et secoua la tête.

— Bon sang ! dit-il dans un souffle.

— Je pense aussi que l'équipe se répartit les tâches, continuai-je. Bash est l'homme public. Une célébrité mineure qui leur obtient des invitations à certains événements. Peut-être qu'ils repèrent leurs proies dans ces lieux. Bash protège également les autres membres en cas de problème, comme il l'a fait avec le professeur d'histoire, et comme il le fait en ce moment en tentant de me démolir.

— Contrôle des dommages, commenta Linderman.

— Exactement. L'Hispanique est le kidnappeur. Il

travaille pour une compagnie du câble. Il va dans les maisons des victimes et sectionne un fil sur un poteau. Puis il reçoit un appel pour une réparation, retourne dans la maison et kidnappe sa proie. Il n'y a jamais de traces de lutte chez les victimes ; donc, il doit se servir de chloroforme. Je pense aussi que c'est lui qui se débarrasse des corps.

— Pourquoi ? demanda Saunders.

— Il a le camion et travaille avec un partenaire. Une simple intuition.

— Et Skell ? demanda Linderman. Quel est son rôle ?

— Il tire les ficelles et dirige les opérations.

— Le cerveau ?

— Oui. Comme il a un QI hors du commun, il est logique qu'il orchestre le spectacle.

Les impressions laser du gang se trouvaient sur le bureau de Saunders. L'agent du FBI s'en empara et désigna le type blond au ventre rond.

— Et le quatrième homme ? Quel est son rôle ?

— Ce n'est qu'une hypothèse, dis-je.

— J'aime vos hypothèses, dit Linderman.

— Ce qu'on ne sait pas, c'est de quelle façon Skell choisit ses victimes. Comment sait-il quelles femmes kidnapper ? A mon avis, c'est là que le quatrième homme entre en scène.

— Une idée de la façon dont il procède ? demanda Linderman.

— Peut-être possède-t-il un restaurant avec des micros dans les toilettes, avançai-je. J'ai connu un restaurateur de Fort Lauderdale qui faisait ça, de façon à épier les femmes et raconter à leurs maris ce qu'elles disaient dans leur dos.

— Quelle perversité ! dit Saunders.

— Le mystérieux homme de notre photographie serait le collecteur d'informations, conclut Linderman.

— Oui, dis-je.

— Donc, nous avons un homme public, un informateur, un kidnappeur et fossoyeur, et un cerveau. Tout cela me semble tenir la route, Jack, mais est-ce que vous pouvez le prouver ?

— Pas encore.

— Alors, j'ai bien peur d'avoir de mauvaises nouvelles pour vous. La police du comté de Broward a inculpé Ernesto Ramos du meurtre de Carmella Lopez aujourd'hui. L'avocat de Skell parle en ce moment même au juge pour demander la libération de son client.

Quelque chose en moi se brisa.

— Et la police du comté de Broward est d'accord avec ça ?

— J'en ai bien peur.

— Alors, c'est trop tard, me lamentai-je.

— La justice n'a pas d'emploi du temps, répliqua Linderman.

Je serrai mes mains sur mes genoux et ne dis mot.

— Jack, le FBI est avec vous sur cette affaire, dit Linderman.

Je jetai un coup d'œil à Saunders, qui hocha la tête.

— Comment ça ? demandai-je.

— Si Skell est libéré, il sera surveillé vingt-quatre heures sur vingt-quatre, sept jours sur sept et ses téléphones seront mis sur écoute. Tout comme Neil Bash. Nous allons aussi prendre les impressions laser du gang et comparer les inconnus aux photographies des prédateurs sexuels répertoriés. Si nous trouvons un lien, nous surveillerons aussi ces hommes. Skell a peut-être gagné cette bataille, mais il n'a pas gagné la guerre.

Tout cela semblait bien, mais je voulais demander à Linderman combien de temps il lui faudrait pour épingler Skell et sa bande. Quelques mois ? Un an ?

A un moment ou un autre, le FBI se désintéresserait de l'affaire et traiterait d'autres cas. C'était la grande faiblesse des opérations des forces de l'ordre. Et après cela, un groupe de monstres se remettrait en chasse.

Je fixai le mur du bureau de Saunders. Un mur nu, en dehors d'une horloge. Je me mis à cligner des yeux. Les photographies des victimes de Skell affichées dans mon bureau apparurent. Chantel, Maggie, Carmen, Jen, Krista, Brie, Lola et Carmella. Des larmes roulaient sur leurs joues et je me demandais si ces visions étaient dues à la fatigue ou à la folie qui s'emparait de moi.

S'approchant de moi, Saunders me pressa le bras avec inquiétude.

— Jack, est-ce que ça va ?

— Qu'est-ce qui ne va pas ? demanda Linderman par le biais du speaker.

— Jack est un peu pâle, dit Saunders.

— Donnez-lui quelque chose à boire.

Saunders se leva.

— Ça va, dis-je.

— Vous êtes sûr, Jack ?

Je hochai la tête tout en continuant à fixer le mur. Les photographies s'effacèrent, ne laissant plus que l'horloge et son tic-tac. Une parfaite métaphore de ce qui allait se produire. Avec le temps, les victimes seraient purement et simplement oubliées.

Je remerciai les agents spéciaux pour leur temps et quittai le bureau.

Je regagnai ma voiture, en colère après le monde entier. Buster parut soulagé de me voir et je lui grattai la tête. Je décidai de retourner à Dania et de chercher de nouvelles preuves. Ce n'était pas vraiment un plan, mais je n'avais guère le choix. Rose avait raison : je ne pourrais jamais vivre avec ce fardeau, avec la souffrance des victimes de Skell.

Au moment où je me mettais en route, mon téléphone émit un signal, m'indiquant que j'avais un message. Je le pris pour voir qui m'avait appelé. Le numéro comportait l'indicatif de Fort Lauderdale.

J'écoutai le message. Au début, je n'entendis rien. Puis je distinguai une voix de femme, lointaine, comme si elle provenait du fond d'un puits.

— Jack…

J'enfonçai la pédale de frein. Melinda !

— Jack, tu es là ?

Sa voix était altérée, par la drogue ou la peur, je n'aurais su le dire.

— Jack, il faut que tu m'aides. Oh ! mon Dieu, où es-tu ?

Je me garai de nouveau.

— Je suis désolée pour ce que j'ai dit à la radio. Ils m'ont obligée à dire d'horribles choses. Je sais que je t'ai fait souffrir et je suis désolée.

Elle se mit à sangloter. Elle avait l'air totalement bouleversée, ce que je mis sur le compte de la drogue.

— Je te rappellerai dès que je le pourrai. Garde ton téléphone à portée de main, s'il te plaît. Et quoi que tu fasses, ne me rappelle pas. Ils ne sont pas au courant pour ce téléphone.

C'était du Melinda tout craché. D'abord, elle m'appelait au secours et ensuite elle me repoussait.

— Au revoir, Jack. Ohhhh ! attends...

En bruit de fond, je perçus le grincement d'une porte qui s'ouvre, puis une mélodie à peine distincte.

— Oh mon Dieu ! Ils arrivent...

Le message se termina. La musique m'était atrocement familière. Je repassai le message et me concentrai sur la mélodie. C'était la version live de *Midnight Rambler.*

Troisième partie

Les Mickey cachés

25

Que faire du message de Melinda ? Certes, il m'innocentait, mais comment être certain qu'il serait bien interprété ? Melinda avait l'air bien trop bouleversée. Si j'appelais Russo ou Cheever pour leur faire écouter la bande, ils risquaient de m'accuser de l'avoir droguée pour la forcer à parler. Je décidai de ne rien dire et priai pour qu'elle rappelle.

En m'éloignant de l'immeuble du FBI, mon téléphone sonna. Je répondis sans vérifier l'identité de mon correspondant.

— Ici Carpenter.

— Jack, c'est Sally McDermitt. J'espère que le moment n'est pas mal choisi.

Sally était une ancienne enquêtrice de la police de Broward qui avait travaillé dans mon département. Je m'efforçai de masquer ma déception.

— Pas du tout. Quoi de neuf ?

— Je suis dans le pétrin et j'ai besoin de conseils. Une petite fille a disparu dans le Royaume magique de Disney ce matin et on n'arrive pas à la retrouver.

Sally avait quitté la police pour un poste lucratif de responsable de la sécurité du parc Disney World d'Orlando. La dernière fois que nous avions discuté, elle avait un millier de personnes sous ses ordres, conduisait une BMW décapotable et vivait dans une résidence surveillée dont les résidants incluaient une bande de golfeurs professionnels connus.

— Quel âge ? demandai-je.

— Tout juste trois ans. Une petite rouquine du nom de Shannon Dockery. C'est une petite fugueuse, si bien que les parents ne se sont pas rendu compte tout de suite de son absence.

— Où a-t-elle été vue pour la dernière fois ?

— Devant l'attraction « C'est un petit monde ».

J'avais déjà travaillé avec Disney sur les enlèvements d'enfants. Cette attraction était l'une des préférées des enfants en bas âge et de leurs parents.

— Un pro, dis-je.

— C'est ce qu'on pense, répondit Sally. Les sorties du parc ont été fermées. On ne laisse sortir les gens que par le parking principal. Ainsi, nous pouvons étudier avec soin chaque personne qui sort.

— Vous pensez que le kidnappeur est toujours à l'intérieur du parc ?

— J'en suis sûre. Nous avons examiné les vidéos de toutes les entrées juste après la disparition de la petite. Aucun enfant répondant à la description physique de Shannon n'a quitté le parc aujourd'hui.

Sally en tenait une vivante. C'était un cas rare, que je comparerais à la prise d'un marlin géant avec une canne à pêche. Elle ne voulait pas briser sa ligne et le laisser s'échapper, et moi non plus.

Comme je pouvais très bien rentrer chez moi en passant par Orlando, je lui proposai mes services.

— Vous voulez que je vienne vous aider ?

— Mais vous êtes à quatre heures de route d'ici.

— En fait, je suis à Tampa pour une autre affaire. Je peux vous accorder quelques heures, si cela vous intéresse.

— Oh oui, s'il vous plaît, venez ! Vous avez toujours le nez fin quand il s'agit de retrouver des enfants perdus.

Le désespoir affleurait dans sa voix.

— Je pars tout de suite.

— Je vous attends dans une heure.

— Vous ne m'avez jamais vu conduire !

Une portion surélevée de la I-275 surplombait la ville de Tampa. Je trouvai la rampe d'accès sans difficulté et pris la direction de l'est.

Quelques minutes plus tard, j'émergeai sur la I-4, qui traversait le centre de la Floride et menait directement aux quarante mille acres de terrain détenues par la corporation Walt Disney World. Je lançai la Legend à 130 kilomètres/heure et maintins l'allure tout le long du trajet.

Plusieurs enfants avaient disparu dans le parc de Disney World depuis son ouverture trente ans auparavant. Ces enlèvements étaient devenus des cas d'étude pour les spécialistes des enfants disparus. Quatre-vingt-dix pour cent du temps, le kidnappeur était un parent qui avait perdu la garde après un divorce houleux et décidé de reprendre l'enfant au mépris de la décision du juge.

Parfois, hélas, un étranger volait un enfant.

Prêts à tout pour empêcher une telle chose de se reproduire, les dirigeants de Disney avaient embauché une petite armée d'agents parfaitement entraînés pour assurer la sécurité des lieux. Les aires publiques étaient équipées d'un dispositif de surveillance dernier cri, incluant un code-barres magnétique sur chaque billet, ce qui permettait aussi à Disney de contrôler le flux des gens à chaque attraction. Mais il était impossible de protéger chaque enfant qui franchissait un tourniquet, et l'impensable s'était produit.

Disney ne se situait pas vraiment à Orlando, en dépit des affirmations des publicités dans les magazines et à la télévision. Le parc se trouvait dans la ville touristique de

Kissimmee, à quinze kilomètres au sud. Quarante minutes plus tard, je quittai l'autoroute et suivis les panneaux indiquant « Parc MGM », l'un des cinq parcs thématiques de Disney à Orlando. Les oreilles dressées, Buster regardait défiler le paysage par la vitre mi-ouverte.

Au bout de la route sinueuse qui menait au Parc MGM, je bifurquai à droite, suivant la pancarte *Employés seulement*, et repérai aussitôt Sally, qui m'attendait sur le parking. Elle portait des chinos et un t-shirt de sport bleu au logo de Disney. Ses cheveux étaient naturellement dorés, et ses yeux, de la couleur de l'océan. Comme moi, elle était née en Floride et ne supportait pas de rester entre quatre murs. Une fois, je l'avais retrouvée après le boulot pour faire un jogging et elle avait failli m'achever. Sortant de mon véhicule, je lui tendis la main, mais elle m'étreignit avec chaleur.

— C'est bon de vous voir, Jack, dit-elle.

— Oui, ça fait un bail.

— J'ai peur cette fois-ci.

— Je sais. C'est pour ça que je suis venu.

Sally m'emmena dans un bâtiment de quatre étages tout de verre et de béton, sans aucune indication. Peint en vert terreux, il se confondait avec le paysage luxuriant alentour. C'était le quartier général de la sécurité de Disney, ce que peu de gens savaient. Dans le monde de Disney, les infrastructures faisaient partie intégrante de l'expérience ou bien se devaient d'être invisibles.

Nos pas résonnèrent dans le couloir du rez-de-chaussée, puis nous pénétrâmes dans une petite pièce au sol moquetté, dont un pan de mur était doté d'un miroir sans tain.

De l'autre côté du miroir, un jeune couple pleurait toutes les larmes de son corps.

La fille était jolie, avec ses taches de rousseur, tandis que le garçon, avec ses cheveux en brosse, avait les traits tirés et l'air démodé. Tous deux étaient de petite taille et vêtus de vêtements simples.

— Je te présente Peggy Sue et Tram Dockery, dit Sally. On les a séparés et interrogés. Leurs histoires concordent.

Mon souffle embua le miroir.

— Tram Dockery, c'est son vrai nom ?

— Oui. Originaire de Douglas, en Géorgie, à environ quatre cents kilomètres d'ici à vol d'oiseau. Il gère le restaurant de son père. La première chose qu'il m'a dite, c'est qu'il a fait un séjour en prison pour vente de cannabis et que, depuis, il n'a rien repris.

— Vous le croyez ?

— Il m'a donné ces informations spontanément. Oui, je le crois.

— Sa femme a l'air jeune.

— Son permis de conduire indique qu'elle a dix-neuf ans.

— Quel âge a la petite ?

— A peine trois ans.

— Donc elle est tombée enceinte à l'âge de seize ans.

Sally ne répondit pas. Elle avait déjà réfléchi à toutes ces informations et conclu que les Dockery n'avaient pas orchestré la disparition de leur fille ni ne l'avaient vendue pour acheter du crack, payer leur crédit, s'acheter une nouvelle voiture, ou toute autre raison insensée donnée par les couples pris en train de vendre leurs enfants.

Je les fixai toujours à travers le miroir. Quelque chose dans le comportement de Tram me semblait bizarre et, après quelques instants, je compris de quoi il s'agissait. Les parents qui perdent un enfant sont rongés par l'inquiétude, qui est une peur fabriquée. La peur de Tram n'était pas fabriquée. Elle était réelle, ce qui m'incitait à penser qu'il savait quelque chose que nous ignorions.

— Puis-je parler au type sans sa femme ?

— Bien sûr, dit Sally.

Le couple fut séparé. Je pénétrai dans la pièce et me présentai comme un membre de la sécurité du parc, sans cependant donner mon nom. Tram bondit de son siège et me tendit la main. Il était petit et sec, soixante kilos tout au plus, avec des minuscules grains de beauté visibles entre ses cheveux en brosse. Les mots *Jimbo's Barbecue* était imprimés en un rouge flamboyant sur la poche de sa chemise usée. Il ne paraissait pas assez vieux pour se raser.

Je lui demandai de s'asseoir et lui adressai mon regard le plus franc.

— Je dois vous poser quelques questions, monsieur Dockery.

— Tram, dit-il.

— Moi, c'est Jack. Permettez-moi d'aller droit au but. Nous pensons que la personne qui a enlevé votre fille est un pro. Il est fort probable qu'il tente de quitter le parc à sa fermeture, quand des dizaines de milliers de personnes rentreront chez elles. Cela nous laisse le temps de mettre au point une stratégie.

— Bien, dit-il.

— C'était la bonne nouvelle. La mauvaise nouvelle, c'est qu'il va être très difficile de distinguer votre fille parmi tous ces enfants. Son apparence a sûrement été totalement transformée et elle pourrait bien ne plus ressembler à une petite fille.

— Je ferai tout ce que vous voudrez.

— Parfait. Maintenant, je veux savoir une chose. Avez-vous vendu votre fille à une personne dans le parc sans le dire à votre femme ?

Tram bondit de son siège et, par réflexe, je me reculai. Il agita les bras en l'air tandis que les larmes inondaient son visage.

— Non ! Je ne ferais jamais ça ! Vous pensez que je suis une espèce de criminel – je le vois dans vos yeux ! Je ne vendrais jamais ma fille, pas même à l'homme le plus riche du monde !

— Asseyez-vous, dis-je.

— Vous me croyez ?

Je pointai sa chaise du doigt.

— Vous me croyez ? répéta-t-il.

— Assis ! martelai-je.

Enfin, il reprit sa place.

— Non, je ne vous crois pas, dis-je platement.

— Mais je dis la vérité, gémit-il.

— Quelque chose vous angoisse, mon garçon, et je veux savoir ce que c'est.

Tram se prit la tête entre les mains et baissa les yeux.

— Dites-moi ce que c'est.

— C'était ma dernière chance, dit-il, et j'ai tout gâché.

— Qu'est-ce que vous voulez dire ?

— Je suis sobre depuis six mois. Pas d'herbe, pas de bière, l'église tous les dimanches, le boulot de 8 heures à 18 heures dans le restaurant de mon père. Peggy Sue m'a dit que, si je ne changeais pas de comportement, elle divorcerait et demanderait la garde de notre fille. Je m'en sortais bien, jusqu'à aujourd'hui.

— Vous vous sentez responsable de ce qui s'est passé ?

Il hocha la tête, le regard toujours baissé.

— Je la surveillais.

— Racontez-moi tout, depuis le début.

— Nous venions de sortir de l'attraction « C'est un petit monde ». Peggy Sue est allée faire la queue pour acheter des sandwiches, pendant que Shannon et moi on cherchait des Mickey cachés.

— Des quoi ?

— Des Mickey cachés.

— C'est un jeu ?

— Il y a des centaines d'images de Mickey cachées dans le parc, expliqua-t-il. Sur les tables, les murs, parfois dans l'ombre, à certaines heures de la journée. On loge dans un hôtel Disney et on a une promotion si on trouve un certain nombre de Mickey. Shannon en regardait un dans un arbuste quand je suis allé aider Peggy Sue à porter les sandwiches. A mon retour, mon bébé avait disparu.

— Combien de temps avez-vous laissé votre fille ?

— Une demi-minute.

— Vous pensez que la disparition de Shannon est votre faute ?

Tram avait du mal à respirer.

— Oui.

— Donc, vous avez merdé.

— J'ai merdé toute ma vie.

Répondez à la question.

— Ouais, j'ai merdé.

— Mais vous ne l'avez pas vendue.

Tram secoua la tête, et les larmes roulèrent de nouveau sur ses joues. Devais-je le croire ou pas ? J'avais *envie* de le croire, et c'était parfois la seule émotion qui comptait. Je posai une main ferme sur son épaule et il leva les yeux sur moi avec espoir.

— Très bien, dis-je.

Tram et Peggy Sue furent réunis, puis Sally les emmena à l'entrée du Royaume magique en voiturette de golf. Je les suivis dans une autre voiturette, surveillant Tram à distance. Le comportement du gamin ne me semblait toujours pas net et je me demandais s'il n'était pas sous une influence quelconque. Ce qui expliquerait son attitude erratique.

A l'entrée, dix tourniquets. Deux agents de sécurité de Disney étaient postés à chaque tourniquet, avec une photo de Shannon Dockery, et étudiaient les visages de chaque enfant qui franchissait leur portique.

Des personnes déguisées en Mickey Mouse se tenaient aussi près de la sortie. Sally avait sans doute entendu parler de la fascination de Shannon pour les Mickey cachés et pensé que ce serait une bonne manière d'attirer l'attention de la petite.

Je me tenais aux côtés de Sally, Tram et Peggy Sue sur un carré de pelouse près de l'entrée.

Sally demanda à Peggy Sue quel genre de chaussures sa fille portait. Elle lui expliqua que, si les kidnappeurs changeaient les vêtements de Shannon, ils ne connaissaient pas la taille de ses chaussures et les lui laisseraient sûrement aux pieds.

— Des Reebok roses, dit Peggy Sue.

— Tu es sûre qu'elle n'avait pas ses tongs ? demanda Tram.

— Elle voulait mettre ses tongs, mais j'ai refusé. Ma fille a des Reebok roses aux pieds.

Sally alla trouver chaque couple d'agents et leur ordonna de chercher un enfant chaussé de Reebok roses. Au bout de dix minutes, des centaines de familles avaient franchi la sortie. Le plan était suivi à la lettre, mais il y avait un problème : un si grand nombre d'enfants passaient les portiques que les agents ne pouvaient les examiner tous de près. Je pris Sally à part.

— Ça va empirer quand le parc va fermer, lui murmurai-je.

— Que faire ?

— Ralentir les files.

— Je ne peux pas faire ça.

— Pourquoi pas ?

— La moitié des personnes qui sortent du Royaume magique sont des enfants, expliqua Sally. Des enfants qui doivent manger, aller aux toilettes, faire la sieste. Si les files ralentissent, ils vont se mettre à crier et on aura une véritable catastrophe sur les bras.

Sally avait l'air de plus en plus désespérée. Elle avait fait tout son possible, pourtant cela ne suffisait pas. Je fixai les familles qui passaient par les portiques. Fort Lauderdale avait aussi des parcs d'attractions, et j'avais perdu une petite de quatre ans dans l'un d'eux, deux ans auparavant.

Sa disparition était un mystère total, jusqu'à ce que l'homme de la maintenance m'eût montré ce qu'il avait trouvé dans une poubelle.

— Pouvez-vous m'emmener à l'intérieur du parc ? demandai-je.

— Bien sûr. Vous avez quelque chose en tête ?

— Je veux fouiller la zone où Shannon a été enlevée.

— Je vais demander à un agent de vous emmener, dit Sally.

Je désignai Tram, qui tenait sa femme par la main, un peu plus loin.

— Je veux qu'il vienne avec moi.

26

Un agent de la sécurité de Disney nous emmena dans le Royaume magique en voiturette. Assis à côté de Tram, je le vis sursauter chaque fois qu'il voyait un enfant. Il était fou d'inquiétude et cria le nom de sa fille à plusieurs reprises. L'agent se gara juste à côté de « C'est un petit monde ». C'était l'attraction préférée de ma fille quand elle était petite. Jessie connaissait la mélodie par cœur, même si elle ne l'avait pas chantée depuis des années. Je fredonnai le refrain et vis Tram se raidir.

— Vous essayez d'être drôle ?

— Non, seulement de rester calme. Je peux vous poser une question ?

Tram ne répondit pas.

— Qu'est-ce qui vous préoccupe ?

— Rien du tout.

— Contentez-vous de me dire la vérité, dis-je, sur la défensive.

J'étais assez près de lui pour sentir son haleine. Un parfum de menthe avec une pointe d'acidité. Une odeur que j'avais sentie des milliers de fois. Il avait bu. Je l'agrippai par les épaules et le secouai.

— Arrêtez de me mentir, petit imbécile ! Vous avez bu, hein ?

Son attitude défiante s'évanouit.

— J'ai bu quelques bières au petit-déjeuner, voilà tout.

Alors, c'était quoi ces conneries comme quoi vous êtes sobre ?

— J'ai dérapé.

— Combien de bières ?

— Un pack de six.

— Alors, vous étiez ivre quand votre fille a été enlevée ?

La souffrance se peignit sur le visage de Tram. Dans la majorité des cas d'enfants disparus, un crime se cachait souvent derrière le kidnapping. Parfois, le crime était excusable – un parent se pliant au caprice de son enfant qui veut aller dans un magasin seul. D'autres fois, le crime est si grave qu'il est inexcusable. Dans cette affaire, Tram Dockery n'était pas un parent responsable et ne méritait pas la seconde chance que la société lui avait donnée.

— Sois maudit, mon garçon.

Je suivis Tram jusqu'à l'endroit où il avait vu sa fille pour la dernière fois. L'agent nous escorta, puis se tint respectueusement à l'écart. C'était un homme noir âgé, aux cheveux épars et aux yeux de la couleur de l'eau.

Son expression indiquait qu'il avait déjà croisé de nombreux Tram dans sa carrière.

— Shannon était juste là quand je l'ai vue pour la dernière fois, gémit le père.

Nous étions devant un énorme buisson taillé en forme de Mickey Mouse. Tram pointa du doigt un stand à dix mètres de là.

— Peggy Sue était là-bas, avec deux plateaux en carton, et je suis allé l'aider. Quand je suis revenu, mon bébé avait disparu.

J'opérai un tour sur moi-même pour repérer les endroits où une personne aurait pu emmener Shannon sans être vue. Il me semblait bizarre que la petite n'ait pas crié au moment de l'enlèvement, quand les portes de « C'est un petit monde » s'ouvrirent. Là, cinq cents gamins bruyants et leurs parents émergèrent, et je compris que Shannon aurait pu hurler à pleins poumons sans que personne ne s'en rende compte.

— Comment vous appelez-vous ? demandai-je à l'agent de sécurité.

— Vernon, répondit-il. Les gens m'appellent Vern.

— Vern, où sont les toilettes les plus proches ?

— Il y en a plusieurs.

— Y a-t-il des toilettes familiales ?

— Pas partout. Seulement dans le bâtiment au coin là-bas.

— Montrez-moi.

Vern nous guida vers un petit bâtiment de briques rouges qui comportait trois portes – Lui, Elle, Famille –, soit l'endroit idéal pour cacher un enfant. Je frappai à la porte Famille et, n'obtenant aucune réponse, entrai.

Comme partout chez Disney, le lieu était d'une propreté impeccable. Dans le coin se trouvait une poubelle métallique. Je la saisis et l'emportai dehors. Otant le couvercle, je fouillai parmi les couches odorantes et autres détritus.

— Que faites-vous ? demanda Tram.

— Je cherche les vêtements de votre fille.

— Vous pensez qu'ils l'ont changée, hein ?

— Oui.

Tram vint me prêter main-forte. Son visage était extrêmement pâle et il respirait avec peine. Si j'avais été plus naïf, j'aurais cru qu'il vivait une expérience de sortie de corps, alors que c'était probablement sa consommation trop grande de bière qui lui brûlait l'estomac. Je soulevai un t-shirt d'enfant déchiré.

— Cela vous rappelle quelque chose ?

Tram se concentra sur le vêtement et secoua la tête.

— Non, ce n'est pas à elle.

Nous poursuivîmes nos recherches. Devant nous, Vern vida le contenu des deux poubelles des autres toilettes.

Rapidement, la pelouse fut jonchée de détritus. Vern prit son talkie-walkie afin de faire venir quelqu'un pour nettoyer la zone.

— Nous devons vérifier un autre endroit, dit Vern.

— Allons-y, répondis-je.

Nous suivîmes Vern le long d'un chemin sur une trentaine de mètres. Il s'arrêta devant un conteneur en forme de pagode chinoise.

Ouvrant le couvercle à la volée, Vern s'empara d'un énorme sac-poubelle et en éparpilla le contenu sur le chemin. Nous nous mîmes à fouiller les détritus.

Il s'agissait surtout d'emballages d'aliments à moitié mangés et de canettes de soda. Au fond, Tram dénicha un sac en plastique aux cordons en forme d'oreilles de lapin. Déchirant le plastique, il laissa échapper un cri. A l'intérieur étaient roulés en boule un short rose et un t-shirt assorti.

— Ce sont les vêtements de mon bébé, sanglota-t-il.

— Vous en êtes sûr ?

— Oui.

J'examinai les vêtements et trouvai plusieurs longues mèches rousses dans le tissu. Le kidnappeur de Shannon lui avait coupé les cheveux.

— Laissez-moi voir le sac.

Tram me tendit le sac, que je retournai entièrement. Une bombe métallique en tomba et fit un drôle de bruit en roulant sur les pavés.

Tram courut après et la récupéra, puis me la donna. Je lus l'étiquette : de la peinture bleue.

— Ils ont dû teinter ses cheveux, dit Tram.

Je continuai de fixer l'étiquette. Des cheveux bleus auraient rendu Shannon visible comme le nez au milieu de la figure. Cette bombe de peinture avait une autre raison d'être, tout aussi tordue que les gens responsables de son enlèvement. Malheureusement, je ne voyais pas du tout laquelle.

Soudain, je repensai à la petite fille qui avait disparu dans le parc d'attractions de Fort Lauderdale. Ses ravisseurs avaient modifié son apparence afin que même ses parents, qui s'étaient postés à la sortie, ne puissent l'identifier.

On avait retrouvé plus tard ses vêtements et une bombe de peinture bleue dans la poubelle, mais je n'avais pas réussi à faire le lien entre les deux.

Une maxime m'aidait souvent. Je me disais que les criminels que je traquais étaient aussi intelligents que moi, voire plus intelligents.

Ce n'était peut-être pas toujours vrai, mais cela me permettait de garder les pieds sur terre.

Dans la voiturette qui nous ramenait à l'entrée du Royaume magique, je compris brusquement à quoi servait la bombe de peinture bleue.

27

Je sautai à bas de la voiturette dès que nous atteignîmes les portiques. Croisant le regard de Sally, je brandis la bombe de peinture d'un air triomphant. Elle se précipita vers moi.

— S'il vous plaît, dites-moi que vous avez de bonnes nouvelles.

— Les ravisseurs de Shannon lui ont coupé les cheveux, passé d'autres vêtements et ont teinté ses chaussures. D'après moi, elle ressemble maintenant à un petit garçon.

Sally me prit la bombe des mains.

— C'est la nouvelle couleur de ses chaussures ?

— Oui. Donnez-moi du papier.

Sally alla à sa voiturette et récupéra plusieurs feuilles de papier dans une pochette. Elle me les tendit et je les aspergeai de peinture bleue. Puis je les agitai pour les faire sécher à l'air libre. Après quoi, Sally et moi distribuâmes une feuille bleue à chaque paire d'agents.

— Regardez bien les chaussures de chaque enfant qui quitte le parc. Si vous voyez cette couleur, attrapez le gamin et appelez-nous !

Sally répéta les instructions et s'assura que les agents les avaient bien comprises. Puis nous rejoignîmes Tram et Peggy Sue sur la pelouse non loin de là. Tram avait rapporté les vêtements de Shannon, que Peggy Sue serrait contre sa poitrine. Je lui pressai doucement le bras.

— Peggy Sue…

— Qu'est-ce que vous voulez ? murmura-t-elle.

— Vous devez vous reprendre. S'il y a bien une personne vers qui votre fille va courir, c'est vous.

Peggy Sue essuya ses larmes.

— Et si elle était déjà partie ? S'ils l'avaient déjà sortie du parc ? Alors quoi ?

J'aurais voulu dire à Peggy Sue de ne pas nourrir de sombres pensées, mais je me mordis la langue. Il n'y avait pas de plus grand péché au monde que d'entretenir de faux espoirs.

— Nous allons la trouver, déclara Tram d'une voix forte.

Je me postai près des tourniquets avec Sally et observai les familles qui quittaient le parc. Chaque enfant passait brièvement devant moi, puis disparaissait à jamais. Plusieurs fois, je crus avoir repéré Shannon ; en vain. Finalement, Sally s'adressa à moi.

— Pourquoi êtes-vous aussi agité ? demanda-t-elle.

— Dans des moments comme ça, je suis incapable de me tenir tranquille.

— Pourquoi n'iriez-vous pas à l'intérieur, voir si vous la repérez ? proposa-t-elle.

Cela semblait une bonne idée. Un couple de personnes âgées portant des oreilles de Mickey passa devant nous. J'accostai l'homme et lui offris de lui racheter ses oreilles. Il refusa mon argent et me les tendit.

— Amusez-vous bien, me dit-il d'un ton amusé.

Sally me ramena à l'intérieur du parc. Des milliers de gens faisaient la queue pour sortir et, soudain, je me rappelai combien les jeunes enfants pouvaient être bruyants, en particulier lorsqu'ils n'étaient pas contents.

Je gagnai l'extrémité des files, sentant le macadam brûlant sous mes semelles. Parvenu au bout, je fis demi-tour et commençai à remonter les files tout en observant les chaussures des enfants sans trop me faire remarquer. Plusieurs pères irritables m'accusèrent de vouloir couper la file.

— J'ai perdu ma famille, dis-je en guise d'excuse.

La ruse fonctionna et je pus continuer ma progression. C'était un long processus et, au bout de dix minutes, j'appelai Sally pour faire le point.

— Aucun signe d'elle pour le moment, dit-elle.

— Gardez la foi.

Je glissai le téléphone dans ma poche. J'avais atteint le centre des files et me tenais au beau milieu d'une mer d'enfants geignards. Les ravisseurs de Shannon jouaient le rôle de parents, me rappelai-je, et, quand ils atteindraient les tourniquets, ils devraient faire une véritable performance théâtrale. Les surprendre par-derrière était la meilleure approche.

Baissant les yeux, je poursuivis mes recherches.

La plupart des policiers croient en Dieu. Chose qui m'a toujours paru étrange, étant donné la montagne de souffrances et de tragédies humaines à laquelle les flics doivent faire face. Peut-être la foi était-elle la meilleure manière de supporter de telles épreuves. Ou d'expliquer les choses extraordinaires qui se produisaient parfois.

A cet instant, je fus croyant.

Je venais de repérer Shannon Dockery. Au milieu d'une famille de cinq personnes, à quatre-vingts mètres de la sortie. Le pouce dans la bouche.

J'étudiai rapidement ses ravisseurs. La femme qui jouait le rôle de la mère de Shannon était une brunette âgée d'une trentaine d'années aux cheveux permanentés et aux faux ongles vernis d'une couleur voyante ; le prétendu père était un type aux allures de chauffeur de poids lourd barbu, qui débitait des blagues idiotes. Ils avaient l'air d'une famille tout à fait ordinaire.

Puis il y avait les faux frères de Shannon. Le plus vieux, de l'âge de dix ans environ, était grand et maigre comme un haricot, tandis que le plus jeune était petit et rondouillard, et ne savait visiblement pas lacer ses chaussures.

Shannon se trouvait entre les deux garçons, à qui elle tenait la main, comme le font généralement les fratries dans les parcs d'attractions.

La supercherie employée par les faux papa et maman pour déguiser Shannon était remarquable. La plupart des familles qui visitaient l'univers de Disney se trouvaient une couleur ou une thématique commune. C'était un moyen amusant de surveiller plus facilement leurs enfants. Les faux papa et maman de Shannon avaient eux aussi adopté une thématique : « Supportez nos troupes ! » était écrit en gros sur leurs t-shirts, sous des images des tours du World Trade Center en flammes, et chacun des enfants arborait l'une des couleurs patriotiques : l'aîné en rouge, le second en blanc et Shannon en bleu. Si je n'avais pas trouvé cette bombe de peinture dans le parc, ces déguisements ne m'auraient jamais interpellé.

J'appelai Sally sur son téléphone portable.

— Alors ? dit-elle.

— Je l'ai, répondis-je calmement.

Sally cria dans mon oreille :

— Vous l'avez trouvée ?

— Oui.

— Oh ! Jack, je vous aime !

— Ils sont sur le point de sortir. Deuxième tourniquet en partant de la droite. C'est une famille de cinq, avec trois enfants habillés en rouge, blanc et bleu. Shannon est en bleu. Je vais sortir juste derrière eux.

— Une famille ? Quel âge ont les gosses ?

— Ils sont jeunes.

— Retenez-moi si je frappe les parents, Jack.

Utiliser des enfants pour commettre des crimes rendait

malade même le représentant de l'ordre le plus aguerri, et je comprenais le sentiment de Sally, car je ressentais la même chose.

— Je vous appelle dès qu'ils sortent.

Bientôt, la fausse famille de Shannon atteignit le tourniquet. Je vis le père jeter un coup d'œil furtif à la mère. Ensemble, ils placèrent la main sur le dos de leurs enfants pour les pousser en avant. Ils allaient se présenter en groupe, empêchant ainsi les agents d'examiner de près Shannon. Une autre tactique pour éviter d'être repérés, et mon instinct me soufflait que ce n'était pas leur première opération de ce genre. Je rappelai Sally.

— Maintenant, dis-je.

Les forces de sécurité privées n'étaient pas tenues de respecter les mêmes règles que la police. Ils n'avaient pas l'obligation de s'identifier face à des criminels présumés, ni à se soumettre aux mêmes restrictions que celles de la police. Quand la famille franchit le portique, je fis de grands gestes en sautillant sur place. Aussitôt, la sécurité de Disney s'occupa de la famille avec rudesse.

Trois agents costauds encerclèrent le père, qui se débattit avec hargne, agitant bras et jambes en tous sens. Rapidement, il fut maîtrisé et se retrouva face contre terre. Comme il se tortillait comme une aiguille, deux agents lui maintinrent les bras tandis que la troisième s'assit sur son dos pour le plaquer au sol.

Dans le même temps, deux femmes de la sécurité s'emparèrent de la mère et l'éloignèrent du tourniquet. La femme ne se laissa pas faire non plus. D'abord, elle hurla à pleins poumons. Puis elle s'efforça de se libérer, à tel point que les agents durent lui tordre le bras derrière le dos. Comme elle refusait de rester tranquille, elles la menottèrent.

D'autres agents confrontèrent individuellement les deux garçons, qui semblaient abasourdis par les événements. Ils les entraînèrent rapidement à l'écart. Arrivant par-derrière, je pris la petite Shannon dans mes bras. Elle était légère comme une plume, et son regard était légèrement ensommeillé.

— Bonjour, Shannon.

— Bonjour, répondit-elle.

— Ça va ?

— Super ! On va manger des glaces !

— Quel parfum ?

— Chocolat !

— C'est ton préféré ?

— Oui !

Sally avait éloigné les parents afin d'éviter une scène douloureuse.

Avec Shannon dans les bras, je me dirigeai vers eux. En voyant l'expression incrédule de Tram et Peggy Sue, je me rendis compte qu'ils n'avaient pas reconnu leur propre fille. Lentement, leur air inquiet s'évanouit. Peggy Sue s'agenouilla et ouvrit grand les bras.

— Shannon, mon bébé, viens !

Je déposai Shannon par terre et laissai la petite fille se jeter dans les bras de sa maman. Peggy Sue étreignit sa fille tout en formulant une prière muette. Puis elle me regarda. Sur son visage, je lus une promesse. Jamais plus elle ne quitterait sa fille des yeux.

Tram s'approcha de moi. Il voulut dire quelque chose, mais les mots lui manquaient. Il me serra dans ses bras, le haut de son crâne effleurant à peine mon menton.

— Vous aimez la viande de barbecue ? me demanda-t-il.

— Je l'adore.

— Tant mieux. Parce que je vais vous en faire livrer pour le restant de vos jours !

Après avoir pris congé des Dockery, je partis à la recherche de Sally. La crise étant terminée, les familles avaient été autorisées à quitter le parc normalement, et je me retrouvai bientôt englué dans une foule compacte. Sally, en pleine conversation téléphonique, se tenait près de la voiturette de golf.

— Vous savez que vous êtes mignon avec ces oreilles de Mickey ? plaisanta-t-elle.

— Je dois vous parler.

— Allez-y. Le Département du shérif du comté d'Orange m'a mis en attente.

— Raccrochez.

Sally m'adressa un regard inquiet.

— Pourquoi, Jack ?

— Parce que je veux parler à ces deux vermines sans policiers ni avocats dans les parages.

Son visage prit une expression dure.

— Jack, c'est moi la responsable ici, vous vous rappelez ?

— N'ai-je pas tout laissé tomber pour venir vous aider ?

— Jack, qu'est-ce qui vous prend ?

— Alors ?

— Oui, c'est vrai.

— Je veux juste les interroger sans ces fichus avocats ou policiers en train de leur lire leurs droits.

— Vous n'allez pas les maltraiter ?

La nervosité de Sally m'agaçait, à tel point que j'avais envie de l'envoyer se faire voir.

— Ils n'en sont pas à leur premier coup, repris-je. Réfléchissez à toute cette préparation : les garçons habillés en rouge et blanc pour que Shannon soit en bleu. Je suis persuadé qu'ils ont employé le même stratagème pour enlever la petite fille du parc de Fort Lauderdale. Laissez-moi leur parler, Sally.

Sally se rongea un ongle tout en réfléchissant à ma demande.

— Vous êtes sûr de vous, Jack ?

Je n'avais aucune preuve de ce que j'avançais, mais mon instinct me disait que j'avais raison.

— Oui, répondis-je avec emphase.

Elle referma son téléphone et le glissa dans sa poche.

— Je vous accorde une heure avec eux, mais vous devez me promettre que vous ne lèverez pas le petit doigt sur eux.

— Je ne les toucherai pas.

— C'est une promesse ?

Je réprimai mon envie de jurer. Je l'avais poussée dans ses retranchements bien des fois auparavant et elle m'avait toujours secondé. Aujourd'hui, c'était elle qui me mettait à l'épreuve.

— Oui, c'est une promesse.

— D'accord. Alors, ils sont à vous.

Nous grimpâmes dans la voiturette, et Sally emprunta le chemin goudronné qui menait au bâtiment de la sécurité. A mi-chemin, nous rattrapâmes une autre voiturette où se trouvaient trois agents aux côtés du père. Il était menotté et encadré de deux agents, le troisième étant au volant. Comme le véhicule se déplaçait lentement, Sally klaxonna.

— Tout va bien ? lança-t-elle.

Le chauffeur ralentit et se retourna pour nous observer.

— Juste un petit problème avec les freins.

— Besoin d'aide ?

— Non, ça va aller.

— Au fait, beau travail, les gars.

— Merci, mademoiselle McDermitt.

Quand la voiturette reprit de la vitesse, le père se tourna vers nous. Son visage s'empourpra et il se mit à suer comme s'il était sur la chaise électrique. Nos regards se rivèrent l'un à l'autre, et je sentis qu'il tentait de remettre un nom sur mon visage. Pour l'aider, j'ôtai mes oreilles de Mickey. Une peur primale se peignit sur ses traits.

— Bon Dieu ! s'exclama Sally. Il vous connaît.

— On dirait bien, oui.

28

Dans ma prochaine vie, je voudrais être un chien. Pas n'importe quel chien : le mien. Une fois sur le parking de la sécurité, je regagnai la Legend pour voir comment allait Buster et le trouvai en train de ronfler sur la banquette arrière, les pattes agitées de soubresauts, comme s'il pourchassait une voiture imaginaire.

Sally me précéda jusqu'à la salle d'interrogatoire. De l'autre côté du miroir sans tain, la mère patientait sur une chaise en plastique. Laissant transparaître sa vraie personnalité, elle criait et menaçait de poursuivre le parc pour arrestation abusive.

Les menottes toujours aux poignets, le père fut traîné dans la même pièce et forcé de s'asseoir sur une autre chaise. Sa chemise et son pantalon étaient couverts de poussière, et son visage ruisselait de sueur. Les agents laissèrent le couple seul et refermèrent la porte derrière eux.

La procédure standard d'interrogation des suspects consistait à les mettre tous les deux dans une même pièce et à les écouter. La plupart du temps, on n'apprenait rien d'intéressant. Mais de temps à autre, une précieuse bribe d'information était lâchée par l'un des suspects.

Nous les observâmes quelques minutes sans apprendre grand-chose. Là, on frappa à la porte. Un agent entra dans la salle d'observation et tendit à Sally les permis de conduire du couple. Sally les examina, puis me les passa.

Leurs noms étaient Cecil Cooper et Bonnie Sizemore. Cecil habitait à Jacksonville, sur la côte Est, tandis que Bonnie vivait à Lakeland, une petite bourgade tranquille à environ trente minutes de là.

— L'un d'eux a dit quelque chose pendant le trajet ? demanda Sally à l'agent.

— La femme était dans tous ses états, répondit-il. Le type a exigé qu'on le laisse parler à une espèce de ténor du barreau de Miami.

Mon sang ne fit qu'un tour.

— Vous êtes sûr que c'était à Miami ?

— Absolument.

— Il vous a donné le nom de son avocat ?

— Oui, monsieur. Il l'a écrit sur un papier dans l'autre pièce.

— C'était Leonard Snook ?

L'agent parut perplexe.

— Eh bien, oui, je crois que c'est ça.

— Vous voulez bien vérifier ?

L'agent nous laissa quelques instants et revint avec un morceau de papier à la main.

— C'est bien Leonard Snook !

Je le remerciai et il prit congé. Sally bondit pratiquement de son siège.

— Jack, comment le saviez-vous ?

Mon sang bouillait dans mes veines. Face au miroir, je fixai la salle d'interrogatoire. Avachie sur sa chaise, Bonnie gardait les yeux baissés, l'air profondément abattu. Son mascara avait coulé, ce qui lui donnait des yeux de raton-laveur hideux. Dans un murmure, Cecil tentait de la réconforter. J'avais toujours été doué pour prendre des décisions rapides, et j'en pris une sur-le-champ. Cecil était le donneur d'ordres, Bonnie, l'exécutante.

— Redescendez sur terre, Jack.

— C'est ce que me dit tout le temps ma fille.

— Mais qu'est-ce qui se passe ? Comment connaissiez-vous le nom de leur avocat ?

Je pris une profonde inspiration, le regard toujours rivé sur le couple.

— Leonard Snook représente Simon Skell, le Tueur de minuit.

— *Quoi ?*

— Nos amis ici présents font partie d'une organisation qui fait disparaître des gens. Repensez à l'époque où vous étiez dans la police. Combien de cas de SUT deviez-vous traiter chaque année ?

SUT est l'acronyme de « sans une trace », expression que la police emploie pour désigner les cas de disparition inexpliqués.

— Environ quatre ou cinq.

— Vous ne vous êtes jamais dit que ces affaires pouvaient être liées ?

— Si, cela m'a déjà traversé l'esprit, en effet.

— Mais comme elle n'avait aucune piste, la police ne pouvait guère agir, n'est-ce pas ?

— C'est juste.

Je pointai le doigt vers Cecil et Bonnie.

— Eh bien, maintenant, nous avons une piste. Je vous parie tout ce que j'ai que ces deux-là sont des ravisseurs d'enfants professionnels et qu'ils ont déjà opéré dans d'autres parcs d'attractions de Floride. Je vous parie aussi que ces enlèvements sont liés aux huit jeunes filles que le Tueur de minuit a fait disparaître.

— Jack, regardez-moi, dit Sally.

Je détournai le regard du miroir. Posant les mains sur mes épaules, Sally me fixa d'un air grave. Sa poigne était aussi puissante que celle d'un homme.

— Quelles sont vos preuves ?

— Les victimes sont des preuves.

— Comment cela ?

— L'aspect le plus déconcertant de l'affaire du Tueur de minuit est de comprendre comment il choisit ses victimes. Comment savoir quelles proies traquer ? Quelles femmes peuvent disparaître sans que personne ne les réclame ?

— Des cibles faciles.

— Exact. La même question se pose ici. Comment Cecil et Bonnie savaient-ils que Shannon Dockery était une cible facile ?

— La chance, peut-être.

— La chance n'a rien à voir là-dedans. Tram s'est enfilé un pack de six bières au petit-déjeuner. Il me l'a avoué tout à l'heure. Il est aussi très jeune et pas très intelligent. C'est le parent idéal à qui enlever un enfant. Bonnie et Cecil le savaient et ils ont suivi les Dockery dans le Royaume magique. Quand l'occasion s'est présentée, ils ont kidnappé Shannon et l'ont déguisée en garçon, qu'ils ont fait passer pour le leur. Vous vous rappelez la petite fille qui a disparu au parc d'attractions de Fort Lauderdale il y a quelques années ? Les parents avaient le même profil que les Dockery.

Sally laissa retomber ses mains et se mit à réfléchir.

— Vous avez raison, dit-elle, ils étaient du même genre.

De nouveau, je pointai le couple du doigt. Bonnie s'était un peu plus avachie dans son siège et secouait la tête.

— Séparez-les et laissez-moi essayer de la faire parler.

— Promettez-moi que vous ne la rudoierez pas.

— Je l'ai déjà fait.

— Promettez-le-moi encore.

Mon visage s'échauffa, tout comme mes émotions.

— Qui croyez-vous que je suis ? Une sorte de fou furieux ?

— Non, juste un homme qui s'est donné une mission, répondit-elle en me regardant droit dans les yeux.

Je soutins son regard.

— Très bien. Pas de méthode dure. Je vous le promets.

— Merci.
— Vous avez de quoi enregistrer notre conversation ?
— La pièce est déjà équipée.

Bonnie et Cecil furent séparés.
Pour parler à Bonnie, je me dis qu'avoir l'air d'un employé de Disney donnerait plus de poids à mes paroles. Sally me dégota une chemise au logo de Disney, hélas trop grande pour ma frêle constitution.
Je finis par opter pour un badge plastifié avec mon nom dessus. Pour compléter le tableau, Sally me donna une copie de la brochure d'information interne que les quarante mille employés de Disney recevaient chaque semaine.
— Bonne chance ! me dit-elle.
J'entrai dans la salle d'interrogatoire avec la brochure sous le bras. Bonnie leva la tête, mais ne dit mot. Je sortis un paquet de chewing-gums acheté au distributeur et lui en offris un. Elle refusa en secouant la tête.
— Prenez-en un. Vous vous sentirez mieux.
Elle changea d'avis et en prit un.
— Qui êtes-vous ?
— Ressources humaines. Je suis venu vous parler de vos fils. Ils sont à vous, n'est-ce pas ?
Elle déchira le papier d'emballage et fourra le chewing-gum dans sa bouche.
— Je veux parler à un avocat, répliqua-t-elle en mâchant vigoureusement.
— Vous voulez dire, Leonard Snook ?
— Peu importe son nom, je veux lui parler.
— C'est l'avocat de Cecil. C'est le vôtre aussi ?
— Un peu, oui !
— Faites-moi confiance, Bonnie, vous ne *voulez pas* lui parler, dis-je en glissant le paquet de chewing-gums dans ma poche.
— Et pourquoi pas ?

— Leonard Snook ne fera aucun bien à vos fils. Enfin, ils sont à qui, ces garçons ?

Elle croisa les bras d'un air de défi.

— Vous violez mes droits civiques. Je poursuivrai ce parc en justice et Michael Eisner et Walt Disney si vous ne me laissez pas parler à mon avocat ! C'est compris, monsieur Ressources Humaines ?

Je m'adossai tranquillement au miroir et l'étudiai. Son teint parfaitement bronzé était sans doute le fait d'un salon de bronzage, et ses yeux étaient si bleus qu'elle devait porter des lentilles de contact. La femme artificielle par excellence.

— Que savez-vous de Leonard Snook ? lui dis-je.

— Qu'est-ce qu'il y a à savoir ? jeta-t-elle.

— Leonard Snook est un avocat spécialisé dans la défense criminelle qui représente des tueurs en série et des grands criminels. Appelez-le et vous admettrez que vous êtes coupable. Et vos deux gamins seront placés dans un foyer. Vous ne voulez pas qu'une telle chose se produise, n'est-ce pas ?

— Je veux parler à mon avocat.

— Je suis là pour le bien des garçons. Si vous avez une once de compassion et que vous pensez à leur bien-être, répondez à ma question.

Le visage de Bonnie se fissura. Puis, presque aussitôt, son attitude glaciale reprit le dessus.

— Allez-vous-en ! glapit-elle.

***

Je claquai la porte derrière moi. Le meilleur moyen de traiter les gens comme Bonnie Sizemore était de leur hurler dessus et de les menacer de sévices corporels. C'était la seule façon de percer l'épaisse gangue qui enveloppait leur cœur. Mais j'avais promis à Sally de ne pas faire usage de ces tactiques, et j'étais un homme de parole.

Gagnant la pièce où Cecil était enfermé, j'entendis qu'il tenait à Sally le même discours que Bonnie. Il exigeait de parler à Leonard Snook, et tout de suite.

Adossé au mur, j'écoutai le verbiage de Cecil. Il avait visiblement des réponses toutes prêtes et ne semblait guère intimidé par les menaces de Sally, qui lui promettait de lui faire finir sa vie en prison. Au final, Sally allait devoir le livrer au Département du shérif du comté d'Orange si elle ne voulait pas entraver la procédure d'inculpation.

Je déchirai un coin de la brochure Disney pour emballer mon chewing-gum. En couverture, il y avait une photographie d'un comique et imitateur du nom de Brian Cox. Cox était la vedette de la boîte de nuit Islands of Adventure, et la brochure invitait tous les employés de Disney à venir voir son fabuleux spectacle. Cela me donna une idée. Je frappai à la porte. Sally m'ouvrit avec une expression exaspérée.

— Du neuf ? demanda-t-elle.

— Non, mais j'ai une idée.

Elle me rejoignit dans le couloir et referma la porte derrière elle. Je lui montrai l'article sur Brian Cox.

— Une fois, j'ai employé les services d'un imitateur pour faire parler un témoin à Fort Lauderdale. Peut-être que ce type pourrait nous aider à faire craquer Bonnie. Vous pensez pouvoir le trouver ?

Sally parcourut l'article tout en étudiant la photo de Cox. Il avait des cheveux hérissés, un sourire de guingois et des yeux globuleux.

— Je ne sais pas, Jack, il a l'air un peu bizarre.

— L'article dit qu'il fait forte impression. Ça vaut le coup d'essayer.

Elle me rendit la brochure. Son regard était las.

— Vous n'abandonnez jamais, n'est-ce pas ?

— Jamais.

29

Grâce à une série de coups de fil, Sally réussit à dénicher Brian Cox. Il logeait dans un hôtel sur International Drive.

J'appelai l'hôtel et une opératrice me passa sa chambre. Cox répondit d'une voix ensommeillée. Après quelques minutes d'explications, il accepta de nous aider.

Vingt minutes plus tard, Cox se gara devant le bâtiment de la sécurité de Disney et sortit de sa voiture de location. Il était mal rasé, maigre à faire peur et entièrement vêtu de noir. Ses cheveux ébouriffés étaient plaqués d'un côté de son crâne. Nous échangeâmes une poignée de main.

— Merci d'être venu aussi vite.

— Je suis un comique. Je n'ai rien d'autre à faire.

Je lui présentai Sally, qui était restée près de la salle d'interrogatoire de Cecil Cooper. Sally jeta un regard sceptique à Cox, puis se tourna vers moi.

— Que comptez-vous faire au juste ? demanda-t-elle.

— Je veux que Brian écoute Cecil pendant que vous l'interrogez. Avec de la chance, Brian réussira à imiter la voix de Cecil et on piégera Bonnie pour l'obliger à tout avouer.

— Vous êtes doué ? lui demanda Sally d'un air sceptique.

Le visage de Brian prit une expression sérieuse et il se lança dans l'imitation d'une série de voix célèbres, passant de Humphrey Bogart à John Wayne et Mike Tyson sans même reprendre son souffle.

— Impressionnant, déclara Sally. D'accord, on tente le coup.

Sally pénétra dans la pièce où Brian était enfermé avec l'agent qui le surveillait. Elle laissa la porte entrouverte et commença à questionner Cecil. Avant même qu'elle eût terminé sa phrase, Cecil rugit :

— Je veux parler à ce fichu avocat et tout de suite ! Vous ne me faites pas peur avec vos grands airs. Vous croyez que, parce que vous avez du fric, vous pouvez manipuler les gens ? Eh bien, je ne me laisserai pas faire !

Brian écoutait avec la plus grande attention.

— Un jeu d'enfant, souffla-t-il.

Quelques minutes plus tard, je pénétrai dans la salle d'interrogatoire de Bonnie Sizemore et laissai la porte entrebâillée. Je regardai Bonnie en secouant la tête d'un air navré.

— Qu'est-ce que vous voulez ? grogna Bonnie.

— Vous avez eu votre chance et vous l'avez gâchée.

— Et ça veut dire quoi ?

— Je vous avais dit de coopérer, n'est-ce pas ? Maintenant, vos gamins et vous, vous êtes fichus.

— Fichus ? Comment ça ? De quoi vous parlez ?

— Cecil vous a balancée.

Le sang se retira de son visage parfaitement hâlé, lui laissant un teint caramel maladif.

— Cecil ne ferait jamais ça ! Vous mentez, monsieur.

— Je viens juste de l'entendre. Si vous lui mettiez des oreilles de Mickey sur la tête, il aurait l'air d'un rat géant. Venez et écoutez-le vous-même si vous ne me croyez pas.

Bonnie me rejoignit près de la porte. Je jetai un coup d'œil à Sally, postée dans le couloir, près d'une pièce vacante où Brian se tenait caché. Cecil avait été emmené à l'étage. Je fis à Sally le signe convenu.

— Ecoutez, dis-je à Bonnie.

— C'était l'idée de Bonnie de piquer le gamin dans le parc, dit Brian de la voix rauque de Cecil. Je lui ai dit que c'était une grosse connerie, mais elle a toujours voulu une petite fille. Elle peut être drôlement persuasive quand elle veut. Putain, des fois, je ne peux pas du tout la contrôler. Alors, j'ai dit OK, vous voyez ? Elle a pris la gosse, lui a coupé les cheveux et peint ses baskets en bleu. C'était son idée. Je l'ai juste accompagnée.

— C'est n'importe quoi ! s'écria Bonnie.

Je fermai la porte et désignai la chaise.

— Asseyez-vous.

— Cecil ment ! C'est lui qui a tout manigancé. Vous devez me croire, monsieur.

— Ces garçons sont à vous ?

Bonnie se réfugia près du mur. Ses poings étaient serrés, et son souffle, court. Sa conscience s'effondrait sur elle tel un mur de sable suffocant. Je pris mon paquet de chewing-gums et en plaçai un morceau dans sa paume. Elle le déballa et le fourra dans sa bouche. Mâchant avec ardeur, elle se calma peu à peu. Je répétai ma question.

— Ouais, ce sont mes gamins, dit-elle doucement.

— Ils ne savaient pas ce qui se passait, n'est-ce pas ?

— Non, monsieur.

— Alors ?

— Cecil m'a dit que c'était une histoire de garde. Que la mère de la petite voulait la récupérer et qu'elle lui filerait cinq mille dollars pour kidnapper sa fille dans le Royaume magique. Cecil a dit que la mère s'était fait piéger dans une affaire de divorce et que je lui rendrais un grand service.

— Quand vous a-t-il dit tout ça ?

— Ce matin. Il m'a appelé d'un motel à Kissimmee et m'a demandé de venir en voiture avec mes gamins. J'ai dit OK.

— Cecil vous a payée, Bonnie ?

Honteuse, Bonnie leva les yeux au plafond.

— Il devait me donner cinq cents dollars. Je n'ai pas travaillé depuis un bout de temps et j'avais besoin de fric pour acheter des fringues à mes gamins. Je pensais aider la mère. Je suis divorcée. Je sais ce que c'est, de se battre pour ses enfants.

Bonnie se mit à pleurer. La laissant à son désespoir, j'allai ouvrir la porte. Sally m'attendait dans le couloir avec Brian. Je levai le pouce en signe de victoire. Sally et Brian se tapèrent dans les mains, puis je refermai la porte.

— Monsieur, vous voulez bien répondre à une question ? dit Bonnie.

Je connaissais déjà la question, aussi me contentai-je de hocher la tête.

— Je vais y aller ? Vous savez, en prison ?

La réponse était oui. Son avocat pourrait convaincre un juge que Bonnie avait été manipulée par Cecil, et, s'il était bon, il s'arrangerait pour que les charges les plus lourdes soient abandonnées. Mais, au bout du compte, Bonnie allait payer pour ses crimes.

Je n'allais toutefois pas lui dire cela. Je n'étais pas son ami et j'étais aussi malin et manipulateur qu'elle. Du moment que justice était faite.

— Cela dépendra de votre bonne volonté.

— Je ferai tout ce que vous voulez.

30

— Jack Carpenter, je n'arrive pas à croire que vous m'entraîniez là-dedans, maugréa Sally une demi-heure plus tard.

— Faites-moi confiance, répondis-je, le regard fixé sur la route.

— Mais c'est mal. Nous violons la loi.

— De quelle loi parlez-vous ? Je veux juste jeter un coup d'œil à la chambre de Cecil Cooper avant la police. Je ne toucherai rien, ne prendrai rien. Je veux juste savoir à qui j'ai affaire. En quoi violons-nous la loi ?

— Si la police le découvre, nous sommes fichus tous les deux, et vous le savez.

— Je croyais que Disney possédait la police ?

— Ce n'est pas drôle.

En passant devant une rangée de motels à Kissimmee, nous lûmes les panneaux publicitaires criards un à un. Il y avait plus de motels et de restaurants bon marché sur cette portion d'autoroute de quinze kilomètres que n'importe où ailleurs. Nous cherchions le motel dont le nom était imprimé sur la clé en plastique que Sally avait trouvée dans le portefeuille de Cecil. Le motel s'appelait Sleep & Save, et son logo représentait un homme allongé sur un lit, en train de rêver de symboles de dollars. Bonnie avait dit avoir vu un ordinateur dans sa chambre quand elle avait rejoint Cecil ce matin-là, et je voulais l'examiner avant la police.

Un kilomètre et demi plus loin, Sally repéra le motel et sursauta sur son siège.

— Le voilà ! Coincé entre HOP et Big Boy.

Je freinai tout en jetant un coup d'œil dans mes rétroviseurs. Un touriste au volant d'un minivan klaxonna et j'eus peur d'être embouti.

Comme il ralentissait, je bifurquai et me garai devant l'entrée principale du Sleep & Save.

— Dites-moi, comment ça va avec ce type que vous voyiez ?

— Vous voulez parler de Russ ?

Quand Sally vivait à Fort Lauderdale, elle avait une quantité de petits amis, tous plus nuls les uns que les autres. Après son emménagement à Orlando, j'avais entendu parler d'un entrepreneur du nom de Russ avec qui les choses avaient l'air de bien se passer.

— Qu'est-ce qui ne va pas ? demandai-je.

Elle me jeta un regard narquois du coin de l'œil. Les hommes refusaient de l'admettre, mais c'était le genre de regard qui nous faisait tourner la tête. Plus que toute autre chose. Sally m'avait toujours fait cet effet.

— Vous êtes sûr de vouloir le savoir ?

— Oui. Russ a l'air d'un type bien.

— C'est un type bien. Mais j'ai découvert qu'il avait un casier.

— Pour quoi ?

— Détention de narcotiques.

— Désolé de l'apprendre.

— Je peux vous poser une question personnelle, Jack ?

Je n'aimais guère parler de ma vie privée, sans doute parce qu'elle était sens dessus dessous. Je hochai donc la tête avec réticence.

— Vous croyez que les criminels peuvent s'amender ?

Est-il possible qu'ils changent vraiment leur comportement ?

Je m'enfonçai dans mon siège, qui émit un couinement étouffé. Buster se leva sur la banquette arrière. Il était à l'aise avec Sally et je commençais à me demander si le commentaire de ma femme à propos de l'attitude de mon chien et de mes fréquentations à Fort Lauderdale n'était pas juste.

— Je répondrai non aux deux questions.

Sally se renfrogna.

— Eh bien, voilà une réponse définitive.

— Les criminels ne s'amendent pas, expliquai-je. Du moins, pas ceux que j'ai rencontrés. Ils sont toujours à l'affût d'un mauvais coup. On leur fait peur pour les obliger à se ranger, mais, au plus profond de leur cœur, ils ne changent pas. A présent, laissez-moi vous poser une question.

— Allez-y, achevez-moi.

— Russ est-il vraiment un criminel ?

— Je vous l'ai dit, il a un casier.

— Mais est-ce pour autant un criminel ? Est-ce qu'il passe ses journées à nourrir de noirs desseins ? Voilà un criminel. Ou bien Russ est-il un type bien qui a fait une bêtise et qui a payé sa dette à la société ? Si c'est le cas, vous devriez lui donner une chance.

— Je dois me montrer généreuse ?

Je me tournai et lui fis face.

— J'ai fait la route jusqu'à Tampa aujourd'hui pour m'excuser auprès de ma femme d'avoir fichu en l'air notre mariage de vingt ans. Elle m'a pardonné. C'est l'une des choses les plus généreuses qu'on ait jamais faites pour moi.

— Vous vous êtes réconcilié avec Rose ?

Je hochai la tête, et Sally se pencha vers moi pour m'étreindre.

— Oh ! Jack, je suis si heureuse pour vous.

***

Sleep & Save faisait partie d'une chaîne d'hôtels de renommée nationale, si l'on en croyait l'affiche sur le comptoir d'accueil. En réalité, c'était un taudis de classe mondiale, avec des chambres à 29,99 $ la nuit et une série de distributeurs de sodas et bonbons.

Le gérant était un Pakistanais souriant qui affichait deux rangées de dents parfaitement blanches.

Derrière son comptoir, il pianotait sur le clavier de son ordinateur. Sally et moi avions travaillé sur plusieurs affaires ensemble, et je la connaissais assez pour la laisser prendre la direction des opérations. Pressant son ventre contre le comptoir, elle battit des cils.

— Bonjour !

— Bonjour, répondit le gérant avec chaleur.

— Peut-être pourriez-vous m'aider ?

— Avec plaisir.

— Mon frère a retenu une chambre ici et nous sommes censés l'y retrouver. Seulement, cet imbécile a oublié de me donner le numéro. Pouvez-vous me dire lequel c'est ?

Le gérant fixa le logo Disney sur la chemise de Sally. En dépit de ce qu'elle avait dit plus tôt, Disney faisait vivre Orlando et pratiquement tout ce qui se trouvait autour.

Il n'était donc pas inhabituel de voir des gens se mettre en quatre pour aider des employés de Disney. Le gérant feuilleta son registre.

— Quel est le nom de votre frère ?

— Cecil Cooper.

Le Pakistanais arrêta son doigt sur une entrée.

— Voilà. C. Cooper. Chambre 42. Votre frère se trouve au deuxième étage.

— Oh ! merci beaucoup. Vous êtes adorable !

Dehors, nous empruntâmes l'escalier extérieur qui menait au deuxième étage. Au bord de l'autoroute, le motel voyait défiler un flot ininterrompu de véhicules vrombissants à vous donner le tournis. La chambre 42 se trouvait tout au bout du bâtiment, avec une pancarte *Ne pas déranger* pendue à la poignée. Sally prit la carte de Cecil, puis agrippa mon poignet de son autre main.

— Promettez-vous de ne rien prendre, Jack ?

— Vous ne m'avez pas cru la première fois ?

— Non, j'ai des difficultés à faire confiance aux hommes.

— Je ne prendrai rien, promis-je.

Le repaire de Cecil était conforme à ce qu'on peut attendre d'une chambre à 29,99 $. Meubles branlants, tapis élimé, murs jaunis qui avaient besoin d'un bon décapage, et une dalle avec un matelas en guise de lit. Sally referma la porte derrière elle, et nous nous retrouvâmes plongés dans le noir. Je l'entendis palper le mur, puis la lumière revint.

Sally examina la salle de bains pendant que je fouillais la chambre. En dehors d'un cendrier plein à ras bord et plusieurs soldats morts dans la poubelle, la chambre était normale. Près du téléphone, un bloc-notes avec plusieurs marques sur la première page, indiquant que quelqu'un s'en était récemment servi.

Plaçant le bloc-notes sous la lumière, je tentai de déchiffrer les écritures, mais elles étaient presque invisibles.

— Vous avez un crayon ? demandai-je à Sally.

— Dans mon sac.

Le sac à main de Sally était sur le lit. Je dénichai le crayon dans la poche latérale et, inclinant la pointe, je noircis la première page du bloc-notes. Sous mes yeux, les marques se muèrent peu à peu en mots.

P : Tram, Peggy Sue.
E : Shannon (3 ans)
V : Pick-up Ford
P : BSX 4V6
L : Royaume magique
Enfant adore Mickey

Cecil ne m'avait pas donné l'impression d'être attaché aux détails ; pourtant, ces informations indiquaient le contraire. Cecil connaissait bien sa cible : il savait quelle partie du parc les Dockery allaient visiter et connaissait la fascination de Shannon pour Mickey. Quand Sally sortit de la salle de bains, je lui montrai le bloc-notes. Ses yeux s'arrondirent de surprise.

— Waouh ! Comment a-t-il obtenu toutes ces informations ?

— C'est ce que nous devons découvrir.

— Vous pensez qu'il a les suivis ?

— Possible.

— Vous avez regardé sous le lit ?

— Pas encore.

S'agenouillant, Sally passa la main sous le lit et en retira une besace de cuir craquelé. Je m'accroupis à côté d'elle, et nos têtes se heurtèrent. Elle ouvrit la besace et répandit son contenu sur le lit. Un ordinateur Dell extraplat, une imprimante HP portable et quatre photographies huit sur dix de mauvaise résolution.

— Alors, vous êtes contente que je vous aie entraînée là-dedans, n'est-ce pas ?

— Oui.

Sally étala les photos sur le lit. La première montrait Tram Dockery au volant de son pick-up, un pack de six bières sur les genoux. Shannon était sanglée dans son siège-auto à l'arrière. Tram m'avait avoué qu'il avait bu ce matin-là, mais il n'avait pas précisé que sa fille était avec lui. Sur la quatrième photo, on voyait l'arrière du pick-up, avec la plaque d'immatriculation bien visible.

— Cecil a dû prendre ces clichés, dit Sally.

J'examinai attentivement le pack de bières. Cinq canettes n'étaient pas encore ouvertes. Tram n'était pas ivre quand ces clichés avaient été pris.

— Tram l'aurait repéré, répondis-je.

— Peut-être que Cecil a utilisé une lentille télescopique.

Je pris l'une des photos sur le lit et l'observai à la lumière. Elle était imprimée sur du papier bon marché. Aussi secouai-je la tête.

— Cecil n'a pas pris ces photos. Il les a imprimées à l'aide de son ordinateur.

Nous étudiâmes de nouveau les clichés.

— Vous pensez que quelqu'un lui a envoyé les photos par e-mail sur son ordinateur ?

Je hochai la tête.

— Et les informations sur le bloc-notes ? Quelqu'un les lui a fournies aussi ?

De nouveau, j'acquiesçai.

— Donc, une troisième personne est impliquée.

Je me remémorai la photographie du gang de Simon Skell que j'avais vue à la station Fox TV. Skell était le cerveau, Bash, l'homme public, l'Hispanique, le ravisseur, et le mystérieux homme blond, le collecteur d'informations. S'il s'agissait bien d'un gang organisé de ravisseurs qui travaillaient main dans la main, alors, l'homme mystérieux ne faisait pas que recueillir des informations. Il établissait également les profils des victimes pour son gang, et peut-être aussi pour d'autres bandes.

— Oui, répondis-je.

— Vous croyez qu'il se promène et photographie des gens au hasard ?

Je relus les notes sur le bloc.

— Cela n'expliquerait pas comment il a obtenu le reste des informations.

— Je ne sais pas, Jack. Nous progressons dans le noir.

Je pris les trois autres photographies sur le lit.

— Je dois en montrer une à Tram Dockery. Il saura où elles ont été prises.

Sally m'arracha les clichés des mains.

— Non, pas question.

— Comment ça ?

— Vous ne prendrez pas ces photos pour les montrer à Tram.

— Il ne m'en faut qu'une. Cela suffira à raviver sa mémoire.

— Bon sang, Jack, vous me l'avez promis !

Je la regardai dans les yeux. J'avais franchi la frontière fragile de notre amitié.

— Donnez-m'en une et dites à la police que vous avez trouvé trois photographies dans la besace. Quel mal cela fera-t-il ?

— Ce sont des preuves.

— J'ai besoin d'en montrer une à Tram. Allez, Sally, vous ne voulez pas en finir avec tout ça ?

— Vous me l'avez promis. Votre parole a-t-elle une quelconque valeur, Jack ?

Je soupirai. Une petite voix dans ma tête me disait d'arracher l'une des photos à Sally et de m'enfuir avec. Même si elle me rattrapait, elle n'était pas assez forte pour me la reprendre. Une autre petite voix – peut-être ma conscience – me soufflait de ne pas nourrir ces dangereuses pensées. Sally était mon amie et ma confidente, et je lui avais donné ma parole. Il fut un temps où ma parole signifiait quelque chose.

Alors, que s'était-il passé ? Sans doute avais-je changé. A présent, j'étais prêt à faire des promesses que je n'avais aucune intention de tenir et des choses que je n'aurais jamais faites auparavant. J'étais passé du côté obscur. Pourtant, je ne savais pas quoi faire d'autre.

— Réfléchissez, m'entendis-je répondre. Shannon Dockery était la victime *idéale* pour un enlèvement. Quelqu'un a secrètement rassemblé des informations et les a envoyées à Cecil par mail. Un profileur.

Sally plaqua les clichés sur sa poitrine d'un air protecteur.

— Non, dit-elle avec emphase.

Soudain, rester dans la même pièce que Sally m'était insupportable. Je me ruai vers la porte, l'ouvris à la volée et sortis. Le ciel s'était obscurci, et un vent violent balayait le parking, faisant virevolter des sacs-poubelle dans sa course folle. Le jour de sa mort, ma sœur avait contemplé par la fenêtre de sa chambre d'hôpital le même genre de tempête, et elle m'avait dit combien c'était beau. Je n'étais pas né avec l'optimisme de ma sœur et, aujourd'hui, je ne lisais que faiblesse et désespoir dans ces nuages meurtriers.

De la chambre, la voix de Sally me parvenait. Elle appela le département du shérif du comté d'Orange et demanda à parler à un agent en particulier.

Elle raconta à son interlocuteur les événements de ces deux dernières heures, puis lui donna le numéro de la chambre de Cecil et le nom de l'hôtel. Après avoir raccroché, elle sortit de la chambre et vint me prendre la main.

— Ça va ?

— Je survivrai.

— On est toujours amis ?

— J'espère bien.

— Vous êtes vraiment pénible parfois.

— Vraiment ?

— Oui. Comme la plupart des hommes.

— Moi qui pensais être spécial.

Sally m'entraîna à sa suite dans la réception.

A l'accueil, elle demanda de sa voix suave au gérant s'il voulait bien lui faire des copies des photographies. Une fois dehors, les copies dans la main, je la serrai dans mes bras.

— Maintenant, à vous de jouer, dit-elle.

31

Impossible de mettre la main sur Tram Dockery.

Tram m'avait dit que sa famille et lui étaient descendus dans un hôtel Disney. J'appelai le standard de la compagnie, et l'opératrice me mit en relation avec sa chambre. Comme personne ne répondait, elle reprit la ligne. Je lui demandai dans quel hôtel les Dockery se trouvaient, mais elle refusa de divulguer l'information.

Je décidai d'attendre le retour de Tram, même s'il était sans doute parti sans régler sa note pour regagner au plus vite son foyer de Géorgie. Après la journée qu'il avait vécue, ce serait compréhensible. Installé dans ma voiture, sur le parking de Sleep & Save, j'observai la tempête, qui avait pris des dimensions bibliques.

A l'étage, Sally avait fort à faire avec la police. Un agent la raccompagnerait ensuite à son bureau.

Les éclairs tonitruants et les bourrasques hurlantes faisaient trembler le sol. Buster se mit à gémir. L'obliger à rester dans une voiture pendant une tempête étant une torture, je gagnai la réception du motel.

— J'ai besoin d'une chambre pour quelques heures.

Le gérant haussa les sourcils, sceptique.

— Jusqu'à la fin de la tempête.

Il me fit un prix et je le payai d'avance.

Ensuite, j'allai libérer Buster et nous courûmes sous l'averse jusqu'à notre chambre.

C'était une version plus moderne de celle de Cecil, les tissus et le tapis ayant l'air plus vivants. Je m'allongeai sur le lit, Buster roulé en boule contre moi. C'était agréable d'être étendu sur un lit pendant une tempête, et, avant de m'en rendre compte, je m'étais profondément endormi.

Un coup de tonnerre me réveilla en sursaut. Le réveil numérique sur ma table de nuit indiquait 21 heures. Je pris mon téléphone et rappelai le standard de Disney. Toujours pas de réponse dans la chambre de Tram. J'hésitai à lui laisser un message, me demandant si lui parler des photographies ne risquait pas de lui ficher la frousse. Frustré, je raccrochai. J'allumai la télévision, qui n'avait que neuf chaînes, comme au bon vieux temps. Sur CNN, la mosaïque de vignettes convenait tout à fait à mon cerveau. En haut de l'écran, un encadré parlait de Skell et de sa libération prochaine. Leonard Snook, resplendissant dans son costume bleu et sa cravate jaune canari, se tenait sur les marches du tribunal du comté de Broward. Il pérorait d'un air triomphant en brandissant une liasse de documents. Si je ne l'avais pas mieux connu, j'aurais cru qu'il venait de vendre sa première voiture.

Vêtue de noir, Lorna Sue Mutter se tenait à ses côtés. Elle semblait heureuse d'assister au discours de Snook et le regardait d'une manière qui confirmait mes soupçons premiers : ces deux-là couchaient ensemble. J'augmentai le volume.

« Aujourd'hui, mon client, Simon Skell, a été exonéré des charges de meurtre au premier degré, déclara Snook à un bouquet de microphones. Justice a été faite.

— Votre client va-t-il poursuivre la police pour arrestation abusive ? demanda un journaliste.

— Pas de commentaire, répondit Snook.

— Et l'agent Jack Carpenter ? Votre client va-t-il le poursuivre ?

— Non, il ne le fera pas. »

Bien sûr que non ! Je n'avais pas un sou.

« Quand Simon Skell va-t-il sortir de prison ? demanda un autre journaliste.

— L'ordre de libération de mon client a été envoyé au directeur de Starke, répondit Snook. Avec un peu de chance, il agira vite.

— Skell sera-t-il libéré aujourd'hui ? »

Snook fronça les sourcils. Le directeur de Starke était un dur à cuire du nom d'Einbinder. Einbinder savait tout de Skell, grâce à votre serviteur. A mon sens, le directeur allait différer la libération de Skell afin de donner à la police plus de temps pour découvrir de nouvelles preuves.

« Cela ne dépend pas de moi », répondit Snook.

Un journaliste tendit un micro sous le nez de Lorna Sue.

« Vous avez parlé à votre mari récemment, madame ? »

Lorna Sue rayonnait.

« Oh oui ! J'ai parlé à Simon tout à l'heure. Il m'a demandé de remercier personnellement toutes les personnes qui ont prié pour lui. Il espère être bientôt un homme libre. »

Ma chaussure heurta l'écran. Par chance, sans causer de dégâts. Soudain, je remarquai un nouveau personnage. Derrière Lorna Sue se trouvait un homme qui portait des lunettes de soleil griffées et un diamant à l'oreille. Il s'agissait de Chase Winters, un producteur d'Hollywood jouissant d'une certaine réputation. Je connaissais Chase parce que j'avais failli lui vendre l'histoire de ma vie à l'époque où je manquais désespérément d'argent. Je pensais que c'était un type honnête, quand il m'annonça au cours d'un déjeuner qu'il allait prendre quelques « libertés artistiques » avec l'histoire. Lorsque je lui avais demandé d'être plus clair, Winters m'avait expliqué qu'il allait transformer toutes les victimes du Tueur de minuit en strip-teaseuses pour mieux vendre le film dans les pays étrangers. Au lieu de répondre à ses attentes, j'avais rompu le contrat. A le voir à présent auprès de Lorna

Sue, il avait trouvé une personne plus encline à adapter la vérité à sa convenance. La télévision éteinte, je rappelai le standard de Disney et demandai de nouveau la chambre de Tram Dockery. A mon grand soulagement, Tram répondit.

— C'est Jack, annonçai-je.

— Hé ! Jack, dit Tram avec enthousiasme. Comment ça va ?

— Pas très bien. Je dois vous parler.

Les Dockery étaient descendus au Wilderness Lodge, un hôtel situé en plein cœur d'une forêt, que traversaient des routes mal délimitées et faiblement éclairées.

Vingt minutes plus tard, je me garai devant l'établissement et laissai Buster renifler les arbres pendant que je passais l'entrée principale. Dessiné sur le modèle de l'Old Faithful, célèbre hôtel du parc national de Yellowstone, le bâtiment principal était la plus grande structure de bois construite de la main de l'homme, et chaque rondin massif s'imbriquait dans l'ensemble sans colle ni clou. Une femme habillée en cow-boy m'accueillit à la réception.

— Bonjour !

— Bonjour, vous avez un téléphone ?

Elle pointa du doigt un poste près de l'ascenseur et me tendit une brochure.

— Passez une bonne soirée.

J'appelai la chambre de Tram et lui demandai de me rejoindre dans le hall. Inquiet, il répondit qu'il arrivait tout de suite. Confortablement installé sur un énorme canapé de cuir, je parcourus la brochure que la réceptionniste m'avait donnée. Elle s'intitulait « Chasse aux Mickey cachés » et vantait la promotion spéciale réservée aux clients du Lodge. Huit images de Mickey Mouse étaient dissimulées dans les différentes chambres, huit autres dans le paysage. Chaque client qui trouvait les seize gagnait un prix. Je pensai à Shannon et me demandai combien elle en avait trouvé jusqu'ici.

— Salut, dit une voix.

Je me levai pour saluer Tram, qui se dirigeait vers moi. Il portait une chemise propre et s'était coiffé. Ne voulant pas le faire languir, je lui montrai les photographies trouvées dans la chambre de Cecil. Il faillit s'étrangler.

— Qui les a prises ?

— J'espérais que vous pourriez me le dire.

Il examina les photographies, puis secoua la tête.

— Je ne sais pas.

— Vous avez remarqué une voiture qui vous suivait ce matin ?

— Non, je ne m'en souviens pas.

— Avant de quitter le Lodge, quelqu'un vous a-t-il parlé dans le hall ? Ou dehors, avant que vous ne grimpiez dans votre véhicule ? Quelqu'un de bizarre ?

Le regard de Tram semblait vouloir transpercer la photographie. A l'évidence, il faisait des efforts désespérés pour se concentrer. Faire peur aux gens était généralement un bon stimulateur de mémoire. Je le conduisis près de la cheminée géante au centre de la pièce et lui posai la main sur l'épaule.

— Je pourrais jeter ces clichés au feu, mais ça ne changerait pas grand-chose.

— Que voulez-vous dire ?

— La police en a une copie. Elle va venir vous parler.

— Meeeeerde !

Il fit traîner le mot, comme s'il venait de glisser dedans.

— Alors, ma femme va apprendre que je buvais dans le pick-up avec ma fille ?

— J'en ai peur.

— Oh ! mon Dieu, je suis fichu.

Personne n'aimait les porteurs de mauvaises nouvelles. Tram me jeta un regard mauvais. Je me sentais mal pour lui. Il n'y avait pas de honte plus grande que de laisser tomber son enfant.

— J'ai une idée, dis-je.

Une lueur d'espoir brilla dans son regard.

— Dites à votre femme que vous n'avez bu qu'une bière. Puis que vous avez réalisé que vous faisiez une bêtise et que vous avez jeté le reste.

Tram réfléchit quelques instants.

— Ouais, ça pourrait marcher.

— Mais vous devrez vous excuser.

— Et admettre que j'ai eu tort.

— Oui.

Il étudia de nouveau les photographies.

— Où les avez-vous trouvées ?

— Dans la chambre du motel de l'homme qui a kidnappé votre fille. Quelqu'un les lui a envoyées sur son ordinateur avec une série d'informations sur vous, votre femme et votre fille.

— Comment un type a pu savoir tout ça ?

— C'est ce que j'aimerais découvrir. J'aimerais que vous reconstituiez votre matinée point par point, à partir du moment où vous avez mis votre fille dans votre voiture.

Les flammes illuminaient le visage de Tram, qui peinait à rassembler ses souvenirs.

— J'ai emmené Shannon chez McDonald's, j'ai acheté un pack de bières, j'ai roulé un moment, puis je suis revenu chercher Peggy Sue ici. Non, attendez. J'ai d'abord acheté le pack de bières ; après, je suis allé chez McDonald's.

Il leva le cliché et compta les bières intactes dans le pack.

— Ça y est, je sais où elles ont été prises.

— Vraiment ?

— Oui, monsieur. Dans la voie du drive-in de McDonald's.

— Vous en êtes sûr ?

— Oui. Vous connaissez l'expression : « La première bière est la meilleure » ? Eh bien, j'ai bu ma première bière dans la queue du drive-in en attendant ma commande.

Tram m'impressionnait de se rappeler ces détails et je fixai les flammes sans mot dire. Julie et Carmella Lopez étaient allées dans un McDonald's de Fort Lauderdale le matin de la disparition de Carmella. J'avais trouvé un autre lien.

— Ils ont dû m'écouter de l'intérieur du restaurant, continua Tram. J'ai appelé ma sœur sur son téléphone portable et lui ai raconté le programme de la journée.

— Vous pensez que quelqu'un vous a espionné par le biais de la boîte de commande ?

— Ouais. Je parie qu'ils m'ont photographié grâce à ce machin aussi. C'est sûrement comme ça qu'ils ont appris autant de trucs sur nous.

Je continuai de contempler les flammes. Quelque chose clochait dans l'explication de Tram. J'avais déjà vu des postes de prises de commandes à l'intérieur des McDonald's et ils se trouvaient généralement près des cuisines. Un employé ne pouvait espionner les voitures du drive-in sans attirer l'attention. Il me manquait toujours une pièce du puzzle, mais un petit passage chez McDonald's devrait répondre à mes questions.

— Merci. Vous m'avez été d'une grande aide.

— Pas de problème.

Je lui tendis la brochure.

— Votre fille connaît-elle ça ?

— Hé ! un peu, oui. Elle les a tous trouvés. Je parie que vous n'avez pas repéré celui qui est devant vous.

Je secouai la tête, et Tram pointa du doigt l'écran de métal qui recouvrait la cheminée. Une silhouette cachée de Mickey Mouse était dessinée dessus. Mickey nous faisait un signe de la main et, par réflexe, je hochai la tête.

Si j'avais appris quelque chose au cours de ma carrière de policier, c'était qu'il fallait chercher le bon comme le mauvais dans ce monde. Il était tout autour de nous, si vous y regardiez de près.

32

Tram me raccompagna jusqu'à l'entrée du Lodge. Je lui demandai l'adresse du McDonald's où il avait acheté son petit-déjeuner. Le restaurant se situait à Kissimmee, à un jet de pierre du motel Sleep & Save.

— Je voulais vous demander quelque chose, me dit Tram alors que je m'apprêtais à partir.

Je m'arrêtai pour l'écouter.

— Je ne connais pas votre nom de famille. Les habitants de Douglas voudront savoir qui vous êtes quand je leur raconterai toute l'histoire.

L'idée que ce gamin allait parler de moi me fit sourire.

— C'est Carpenter.

— Ça fonctionne.

J'hésitai à répondre, incertain de ce qu'il avait voulu dire.

— Carpenter[1] répare les dégâts, ajouta-t-il.

Je lui souris. J'en étais arrivé à la conclusion que ce n'était pas un criminel, simplement un gamin enclin à faire de mauvais choix, et j'espérais que cette expérience lui avait mis du plomb dans la tête.

Quand je quittai les lieux, un baiser mouillé me fit lever les yeux vers le ciel. Une autre tempête se préparait et j'at-

1. *Carpenter* signifie « menuisier » en français. (NDT)

teignis ma voiture juste avant l'averse. Buster était assis sur le siège passager, prêt à entamer sa journée.

Je trouvai le bulletin météo sur la radio. Une tempête faisait rage sur le golfe et il fallait s'attendre à plusieurs jours de pluie battante. C'était le prix à payer pour vivre sous les tropiques. En quittant le Lodge, je voyais à peine à deux mètres devant moi. En me garant devant le McDonald's de Kissimmee vingt minutes plus tard, je fus surpris de voir le fast-food fermer ses portes pour la nuit. A l'intérieur, un gamin noir passait la serpillière sur le sol. Je l'observai, mes cheveux gouttant par terre.

— On est fermés, déclara le gamin.

— La pancarte indique *Ouvert 24 heures sur 24.*

— Je dois passer la serpillière, expliqua-t-il, et je ne voudrais pas qu'un client glisse sur le sol mouillé. Après, il va nous coller un procès sur le dos.

— Quand ouvrez-vous de nouveau ?

— Dès que le manager de nuit sera là.

— Et il arrive à quelle heure ?

Le gamin ricana, ce qui voulait dire que le manager pointerait le bout de son nez quand cela lui chanterait.

— J'ai besoin de votre aide, lui dis-je.

Le gamin posa son menton sur son manche à balai et m'observa d'un air pensif. Il devait avoir environ dix-sept ans, mais son regard était celui d'un homme plus mûr. Son badge indiquait qu'il s'appelait Jérôme.

— Dites toujours.

— Je voudrais vous poser quelques questions. Je fais des recherches pour Disney. A propos d'une petite fille qui a été enlevée ce matin au Royaume magique.

Jérôme me jaugea de la tête aux pieds. Il ferait un excellent joueur de poker, me dis-je, car j'étais incapable de deviner le fond de ses pensées.

— Ne le prenez pas mal, mais vous travaillez *vraiment* pour Disney ?

Il me fallut quelques secondes pour comprendre le sens de ses paroles. Disney n'autorisait pas ses employés à avoir les cheveux longs, ni des vêtements crasseux. Or, j'avais les deux. Je pris la carte de visite du Département du comté de Broward dans mon portefeuille et la fourrai dans la main de Jérôme. Comme son expression faciale ne changeait pas d'un iota, je lui montrai mon permis de conduire. Il étudia les noms sur les deux documents et me les rendit.

— Que voulez-vous ?

— J'ai besoin de voir l'ordinateur qui prend les commandes des clients de votre drive-in.

— Pas de problème. Vous voulez bien enlever vos chaussures ? Je n'ai pas envie de recommencer.

Je me déchaussai, le cœur battant. Mon rythme cardiaque s'était accéléré à mesure que je courais sur la piste. La ligne d'arrivée était en vue, mon marathon s'achevait.

Je suivis Jérôme derrière le comptoir jusqu'au poste de livraison des commandes. La pièce minuscule était équipée d'un ordinateur, un écran plat et un microphone pour parler aux clients. Un élément était absent du tableau, ce qui me fit frissonner.

— Où est l'imprimante ? demandai-je.

— Il n'y en a pas, répondit Jérôme.

— Comment imprimez-vous les commandes des clients ?

— On ne le fait pas. Tout est informatisé et apparaît sur l'écran. La seule chose qui est imprimée, c'est le reçu pour le client.

Paniqué, j'extirpai les photos de ma poche. Jérôme les examina une à une, avec l'air concerné de quelqu'un qui voudrait vraiment être utile. Voilà sans doute la raison pour laquelle ses paroles m'anéantirent.

— Désolé, ces photographies ne viennent pas d'ici.

— Mais elles ont été prises par quelqu'un qui se trouvait dans l'allée du drive-in.

— Peut-être, mais il n'y a rien ici pour les imprimer. Et

même si c'était possible, aucun manager ne le permettrait... Maintenant, si vous voulez bien m'excuser, je dois terminer mon travail.

La course était terminée. J'avais fait une sortie de route.

Assis dans la pénombre suffocante de ma voiture, j'écoutai le clapotis de la pluie.

Un peu plus loin sur la route, leurs lumières clignotantes donnant à la nuit une teinte d'un rose triste, deux voitures de police et une ambulance étaient postées à une intersection, où s'était produite une collision. Des gens étaient blessés et des urgentistes s'affairaient auprès des deux chauffeurs. Je serais allé les aider si cela avait pu leur être utile. Mais je n'aurais fait que les gêner dans leur travail.

Buster posa sa tête sur mes genoux et se mit à ronfler. Je décidai de retourner sur le Florida Turnpike et de prendre la direction du nord, vers la prison de Starke. Je devais être là lors de la libération de Skell. Pour lui faire comprendre qu'il n'avait pas encore gagné. Ma présence était le seul moyen de lui faire passer le message.

Mon téléphone portable sonna. Si seulement c'était Ken Linderman ou Scott Saunders avec de bonnes nouvelles ! me dis-je. M'emparant du téléphone fixé au tableau de bord, je scrutai l'écran. Melinda. Je répondis si rapidement que Buster fut tiré de sa torpeur.

Personne au bout du fil.

— Melinda, tu es là ?

En bruit de fond, Mick Jagger chantait le refrain de la version live de *Midnight Rambler :* « Non, ne faites pas cela ! Non, ne faites pas cela ! »

— Jack, murmura Melinda.

— Je suis là.

— Aide-moi.

Le tonnerre gronda juste au-dessus de ma voiture. Je pressai le téléphone contre mon oreille.

— Dis-moi où tu es et je viendrai te chercher.

— Je suis enfermée dans un placard, dans la maison d'un satané Cubain. J'ai réussi à sortir mon téléphone de mon sac à main avec mes pieds. Tu dois m'aider.

— C'est pour ça que tu ne voulais pas que je te rappelle ?

— Oui.

— C'est le Cubain qui t'a kidnappée dans ton appartement ?

— Oui. Ils étaient deux.

— De quoi il a l'air ?

— Aucune idée.

— Réfléchis ? Est-ce qu'il a la joue balafrée ?

— Oui.

— Sais-tu où se trouve cette maison ?

— Quelque part à l'ouest de Broward. Viens me chercher, Jack.

— Je vais essayer. Fais tout ce qu'ils te demandent, d'accord ?

— Je suis désolée pour ce que j'ai dit à la radio. Ils m'ont forcée à le faire. J'ai crié plusieurs fois, mais ils ont coupé ces passages.

— Ce n'est rien, Melinda. Ce n'est rien.

— Tu es sûr ?

— Bien sûr que oui.

— Ce type a dit qu'il allait me tuer.

— Il t'a dit ça ?

— Oui. Mais il a dit qu'il attendait.

— Il a dit pourquoi ?

— Il veut attendre le retour de Skell. Skell veut être là pour me voir mourir.

Je pris conscience de la portée de ces paroles. Melinda serait maintenue en vie jusqu'à la libération de Skell et son retour à Fort Lauderdale. Je pouvais encore la sauver.

— Tu as une idée de l'endroit où tu es retenue captive ?

— La maison d'un type basané.

— Tu connais l'adresse ? Le nom de la rue ?
— *Non. Tu veux bien faire quelque chose pour moi ?*
— Bien sûr. Tout ce que tu veux.
— *Donne à manger à Razz.*
— Qui est-ce ?
— *Mon chat. Je ne veux pas qu'il meure.*
— Je suis allé dans ton appartement hier. Je lui ai donné un bol de nourriture.
— *Merci.*
Le volume s'amplifia et le quatrième changement de tempo de la chanson s'opéra, accélérant le rythme de la mélodie qui martelait mon cerveau comme un train en marche. Melinda se mit à gémir. Je cherchai quelque chose de positif à dire, mais ne trouvai rien. Enfin, la chanson se termina.
— *Jack, tu es toujours là ?*
— Oui, Melinda.
— *Je dois te dire quelque chose.*
— Je t'écoute.
— *Je t'aime.*
Ne sachant que répondre à ces paroles, je fermai les yeux.
— *Jack ?*
— Oui, Melinda.
— *Tu m'aimes ?*
Peut-être ne la reverrais-je jamais. Elle le savait, et moi aussi.
— Dis-le, s'il te plaît.
— *Je t'aime, Melinda.*
— Je le savais.
J'entendis trois bips brefs. Melinda poussa un cri.
— *Ma batterie est presque morte !*
Je voulus lui dire de rester forte, mais je parlais dans le vide.

33

J'enfouis ma tête dans mes mains. L'image de Melinda piégée dans le placard d'un tueur me brisait le cœur. C'était moi qui l'avais entraînée dans ce bourbier et il était de ma responsabilité de l'en sortir.

Seulement, je ne savais pas comment.

L'horloge de mon tableau de bord indiquait 23 heures. Je décidai d'appeler Scott Saunders à Tampa pour voir si le FBI, en comparant son visage à ceux de la base de données des prédateurs sexuels fichés, avait réussi à identifier le ravisseur hispanique du gang. Si le FBI trouvait son nom, je pourrais le traquer et sauver Melinda. Il y avait peu d'espoir, mais je n'avais pas d'autre idée.

J'appelai Saunders sur son téléphone portable et tombai sur sa messagerie. Je lui expliquai mon dilemme et laissai mon numéro. Puis je refermai mon téléphone et attendis son appel. Plusieurs voitures se garèrent sur le parking. Trois adolescents vêtus d'uniformes au logo McDonald's entrèrent dans le restaurant. Puis un coupé Acura arriva à son tour, et un type aux cheveux hérissés avec une cravate se précipita à l'intérieur. L'équipe de nuit était en place.

Mon estomac émit un gargouillis. Je n'avais pas dîné. Pire, je n'avais pas nourri mon chien. Je jetai un coup d'œil à Buster, qui frétillait de la queue.

J'empruntai la voie du drive-in et me retrouvai face à un menu avec un choix bien trop grand. Baissant ma vitre, je m'adressai à la boîte de commande.

— Bonjour.

— Bienvenue chez McDonald's, dit une voix féminine aiguë à travers la boîte. Voulez-vous tester notre dîner combo ?

— Qu'est-ce que c'est ?

— Un Bic Mac, un double cheeseburger au bacon, une portion de frites moyenne et un soda pour 4,99 $.

— J'en prends deux. Laissez tomber les sodas et donnez-moi un grand café à la place.

— Voulez-vous un sundae avec ?

— Non, merci.

— Ils sont très bons.

Elle était trop avenante ; aussi fis-je la grimace devant la boîte.

— Cela fera 10,70 dollars. Vous payez en liquide ou par carte bleue ?

— En liquide.

— Avancez, s'il vous plaît. Merci d'avoir choisi McDonald's.

Je contournai le bâtiment et en profitai pour examiner l'extérieur du restaurant, cherchant un endroit où quelqu'un pourrait se cacher avec un appareil photo et prendre discrètement des clichés des clients.

Hélas, aucune cachette en vue. Le restaurant se situait sur une petite portion de terre plane en bordure d'autoroute. Il n'y avait ni buissons, ni arbres, ni conteneurs où se dissimuler. De nouveau, j'étais dans une impasse.

Je continuai mon parcours jusqu'au point de livraison des commandes. Le type à la cravate fit glisser la vitre coulissante. Son badge indiquait qu'il était le manager de nuit.

— Bonsoir, dit-il. Deux dîners spéciaux et un grand café. Soit 10,70 dollars.

Je lui tendis un billet de vingt.

Il entra la transaction dans l'ordinateur. Derrière lui, un type en uniforme se tenait au comptoir tandis que deux autres personnes préparaient ma commande dans les cuisines. Une mécanique parfaitement huilée, où chaque employé accomplissait sa tâche avec efficacité. Pourtant, quelque chose me semblait bizarre. Pendant que le manager comptait ma monnaie, je compris de quoi il s'agissait.

— Où est la fille qui a pris ma commande ? demandai-je.

— Quelle fille ?

— La charmante jeune fille qui a pris ma commande il y a une minute. Où est-elle ?

— Elle ne travaille pas ici.

Les paroles du manager firent lentement leur chemin dans mon cerveau.

— Elle n'est pas là ?

— Elle est dans un autre Etat, il me semble.

Le manager fixait son écran, m'incitant à passer la tête par la fenêtre. Un petit auvent au-dessus de la fenêtre me protégeait de la pluie.

— Comment ça fonctionne ?

— Nous employons un centre d'appel pour prendre les commandes. Ça accélère le processus et ça m'évite d'avoir un employé de plus à gérer.

Le manager me tendit le sachet contenant ma commande. Comme il n'y avait personne derrière moi, je fis semblant de vérifier le contenu du sachet.

— Comment cette personne dans un autre Etat vous envoie-t-elle les commandes ?

Il désigna son écran d'ordinateur. Le même que celui que Jérôme m'avait montré plus tôt.

— La fille du centre d'appel prend votre commande et fait un cliché de vous. Elle me les envoie par mail pour que je puisse associer les visages aux commandes.

— Comment fait-elle pour prendre une photo ?

— Il y a une caméra cachée dans la boîte de commande.

— Vous avez une photo de moi sous les yeux en ce moment ?

Le gérant acquiesça.

— Qu'allez-vous en faire ?

— Les effacer. Quoi d'autre ?

— Je peux les voir ?

Sans lui laisser le temps de répondre, je me penchai et rampai pratiquement par la fenêtre jusqu'à lui. Sur son écran était affichée une mosaïque de quatre photographies en noir et blanc. Trois d'entre elles nous représentaient, Buster et moi, quelques instants plus tôt dans le drive-in. Sur l'une d'elles, Buster léchait ses parties génitales. Une autre me représentait en train de faire la grimace devant la boîte. La quatrième était une vue de l'arrière de la Legend, avec le numéro de ma plaque d'immatriculation bien lisible. Je repris ma place, au grand soulagement du gérant.

— J'ai une dernière question.

A bout de patience, il ne répondit pas.

— Combien de McDonald's fonctionnent ainsi ? Je possède un restaurant et j'aimerais bien faire installer ce système.

— La majorité d'entre eux.

— A Orlando ?

— Dans tout le pays.

Sur le parking du fast-food, je sirotai mon café en regardant la pluie battre mon pare-brise. J'avais finalement donné à Buster les deux repas, et mon fidèle compagnon avait mis de la nourriture un peu partout sur le siège passager. D'habitude, je ne le laissais pas faire, mais à cet instant, je m'en moquais éperdument.

J'avais trouvé le quatrième homme du gang de Skell, le type aux cheveux blonds que j'avais étiqueté comme le collecteur d'informations et profileur.

Oui, je l'avais trouvé.

L'homme blond dirigeait un centre d'appel pour les McDonald's de Floride. Chaque jour, ses opérateurs parlaient avec des dizaines de clients qui voulaient passer une commande. Comme ces gens ne se savaient pas épiés, ils baissaient la garde, exactement comme moi quelques minutes plus tôt. Ils disaient des choses qu'ils ne diraient jamais s'ils se savaient surveillés.

Pourtant, ils étaient surveillés. Par le type aux cheveux blonds. Assis dans l'intimité de son bureau, devant son ordinateur, il étudiait les photographies électroniques tout en épiant les conversations. Il disait à ses employés que c'était pour le contrôle qualité, alors qu'en réalité, il cherchait ses prochaines victimes.

Mais pas n'importe quelles victimes. Comme tous les prédateurs, il traquait les personnes faibles et sans défense. Et quand il trouvait une jeune femme correspondant à ce profil, il envoyait les données, les photographies et le numéro de la plaque d'immatriculation aux autres membres du gang, qui préparaient son enlèvement.

Je repensai à Carmella Lopez. Sa sœur et elle étaient passées chez McDonald's le matin de la disparition de Carmella. Qu'est-ce qu'elle avait bien pu faire dans sa voiture qui ait signé sa fin ? Peut-être avait-elle passé un appel à un client pour un « massage ». Ou bien elle avait fait une confidence à Julie. Toujours est-il qu'elle ignorait qu'elle était écoutée. Et maintenant, elle était morte.

Je nettoyai le chantier semé par Buster et mis tous les déchets dans un sac. Puis je fis le tour du restaurant et empruntai de nouveau le drive-in. Comme il n'y avait pas d'autres voitures, je m'approchai de la boîte de commande et baissai ma vitre.

— Bienvenue chez McDonald's, dit une fille à la voix nasillarde. Aimeriez-vous commander notre dîner combo ?

— Donnez-moi simplement un grand café.

— Vous voulez un sundae avec ?

— Non, merci. Puis-je vous poser une question ?

La fille hésita.

— C'est personnel ?

— Non, c'est professionnel.

— Oh ! d'accord, allez-y.

— Je possède quelques fast-foods à Tampa et je voudrais embaucher une compagnie comme la vôtre pour gérer les commandes.

— Pas possible ? J'ai grandi à Tampa. Comment s'appellent vos restaurants ?

Il fallait réfléchir vite. Je ne voulais pas lui donner le nom d'une chaîne de fast-food avec qui sa compagnie travaillait peut-être déjà. Près de l'appartement de ma femme se trouvait un snack que je n'avais vu qu'à Tampa.

— Checkers, répondis-je.

— Vraiment ? J'adore leurs frites épicées, ce sont les meilleures.

— Merci. Alors, puis-je vous embaucher ?

La fille gloussa.

— Vous allez devoir vous adresser au patron.

— Qui est-ce ?

— Paul Coffen. Il possède la société.

— C'est votre responsable ?

— Oui.

— C'est une grosse société ?

— Eh bien, Paul a quatre-vingts employés.

J'hésitai. Je devais être absolument certain qu'il s'agissait de la bonne personne.

— Vous savez, je crois que j'ai rencontré votre patron lors d'une convention sur la restauration rapide. Il a la cinquantaine, cheveux blonds et aime les bijoux de prix ?

— C'est bien lui.

— Parfait. Quand pourrais-je lui parler ?

— D'habitude, Paul travaille tard, mais aujourd'hui il est rentré tôt.

Mon sang se figea dans mes veines. Il ne m'était pas venu à l'esprit que son patron pouvait être au bureau, en train de m'espionner.

— Quel est le nom de votre société ?

— Trojan Communications.

— Où êtes-vous situés ?

— A Fort Lauderdale. Vous allez vraiment nous embaucher ? Paul me donnerait un bonus. Il adore qu'on lui apporte de nouveaux clients.

Pour sûr, pensai-je.

— Comment vous appelez-vous ?

— Sherry Collins.

— Je n'oublierai pas de citer votre nom, Sherry.

Sherry me donna le numéro de téléphone et l'adresse de la société, que j'écrivis sur un morceau de papier. Trojan Communications se trouvait dans le centre-ville de Fort Lauderdale, à un pâté de maisons du luxueux Las Olas Boulevard. Les loyers s'étaient envolés, de sorte que c'était désormais l'un des quartiers les plus onéreux de la ville. Donc, la société de Coffen se portait bien.

Encore une pièce du puzzle que je n'avais jusqu'ici pas assemblée. Les opérations criminelles coûtaient cher et je me demandais qui les finançait. Maintenant, je le savais.

Je remerciai Sherry et m'avançai vers le point de livraison des commandes. Le manager de nuit était toujours là et me jeta un regard soupçonneux.

— Déjà de retour ? dit-il.

Je lui tendis mon argent.

— Pour le café.

34

Sous une pluie battante, je quittai le McDonald's et pris la direction de l'est jusqu'à l'entrée du Florida Turnpike. Au péage, je fis une halte.

Sirotant mon café, je réfléchis rapidement aux nouveaux éléments en ma possession. Pour la première fois depuis mon enquête sur les assassinats du Tueur de minuit, j'avais le nom et l'adresse d'un homme lié à Simon Skell et je comptais bien en tirer avantage.

Il était temps d'appeler Ken Linderman et de lui raconter tout ce que je savais. C'était le seul représentant de l'ordre en qui je pouvais avoir confiance. Linderman avait emménagé en Floride parce qu'il pensait que Skell était responsable de la disparition de sa fille ; il était donc aussi désireux que moi de voir le gang de Skell derrière les barreaux. Prenant sa carte de visite, je composai son numéro. Il répondit à la première sonnerie.

— Ici Jack Carpenter. Je vous réveille ?

— Pas du tout. J'allais justement vous appeler.

De la part de n'importe qui d'autre, je n'aurais pas cru à cette réponse, mais Linderman ne mentait pas.

— Le FBI a identifié l'Hispanique de la photo grâce à la base de données du Centre national des enfants disparus et exploités, continua-t-il. C'est un prédateur sexuel connu de nos services du nom d'Ajony Perez, aussi appelé Jonny Perez. Il a passé trois ans dans la prison Krome de Miami pour enlèvement et viol d'une adolescente de quatorze ans. Puis il est sorti et a disparu de la circulation. De plus, il a un frère nommé Paco, qui est aussi fiché.

— Prédateur ?

— Oui. Donc, votre théorie à propos du partenaire de Perez tient la route.

— Une chance de les retrouver, d'après vous ?

— Nous avons contacté la compagnie du câble de Fort Lauderdale. Ils sont sur le coup. Tous deux travaillent pour un sous-traitant. Ils n'ont ni adresse ni numéro de téléphone connus.

— Vous avez contacté la police de Broward ?

— Je viens de leur parler. Je leur ai envoyé par mail les photographies et les profils des frères Perez pour qu'ils lancent une recherche immédiate. Je vais aussi appeler le Département des forces de l'ordre de Floride pour les alerter.

Les nouvelles de Linderman n'étaient pas extraordinaires, mais je m'efforçai de voir le bon côté des choses. Avoir lancé la police de Broward, le Département des forces de l'ordre de Floride et le FBI aux trousses des frères Perez était déjà beaucoup.

— Moi aussi j'ai des nouvelles fraîches. Jonny Perez a séquestré Melinda Peters dans une maison des quartiers ouest de Broward. Il projette de la tuer dès que Skell aura été libéré de prison et les aura rejoints.

Un silence accueillit ma déclaration. Linderman analysait ces informations, chose que je faisais aussi quand je traitais des affaires délicates.

— Comment le savez-vous ? finit-il par dire.

— Melinda vient de m'appeler.

— Elle vous a appelé ?

— Exact. Elle a les poignets liés et est enfermée dans un placard chez Jonny Perez. Malgré tout, elle a réussi à prendre son téléphone dans son sac à main. La ligne a été coupée pendant que nous parlions.

— Qu'allez-vous faire ?

— La sauver.

Un autre silence, plus bref cette fois.

— Comment comptez-vous vous y prendre, Jack ?

J'ai localisé le type aux cheveux blonds de la photo. Le profileur. Il possède une société de centre d'appel à Fort Lauderdale qui gère les commandes des McDonald's de l'Etat. Voilà comment il trouve les victimes du gang. Je vais lui rendre une petite visite et l'obliger à me dire où est Melinda.

— Mais *comment* le faire parler ?

Je ne dis mot, ce qui parut éloquent à Linderman.

— Jack, vous vous lancez sur une voie dangereuse.

Je n'avais pas l'intention d'argumenter avec lui sur ce sujet.

— Vous venez avec moi ?

La respiration de l'agent s'était altérée. A dire vrai, il n'y avait pas d'alternative. Si le FBI ou la police l'arrêtait, Paul Coffen embaucherait un avocat et se défilerait. Et nous ne saurions jamais où Melinda était séquestrée, ce qui revenait à signer son arrêt de mort.

J'entendis Linderman se lever de sa chaise et se mettre à déambuler. Je l'imaginais faire les cent pas, le téléphone pressé contre l'oreille pendant qu'il sondait sa conscience. J'avais fait la même chose des dizaines de fois quand j'étais flic. Tous les flics le font.

— Très bien, Jack, dit-il. On va procéder à votre manière. Quel est votre plan ?

— Je suis à Orlando et je ne vais pas tarder à me mettre en route pour Fort Lauderdale. Je vous appellerai à mon arrivée et nous nous retrouvons au bureau du type.

— Vous allez me donner le nom de cet homme ?

— Pas avant demain.

Un autre silence, troublé par la respiration lourde de Linderman.

— Vous comptez faire usage de la force pour délier la langue de cet individu ?

— Vous avez une autre suggestion ?

Il ne répondit pas.

— J'ai aussi une requête.

— Qu'est-ce que c'est ?

— Je veux que vous envoyiez vos meilleurs agents à Starke pour couvrir la libération de Skell.

— C'est déjà fait. L'agent spécial Saunders et son partenaire sont à Starke en ce moment même. Ils pisteront Skell à la seconde où il franchira les grilles de la prison.

J'observai les voitures passer le péage devant moi. Le FBI avait une haute opinion de lui-même. Mais quand il s'agissait de manipulation, Skell était bien plus rusé. Deux agents du FBI ne pouvaient efficacement lui filer le train, même s'ils étaient parfaitement entraînés.

— Ce n'est pas suffisant, répondis-je.

— Pardon ?

— Deux agents pour Skell, ce n'est pas suffisant, répétai-je, haussant le ton. Ce type est un planificateur méticuleux. Ça fait six mois qu'il prépare le jour de sa sortie et vous pouvez être sûr qu'il a pris toutes ces données en considération.

— Comment pouvez-vous en être certain ? demanda Linderman.

Je bus une gorgée de café. La réponse était simple.

— Je le sais.

— Je vais appeler Saunders et lui suggérer d'ajouter une autre équipe.

— Quatre agents au total ?

— Voilà.

— Mettez-en six.

— Pardon ?

— Six agents. Trois équipes de deux, affectées à la surveillance de Skell par tranches de quatre heures, pour qu'ils soient toujours en alerte.

— C'est trop, Jack. Vous ne pouvez pas dicter sa conduite au FBI.

— Si vous ne le faites pas, je ne vous appellerai pas demain quand j'arriverai à Fort Lauderdale.

— Vous essayez de me faire chanter ?

— Appelez ça comme vous voulez, c'est le deal.

J'entendis Linderman frapper dans quelque chose et jurer.

— Vous n'êtes pas raisonnable. Le Bureau est tout à fait conscient de la menace que Skell représente. Venez à Fort Lauderdale et je vous aiderai à retrouver Melinda Peters. En attendant, cessez de vous inquiéter pour Skell.

Son ton péremptoire aurait dû m'arrêter. Mais rien n'y faisait.

— Je veux six agents pour surveiller Skell, et je ne céderai pas. Voilà le marché, à prendre ou à laisser.

— Qu'est-ce qui vous prend ? répondit Linderman avec aigreur.

— Je vais raccrocher.

L'agent du FBI poussa un soupir exaspéré.

— Très bien, Jack. Vous avez gagné. Six agents, vous avez ma parole.

— Je vous appelle à mon arrivée.

Linderman raccrocha si brutalement que je n'eus pas le temps de lui dire au revoir. Il était furieux, mais il s'en remettrait.

Au péage, je pris la route de Fort Lauderdale sous une averse cinglante.

Quatrième partie

Dia de los Muertos

35

L'averse se mua en une bruine fine au niveau de la sortie de Vero Beach. L'autoroute bourdonnait de véhicules qui faisaient gicler des gerbes d'eau dans un ballet aquatique dangereux et hypnotique. Je me postai sur la voie de droite et calai ma vitesse à 80 kilomètres/heure. J'aurais voulu forcer l'allure, mais la route était trop glissante. Si je ne rencontrais pas de difficultés, je serais chez moi aux alentours de 5 heures du matin.

J'avais parcouru cette portion de route tant de fois que je connaissais chaque point de repère. L'un des plus importants était le centre commercial à dix kilomètres au sud de Vero. Parvenu à sa hauteur, je quittai enfin la zone morte que je traversais depuis Kissimmee, et mon téléphone revint à la vie.

Une minute plus tard, ma messagerie bipa. Deux messages m'attendaient.

Le premier était de Rose. Ma femme était allongée dans son lit et m'appelait pour me dire combien elle m'aimait. J'avais oublié le puissant impact de ces trois mots sur moi et je réécoutai le message plusieurs fois avant de l'éteindre.

Le second message provenait de Jessie, qui m'avait appelé juste après ma femme. Au ton exubérant de sa voix, elle avait appris notre réconciliation par Rose.

Quand ma fille était heureuse, elle parlait à toute vitesse, et son message s'interrompit en plein milieu d'une phrase. Je l'écoutai une seconde fois, puis l'effaçai également.

En atteignant la sortie Stuart, cinquante minutes plus tard, j'hésitai à rappeler ma femme et ma fille. Toutes deux étaient des lève-tôt et rien ne m'aurait fait plus plaisir que d'entendre le son de leurs voix guillerettes pour commencer ma journée.

Pourtant, j'y renonçai. Si je les appelais, ma femme et ma fille percevraient mon appréhension et comprendraient que quelque chose n'allait pas.

Pour être honnête, je préférais ne pas entendre le son de ma propre voix, car je risquais de me rendre compte combien j'avais peur de la suite des événements.

Aussi mis-je la cassette de Tom Petty & The Heartbreakers. D'habitude, leurs paroles sarcastiques me mettaient de bonne humeur et je fredonnais le refrain en pianotant sur le volant.

Mais la magie n'opérait pas cette fois-ci, et je fixai la route battue par la pluie, kilomètre après kilomètre.

Peu après 5 heures, j'arrivai chez Tugboat Louie's. Un camion de livraison de bière attendait devant l'entrée, et je me rangeai à côté. Kumar m'avait dit un jour qu'il faisait confiance à ses employés, sauf quand il était question d'argent ou d'alcool. Une charmante manière de dire qu'il ne leur faisait pas confiance du tout. Je le trouvai au bar, en train de compter les caisses de bière.

— Bonjour, Jack ! Comment vas-tu ? Je n'ai pas l'habitude de te voir de si bonne heure. Que dirais-tu d'une bonne tasse de café ?

— Avec plaisir.

— Tu veux manger un morceau ?

— Non, je suis juste passé prendre quelque chose.

— D'accord, bonne journée alors.

Gagnant mon repaire, je déverrouillai le tiroir central de mon bureau et l'ouvris. Il contenait mon badge de policier, que le département ne m'avait jamais demandé de rendre, une boîte de balles 380 en cuivre, un étui de poche et mon pistolet préféré, un Colt 1908 Pocket Hammerless, la meilleure arme du monde.

Je pris le pistolet et le nettoyai. Le Colt 1908 était un sept coups à la crosse de style européen. Il se nichait aisément dans ma poche sans me gêner.

Cette arme ne m'avait pas quitté pendant seize ans. A certains moments, elle avait été le seul rempart entre le tueur et moi. Jamais elle ne m'avait fait défaut.

Le colt prit sa place dans son étui, qui se coula dans la poche droite de mon pantalon. L'étui avait été fabriqué artisanalement par un ancien flic de la police de Los Angeles du nom de Robert Mika, dans un matériau résistant à l'eau, qui conservait l'arme au sec. Résultat : l'arme n'adhérait jamais à l'étui à cause de la transpiration, me permettant de la dégainer en un clin d'œil.

Je pris aussi la boîte de balles. Roulé en boule à mes pieds, Buster ne bougea pas un muscle.

Il n'avait jamais aimé les armes à feu et aurait fait un très mauvais chien de chasse.

— Tu veux aller faire un tour ?

Buster ne broncha pas. Je compris le message et sortis sans lui. Je marchai auprès des docks le long du bar. Le ciel s'était éclairci, et une flopée de mouettes décrivait paresseusement des cercles au-dessus de ma tête. Ma destination était un hangar où les gens louaient un emplacement pour leur bateau. Le bâtiment se trouvait à cent mètres du bar. Dans ma poche, le colt me rassurait. Comment avais-je pu m'en passer aussi longtemps ? Peut-être était-ce dû à mon départ de la police. Ou alors, je craignais de l'utiliser à mauvais escient et de continuer à gâcher ma vie. Derrière le hangar se trouvait une clairière où les employés de Kumar venaient durant leur pause pour fumer une cigarette et discuter. Au centre de la clairière, une poubelle rouillée débordait de détritus. En fouillant dans la poubelle, je dénichai une brique de lait vide, en arrachai le haut et la lestai de cailloux.

Sur la boîte en carton était imprimée la photographie d'un garçon disparu du nom de Mitchell Thompson. Il avait des fossettes et un adorable sourire.

La dernière fois qu'il avait été vu, c'était à Boise, dans l'Idaho, deux ans auparavant.

Sur l'autre face de la brique de lait, une image de son ravisseur. Je lus le nom du kidnappeur pour voir s'il était apparenté à l'enfant. Mais l'homme n'était pas identifié. Un visage anonyme de plus qui avait volé un enfant.

Je posai la boîte en carton sur une souche d'arbre et la positionnai de façon à avoir le visage du ravisseur face à moi. Le simple fait de le regarder me faisait bouillir. Puis je reculai de dix grands pas.

Durant plusieurs minutes, je m'entraînai à dégainer. La clairière était pleine de moustiques, que j'étais obligé de balayer de la main. Une distraction nécessaire, car les conditions n'étaient jamais idéales pour faire usage de son arme. Tout était question d'adaptation.

Puis je chargeai mon arme et visai la boîte. Les gens pensent que tirer au pistolet est un jeu d'enfant, alors qu'en réalité, c'est très difficile. Je maintins l'arme à deux mains devant moi et fléchis légèrement les genoux.

C'était ce qu'on appelait la position Weaver, considérée comme la plus efficace pour tenir une arme.

J'appuyai sur la détente jusqu'à ce que mon arme soit vide. Mes tirs étaient mauvais. Je n'avais jamais été un grand tireur et, avec le temps, ma technique ne s'était pas améliorée. Pour chaque balle qui frappait la boîte, deux manquaient leur cible.

Je continuai à m'entraîner jusqu'à ce que chaque tir atteigne sa cible.

Entendant un bruissement de feuilles, je baissai le canon de mon arme, puis regardai par-dessus mon épaule. Kumar venait d'entrer dans la clairière.

— Jack, comment peux-tu respirer ici ? demanda-t-il.

L'air était dense, chargé de poudre. Je ramassai les cartouches vides éparpillées par terre et les jetai dans la boîte en carton. Il ne me restait plus qu'une poignée de balles. Je les glissai dans ma poche et quittai la clairière, Kumar à mes côtés. Nous regagnâmes le bar.

— Qu'est-ce qui ne va pas, Jack ?

— Rien.

— Un homme ne s'entraîne pas à tirer au pistolet sans raison. Dis-moi quel est le problème et j'essayerai de t'aider.

Le soleil était apparu à l'horizon, et une nouvelle journée commençait. Je voulus mettre Kumar dans la confidence, puis me ravisai. Cela ne ferait que le déprimer. Et il ne pouvait rien faire pour arranger les choses.

— Qui a dit que je m'entraînais au tir ?

— S'il te plaît, ne joue pas avec moi, répliqua Kumar. Je suis allé dans mon bureau pour faire un peu de paperasse. J'ai ouvert la fenêtre et je t'ai entendu tirer avec ton arme. Au moins quatre-vingts coups de feu. On ne tire pas autant de fois, à moins de se préparer à un affrontement armé. Tu comptes tuer quelqu'un ?

Les paroles de Kumar eurent un puissant effet sur moi, tant il avait vu juste. Paul Coffen, Neil Bash et Jonny Perez n'étaient pas seulement des meurtriers. Ils étaient mes ennemis mortels et je les tuerais si j'y étais obligé, de même qu'eux n'hésiteraient pas à me descendre si l'occasion se présentait. Comme le dirait n'importe quel flic : la première règle dans un affrontement armé, c'était de porter une arme.

— Possible, dis-je.

— Cette personne est un criminel ?

Je hochai la tête.

— Tu as peur ? demanda Kumar.

— Je mentirais si je te répondais non.

Lorsque nous fûmes parvenus au bar, je posai la main sur la porte, puis me retournai pour étudier le visage de mon ami. Ses yeux étaient grands ouverts.

En eux, je lus ma propre peur. La peur était un cadeau si vous l'écoutiez, et je palpai l'arme encore chaude au creux de ma poche.

— Ça va aller, répondis-je.

Et si on te tire dessus ? Si tu es tué ?

— Mieux vaut ne pas penser au pire.

— Mais si ça arrive ?

Je n'avais pas réfléchi à cela. Pourtant, c'était une éventualité. Je n'avais aucun objet de valeur à léguer. Si je mourais, toutes mes possessions terrestres finiraient dans une benne à ordures. Toutes sauf une.

— S'il m'arrive quelque chose, j'aimerais que tu prennes soin de Buster.

— Vraiment ?

— Oui, il t'aime bien.

On aurait dit que Kumar allait se mettre à pleurer. Mais il me prit dans ses bras et me serra contre lui.

— Dieu te garde, murmura-t-il à mon oreille.

36

Las Olas Boulevard était le Rodeo Drive de Fort Lauderdale. Cette longue rue arborée était bordée de luxueuses boutiques de vêtements et de restaurants chics. En dehors de quelques magasins abordables, rien ici ne correspondait à mon budget.

Trojan Communications se trouvait à un pâté de maisons au sud de Las Olas, dans un impressionnant bâtiment de deux étages tout en chrome et vitres teintées. Le logo de la compagnie – un T en aluminium rutilant – trônait sur la pelouse, devant l'entrée.

A 8 h 30, je me garai devant l'immeuble et appelai Linderman pour lui donner le nom et l'adresse de la société où travaillait le suspect. Il ne me demanda pas le nom de Paul Coffen, que je ne lui avais pas encore révélé, et accepta de me retrouver trente minutes plus tard. Il me rappellerait s'il était retardé par la circulation.

En attendant, j'emmenai Buster faire une balade sur la plage. De grosses vagues s'écrasaient sur la grève. Je m'enivrai des embruns et me délectai de la vue, sans cesser de penser à ma conversation avec Kumar.

A 8 h 50, je regagnai l'immeuble de Trojan Communications. Linderman arriva à son tour et se rangea à côté de moi.

Côté passager se trouvait un homme aux cheveux couleur sable, dont la joue était barrée d'une cicatrice en forme de point d'interrogation. Il portait des Ray-Ban et un costume noir, tout comme son acolyte.

Nous sortîmes tous trois de voiture. Linderman me présenta son partenaire, l'agent spécial Richard Theis.

— Le suspect s'appelle Paul Coffen, dis-je. Il possède la société et semble être là. Je pense que nous devrions entrer séparément, au cas où la porte d'entrée serait sous vidéosurveillance. J'irai le premier, puis Theis et vous me suivrez.

Les deux hommes acquiescèrent.

— Quel est le plan, une fois à l'intérieur ? demanda Theis.

— J'ai parlé à l'une des opératrices de Coffen. Je vais utiliser son nom et dire à Coffen que j'aimerais embaucher sa société pour gérer les commandes de la chaîne de restaurants Checkers, que je possède à Tampa.

— Quel sera notre rôle ?

— Vous serez mes partenaires en affaires.

— Ça me va, dit Linderman.

Theis se contenta de hocher la tête.

Je consultai ma montre. Neuf heures. Sans un mot, je traversai le parking et entrai dans l'immeuble de Trojan Communications. Je marchai tête baissée, le regard rivé sur le sol. Trente secondes plus tard, Linderman et Theis m'emboîtèrent le pas.

Quand j'étais flic, j'avais le don de me mettre à la place des criminels que je pourchassais. Cela me permettait d'anticiper leurs réactions au moment de la confrontation. La plupart des policiers avaient à le faire, mais j'étais particulièrement fort à ce petit jeu.

Dans l'aire d'accueil, je me dis que Coffen avait pris ses précautions en cas d'intervention policière. Par exemple en équipant la réception de microphones et d'une caméra de surveillance. Après avoir parcouru la salle du regard, je m'approchai de la réceptionniste, une jeune femme aux cheveux violets et vêtue d'une minijupe.

— Puis-je vous aider ? demanda-t-elle en faisant claquer son chewing-gum.

Je portais encore mes vêtements de la veille et n'étais pas rasé. Ce n'était pas mon meilleur profil, mais cela ferait l'affaire.

— Je suis ici pour voir Paul Coffen.

— Vous avez rendez-vous ?

— Non.

— Désolé, monsieur Coffen est occupé.

— J'ai dit à une opératrice du nom de Sherry Collins que je souhaitais embaucher votre société pour gérer les commandes de ma chaîne de restaurants à Tampa.

Son regard se posa brièvement sur Linderman et Theis, qui venaient de me rejoindre.

— Ces messieurs sont avec vous ?

— Oui, ce sont mes partenaires.

— Je vais voir si monsieur Coffen est disponible. Puis-je avoir votre nom ?

Je faillis lui donner mon vrai nom, puis me ravisai.

— Ken Linderman.

Linderman rit sous cape. La réceptionniste pressa un bouton sur l'interphone à côté du téléphone. Une voix grésilla dans l'appareil.

— Je suis occupé, Heidi.

— Il y a ici deux messieurs qui aimeraient employer notre société pour leurs restaurants.

— Alors, je ne suis plus occupé, déclara-t-il d'une voix enjouée. Voulez-vous bien leur demander de patienter ? Je suis en rendez-vous téléphonique.

La jeune femme observa nos visages impatients.

— Vous voulez bien patienter un petit moment, le temps que monsieur Coffen termine son appel ?

— Combien de temps cela va-t-il durer ?

Elle relaya la question à son employeur.

— Je ne sais pas, répondit Coffen, demandez-leur de prendre un siège. Je termine ma conservation et j'arrive.

Aucun homme d'affaires ne fait attendre des clients potentiels : pas de doute, Coffen gagnait du temps. Je balayai de nouveau la pièce du regard, puis examinai le bureau. Embarrassée, la réceptionniste croisa les jambes. Un minuscule bouton sur l'interphone attira mon attention. Il s'agissait d'une caméra miniature. Coffen était en train de nous observer.

— Il nous surveille, dis-je.

Derrière la réception se trouvait une porte avec la mention *Privé*. Comme je contournais le bureau, la réceptionniste se leva.

— Vous ne pouvez pas aller par là !

Linderman sortit son portefeuille et lui montra son badge.

— FBI ! Asseyez-vous et ne bougez pas.

Elle se laissa tomber sur sa chaise.

— Mon Dieu !

La porte noire était verrouillée. Levant la jambe, je donnai un violent coup de pied dans la porte, à quelques centimètres en dessous de la poignée. Les gonds se brisèrent d'un coup et la porte s'écrasa sur le sol.

Je pénétrai dans un couloir sans fenêtres qui traversait toute la largeur du bâtiment. A travers les murs me parvenaient les téléphonistes qui prenaient les commandes des clients de tout le pays. Leurs voix semblaient venir de nulle part.

Theis et Linderman me suivaient de près. Theis partit sur la gauche et ouvrit les portes une à une. Je pris la direction opposée, Linderman sur mes talons.

— Etes-vous armé ? demanda l'agent.

— Oui. Et vous ?

— Vous êtes un drôle d'oiseau, Jack.

Le tapis du couloir étouffait nos pas. En tant que directeur général, Coffen devait occuper le bureau d'angle. Au bout du couloir, je vis son nom imprimé sur une plaque fixée à une porte. Comme elle était verrouillée, je la fis tomber d'un coup de pied. Nous nous précipitâmes tous les trois à l'intérieur.

— FBI ! cria Linderman.

Le bureau était spacieux et lumineux. Un pan de mur était entièrement vitré. Les trois autres étaient agrémentés de peintures de femmes nues, aux poses provocantes.

Assis derrière son bureau en merisier, vêtu d'une chemise griffée et arborant plusieurs chaînes en or, Coffen pianotait de ses doigts boudinés sur le clavier de son ordinateur. Son visage cramoisi me fit penser à un type qui venait d'avoir une crise cardiaque. En faisant le tour de son bureau, je compris pourquoi.

L'écran était figé sur la photographie de Julie et Carmella Lopez dans leur voiture, dans le drive-in de McDonald's. Coffen essayait en vain d'effacer l'image.

— Cessez ce que vous êtes en train de faire ! ordonna Linderman.

— Comme vous voudrez, dit Coffen.

L'homme d'affaires tira brusquement le tiroir du milieu de son bureau et s'empara de son pistolet automatique. Je donnai un coup de hanche dans le tiroir, le refermant sur sa main.

L'automatique tomba et une balle ricocha sur le bureau. Linderman s'effondra sur le sol.

Je frappai Coffen en pleine face. Ses yeux roulèrent dans leurs orbites et il s'évanouit. Puis je récupérai l'arme automatique et pointai le canon fumant sous le nez de Coffen. L'odeur âcre de la fumée le réanima.

— Touche encore une fois cet ordinateur et je te tue, murmurai-je.

Il agrippa les pieds d'une chaise et balaya les toiles d'araignée.

— Comme vous voudrez, grogna-t-il.

Je fis le tour du bureau et m'agenouillai près de Linderman. La balle l'avait touché et, étendu sur le sol, il se tenait les côtes.

— Je crois que j'ai une côte cassée.

— Vous portez un gilet pare-balles ?

— Oui. Theis aussi.

— Merci de m'en avoir proposé un.

Linderman ne sut que répondre. Je me relevai et ordonnai à Coffen de se mettre debout. Il se releva lentement. Sa main droite était pliée selon un angle étrange et avait pris une affreuse teinte violacée.

— Dis-moi où Melinda Peters est enfermée.

— Jamais entendu parler, dit-il.

Je jetai un coup d'œil à l'image figée des sœurs Lopez sur son écran. Puis je regardai Linderman, étendu par terre. Sa présence ne faisait que compliquer les choses et je regrettai soudain de lui avoir demandé son aide.

L'automatique me faisait un drôle d'effet dans la main. Je l'abandonnai sur le bureau et pris mon propre colt, que je pointai sur le ventre de Coffen.

— Si tu ne me dis pas où est Melinda, je te tue.

Coffen affichait un air de défi. Comme tous les prédateurs, il avait l'habitude de dominer les gens qui l'entouraient.

Rien ne changerait jamais cet état d'esprit. Pas même une existence entière passée en prison, pas plus qu'une interminable psychothérapie. C'était sa nature.

— Dernière chance…

Du sang coulait de sa bouche, que l'homme d'affaires essuya du revers de la main. Puis il observa le sang. Enfin, il me regarda et se mit à trembler.

— D'accord, dit-il.

J'observai aussi le sang. C'était un symbole de sa nouvelle vie, car en prison il serait molesté par ses compagnons de cellule, les autres prisonniers ayant besoin de se rappeler que Coffen appartenait à une race plus vile que la leur. Sa carrière d'homme d'affaires puissant était terminée, tandis que son rôle de paria de la société ne faisait que débuter.

Coffen savait tout cela. Son visage et sa posture le criaient. Sa vie allait devenir un véritable enfer. Voilà pourquoi je fus choqué, mais pas surpris quand il contourna son bureau et se précipita sur la baie vitrée.

37

Je ne tirai pas sur Coffen quand il se jeta dans le vide. S'il mourait, il ne pourrait pas me dire où était Melinda ; or, c'était tout ce qui m'importait pour le moment.

Me postant à la fenêtre, je fis tomber les derniers bris de verre à l'aide de ma chaussure. Coffen titubait sur le parking, sa chemise et son pantalon salement amochés. Il se déplaçait avec peine et serait facile à rattraper.

Je sautai à mon tour par la fenêtre et atterrit en position debout. La chute fut brève, mais une violente douleur vrilla mon genou droit.

A cent cinquante mètres de là, Coffen avait sorti une clé de sa poche et se dirigeait tant bien que mal vers sa Mercedes.

Linderman passa la tête par la fenêtre brisée au-dessus de moi.

— Il se sauve ! Arrêtez-le !

Je visai les jambes de Coffen et fis feu. Un trou apparut dans le réservoir de la Mercedes, et l'essence se mit à fuir. Quatre autres coups de feu atteignirent la même cible. J'avais raté Coffen, mais avais touché sa voiture de luxe en plein cœur.

Coffen se coula dans sa voiture et recula de sa place de parking. Au lieu de prendre la direction de la sortie, il fonça tout droit vers une épaisse haie d'hibiscus. Gagnant la rue, il pivota pour se retrouver face à Las Olas.

Je tirai deux coups supplémentaires dans le réservoir. La Mercedes se mit à crachoter, puis il y eut une explosion. En quelques secondes, la voiture fut enveloppée de grandes flammes orangées.

— Bien joué ! cria Linderman.

Boitillant jusqu'au véhicule embrasé, je m'approchai avec précaution de la porte du conducteur, restée grande ouverte. Coffen s'était échappé.

Une traînée de sang attira mon regard. Elle traversait la rue et rejoignait le trottoir de Las Olas. Linderman émergea du bâtiment et me rejoignit d'une démarche malhabile.

— Où est Coffen ?

Je pointai du doigt le trottoir. Quelque chose de mouillé me toucha le poignet. Buster se frottait à moi.

— Vous ne pouvez donc aller nulle part sans ce chien ?

— Non.

Nous progressâmes péniblement vers le trottoir, à la poursuite du suspect. Comme il était tôt, la majorité des boutiques étaient encore closes. Quelques mètres plus loin, je repérai Coffen agrippé à un lampadaire.

De sa main blessée, il tenait un téléphone portable sur lequel il s'efforçait de composer un numéro. Ses intentions étaient claires. Son objectif était d'appeler Jonny Perez pour lui dire de tuer Melinda.

— Lâche ce téléphone ! hurlai-je.

En me voyant, Coffen se détacha du réverbère. La vie quittait son visage, ses yeux sortaient de leurs orbites. Soudain, il disparut à l'intérieur d'un restaurant.

— Chope-le ! ordonnai-je à mon chien.

Buster démarra au quart de tour.

***

Plus rapide que Linderman, je me lançai à la poursuite de Coffen, qui avait disparu dans le restaurant du Riverview Hotel. Je traversai la salle principale où plusieurs clients s'étaient réfugiés sous les tables.

— Restez à couvert ! criai-je.

Je gagnai le hall de l'hôtel, de l'autre côté du bâtiment, une pièce spacieuse élégamment décorée et équipée de ventilateurs de plafond. Là, la traînée de sang laissée par Coffen s'arrêtait mystérieusement.

— Buster ! Ici, mon garçon !

J'entendis le jappement familier de mon chien. L'entrée de l'hôtel donnait sur une ruelle. Je poussai les portes battantes à l'aide de mon pistolet et me ruai dehors.

Appuyé contre le mur, Coffen essayait de composer un numéro sur son portable tout en donnant des coups de pied à mon chien. Ses doigts brisés ne lui facilitaient pas la tâche. Je pointai mon colt vers sa poitrine.

— Lâche ce téléphone.

— Tu n'es pas un flic. Tu n'as pas à me dire ce que je dois faire, répondit-il tout en continuant à pianoter sur son téléphone.

Buster lui mordillait les chevilles ; pourtant, cela ne semblait pas le perturber. Son appel était lancé.

— Va te faire foutre !

Je tirai trois coups de feu. Coffen s'écroula, la main crispée sur sa poitrine. Le téléphone lui glissa des mains et se brisa par terre. Il tenta de parler, mais au lieu de mots, sa bouche cracha du sang. Il se contorsionna sur les pavés. Je récupérai le téléphone et le plaquai contre mon oreille. Rien. Je le rallumai et retrouvai le dernier numéro composé. La ligne était morte.

— Merde.

Linderman arriva à cet instant et dit quelque chose. Comme je ne répondais pas, il s'agenouilla et chercha le pouls de Coffen. Une simple formalité. Après quoi, il leva les yeux sur moi.

— Il est mort. Il a pu passer un appel ?

— Non.

Dans le lointain, des sirènes de police hurlaient. Comment allais-je leur expliquer la situation ? Linderman se leva.

— Donnez-moi le téléphone.

Je lui passai l'appareil endommagé.

— Je m'occupe de la police.

— Comment ça ?

— Je vais leur dire que j'ai abattu Coffen. Ça vous laissera la liberté d'agir.

— Vous êtes sûr ?

— Oui. Ce sera plus simple.

Soudain, je me sentis libéré d'un poids. Je n'avais encore jamais tiré sur un homme sans défense. C'était un sentiment étrange. Je désignai les portes battantes.

— Je serai à l'intérieur si vous avez besoin de moi.

Le hall de l'hôtel était rempli de clients effrayés, aux yeux écarquillés. Buster contre mon flanc, je m'assis sur un canapé en rotin qui grinça sous mon poids.

Un serveur vêtu d'une veste blanche m'apporta une tasse de café que je n'avais pas commandée.

Le café me ramena à la vie. Face au canapé se trouvait un téléviseur en haute définition avec un écran plat, seule concession de l'hôtel à la modernité.

CNN retransmettait en direct de la prison de Starke. Je fixai l'écran et manquai avoir la nausée.

Simon Skell avait été libéré.

Starke se situait dans une zone rurale. Le bâtiment principal était entouré d'une clôture grillagée de six mètres de haut, surmontée d'un fil barbelé.

Une longue limousine franchit les portes d'entrée, suivie par plusieurs équipes de télévision. Sous la bruine, la procession s'engagea sur une route boueuse qui débouchait dans un champ où attendait un hélicoptère.

La limousine s'arrêta et quatre silhouettes en émergèrent. Leonard Snook, Lorna Sue Mutter, Chase Winters et Simon Skell. Skell portait un jean, un t-shirt Old Navy et des baskets blanches. Tous avaient des imperméables.

Le groupe grimpa dans l'hélicoptère, puis la porte se referma. Par la vitre apparut le visage de Skell.

Un second hélicoptère apparut dans le ciel et se mit dans le sillage de celui de Skell. Sans doute avec à son bord Scott Saunders et les autres agents du FBI affectés à la filature du tueur. Skell était dans le collimateur du FBI depuis trois ans et ils n'avaient strictement rien vu.

Ils ne le comprenaient pas. Sa motivation était incroyablement forte, chose que je ne connaissais que trop bien. Moi seul pouvais l'arrêter.

J'attrapai Buster et quittai l'hôtel. Coffen reposait sous un drap blanc.

Deux policiers en uniforme l'encadraient en discutant de tout et de rien. Ils ne me prêtèrent aucune attention.

Non loin de là, Linderman parlait au téléphone. Sur son visage, je lus quelque chose qui ressemblait à de l'espoir. Il replia son portable et s'approcha de moi.

— Dites-moi que vous avez de bonnes nouvelles, lui dis-je.

Il hocha la tête d'un air enthousiaste.

— Theis vient juste de craquer l'ordinateur de Coffen.

38

Nous regagnâmes l'immeuble de Trojan Communications en boitant.

— Qu'est-ce qui ne va pas avec votre chien ? demanda Linderman.

Buster progressait la truffe collée au sol. Les coups de feu l'avaient un peu sonné, et je me promis de l'emmener courir plus tard sur Dania Beach, son passe-temps préféré.

— Il va s'en remettre. Theis a trouvé quelque chose sur l'ordinateur de Skell ?

— Des centaines de photos sont stockées sur le disque dur. La mémoire était pleine ; c'est pour ça que l'écran s'est bloqué. Il y a aussi une base de données. Theis espère qu'elle va nous aider à trouver les autres membres du gang.

Et Melinda Peters, pensai-je avec espoir, sans oser le dire à haute voix, comme si prononcer son nom risquait de nous porter malheur. Parvenu au parking, je fis grimper mon chien dans la Legend. Puis nous pénétrâmes dans le bâtiment.

Heidi, la réceptionniste, était toujours à son poste. En voyant Linderman, elle frappa du poing sur le bureau et entra dans une rage folle.

— Mon ami du Riverview Hotel m'a appelé et m'a dit que vous aviez tué monsieur Coffen !

L'agent posa ses deux mains à plat sur le bureau de la jeune femme, comme s'il s'apprêtait à faire des pompes.

— Calmez-vous ou je vous arrête.

— Pourquoi l'avez-vous tué ?

— Voyons voir... Pour commencer, il m'a tiré dessus.

— Vous ne pouviez pas simplement le blesser ?

— Votre employeur a eu sa chance.

— Salaud !

Je contournai Heidi pour me rendre dans le bureau de Coffen. Malgré les événements, la vie suivait son cours. Des voix me parvenaient toujours à travers les murs, les standardistes prenant les commandes des clients de McDonald's dans tout le pays. Cela me rappela les victimes de Skell, dont les conversations avaient été épiées.

Au bout du couloir, je passai la tête dans le bureau de Coffen. L'agent spécial Theis était assis devant l'ordinateur.

Rejoignant Theis, je consultai l'écran.

— Comment l'avez-vous débloqué ?

— J'ai employé la vieille méthode. Je l'ai éteint et rallumé. Puis il m'a fallu un mot de passe que j'ai trouvé sur une carte de visite dans l'attaché-case de Coffen. Il y a une tonne de documents sur son disque dur, dont un dossier avec des photos de vous.

Theis ouvrit un dossier intitulé *Ennemi.* Il contenait une photo de moi prise dans un article de journal avec une courte biographie. Il y avait aussi des photos et des bios de Tommy Gonzales, Sally McDermitt et des douzaines de représentants de l'ordre spécialisés dans la recherche des personnes disparues.

— Qu'y a-t-il dans la base de données de Coffen ?

— Que cherchez-vous ?

— Jonny Perez. Jonny sans h.

Theis rechercha le nom de l'Hispanique dans la base. Comme il ne trouvait rien, je lui suggérai de taper Ajony Perez. Sans succès.

— Essayez Neil Bash et Simon Skell.

Toujours rien. Sur une impulsion, il quitta la base de données et consulta la messagerie de Coffen, fouillant d'abord son carnet d'adresses, puis ses messages envoyés, et enfin sa corbeille. Il n'y avait que des messages professionnels, sans intérêt pour nous.

Fermant les yeux, je pris une profonde inspiration. Tous les chemins de notre enquête se terminaient dans une impasse et seul un coup de chance ou une intervention divine pourrait nous aider. Comment diable allais-je sauver Melinda si je ne parvenais pas à localiser Jonny Perez ?

— Vous voulez voir sa collection de photos ? demanda Theis.

Il quitta la base de données et cliqua sur l'icône « Mes images ». On y trouvait des dizaines de sous-dossiers. Ceux du haut portaient des noms de villes – Orlando, Miami, Tampa – tandis que ceux du bas avaient des noms de code. L'un d'eux attira mon attention : « MIDRAMB ».

— Ouvrez celui-là.

Theis ouvrit « MIDRAMB » et une page contenant huit dossiers JPEG apparut sur l'écran. Chaque JPEG était daté et les huit documents s'échelonnaient sur les deux dernières années.

Chancelant, j'agrippai le dossier de la chaise de Theis. Je savais de quoi il s'agissait sans même les ouvrir. Des clichés des victimes de Skell prises dans les drive-in des McDonald's. J'étais à deux doigts de connaître leur destin.

J'avais rêvé de ce moment bien des fois. Enfin, j'allais savoir ce qui était arrivé aux victimes de Skell. Pourtant, j'étais rempli de craintes. Au cours de mon enquête, je n'avais jamais cessé d'espérer qu'un jour, chacune d'elles m'appelât pour me dire qu'elle allait bien. Le même espoir habitait tous ceux qui avaient perdu un être cher.

Theis ouvrit le premier JPEG. C'était la photo de Chantel, une Afro-Américaine virée de chez elle à l'âge de quatorze ans. Elle habitait près de la plage, où elle dénichait ses clients. L'image la montrait dans sa voiture avec un type aux cheveux blancs qui fumait un cigare. La main de Chantel était enfouie dans les genoux du type, tout sourire. Coffen l'avait surprise avec un client.

— Tu la connais ? demanda Theis.

— C'était la première victime de Skell.

La photo suivante était celle de Maggie. Maggie travaillait pour une agence d'hôtesses de Fort Lauderdale. C'était une Irlandaise blonde dont le beau-père avait épousé sa mère pour pouvoir coucher avec elle.

Elle travaillait dans des hôtels locaux et s'était arrangée avec les concierges pour obtenir des clients. Sur l'image, Maggie était au téléphone et s'appliquait du rouge à lèvres. Son visage était très professionnel, ce qui donnait à penser qu'elle parlait avec un client.

— Et celle-ci ? dit Theis.

— La deuxième victime.

— Vous connaissez toutes les victimes, n'est-ce pas ?

— Oui.

— Vous voulez boire quelque chose ?

— Non, merci.

— Vous voulez vous asseoir ?

— Ça va aller, vraiment.

Theis ouvrit les autres images et me laissa les étudier. Si je n'avais pas affiché les photos des victimes sur le mur de mon bureau, je ne les aurais pas reconnues aussi vite. Là, tous ces visages familiers ravivaient mon profond chagrin.

Sur chaque photographie, je cherchai ce que Coffen avait pu voir ou entendre, qui l'avait alerté sur le potentiel de victimisation des jeunes femmes.

Pour la plupart, c'était évident. Ou elles parlaient au téléphone ou à un homme dans leur voiture. Quelques bribes de conversation avaient dû révéler à Coffen le type de personne à qui il avait affaire.

Mais sur trois photographies – celles de Carmen, Lola et Brie –, il n'y avait pas d'indice clair. Les jeunes femmes étaient dans leur voiture, l'air absent. Elles avaient toutes été victimes d'abus dans leurs familles, et leur visage affichait une tristesse obsédante.

J'avais beau étudier les photographies, je n'appris rien de plus. Peut-être ne saurais-je jamais ce que Coffen avait vu. Ou peut-être avait-il perçu la même chose que moi : trois jeunes femmes aux visages de réfugiées. Il ne lui en fallait pas plus.

Le bureau était équipé d'un petit réfrigérateur. Theis prit deux bouteilles de Perrier et m'en tendit une. L'image de Brie était toujours sur l'écran. Je bus l'eau pétillante sans la quitter des yeux.

J'étais resté dix ans en contact avec Brie. Tous les deux ou trois mois, nous nous retrouvions autour d'un petit-déjeuner composé de pancakes.

La dernière fois, elle m'avait montré son compte en banque. Elle économisait en espérant pouvoir, le jour de son trentième anniversaire, quitter le métier et ouvrir un salon de manucure. Elle avait déjà trouvé un local, ainsi qu'un nom : « Nouveaux Départs ».

Je jetai la bouteille vide et m'apprêtai à quitter le bureau.

39

— Je suis désolé de n'avoir rien trouvé de plus, dit Theis.

Sortant son portefeuille, l'agent en extirpa la photo d'une jeune femme vêtue d'une robe et coiffée d'un chapeau. Puis il reprit ses recherches dans l'ordinateur. Je m'arrêtai sur le seuil de la porte.

— Qui est-ce ?

— Danielle Linderman.

— La fille de Ken ?

— Oui.

— Vous allez la chercher dans la base de données de Coffen ?

Il marmonna un oui tout en pianotant sur le clavier. Je revins vers lui pour examiner le cliché. Danielle Linderman ressemblait beaucoup à son père, avec son visage intelligent et ses yeux noisette. J'ajoutai son image aux dizaines de visages d'enfants disparus que je gardais en mémoire.

— Bonne chance, alors.

Linderman était à la réception. Il fouillait le répertoire du téléphone portable de Coffen tout en pressant un mouchoir sur son visage. Baissant le mouchoir, il me montra la belle entaille qui balafrait son menton.

— C'est la réceptionniste qui vous a fait ça ?

Il acquiesça en bougonnant.

— Vous l'avez coffrée ?

— Et comment ! Si jamais je découvre que cette petite garce était au courant des agissements de son patron, je la démolis.

Je ne répondis pas. Il était plus que probable que la réceptionniste ignore que son patron était un pervers sexuel. Coffen dirigeait une société respectable et avait un visage public. Voilà l'homme qu'elle connaissait. En apprenant qu'il avait été abattu, elle avait disjoncté.

— Comment ça se passe ?

— On a trouvé des photos des victimes de Skell dans l'ordinateur de Coffen, mais aucune piste de Jonny Perez pour le moment. Et le téléphone ?

Linderman appliqua de nouveau le mouchoir sur son visage.

— Jusqu'ici, tous les numéros de son répertoire téléphonique correspondent à des clients.

— Qui essayait-il d'appeler ?

— Un autre portable. J'ai fait tracer l'appel.

Moi-même, j'avais fait ce genre de demandes par le passé. Cette recherche pouvait prendre deux ou trois jours.

Je sortis prendre l'air. Regarder les photographies des victimes m'avait rappelé combien ces jeunes femmes comptaient pour moi. Il m'était douloureux de me dire que je ne leur parlerais probablement plus jamais.

Rejoignant ma voiture, j'ouvris la portière du passager et m'agenouillai pour me mettre à hauteur de mon chien. Buster posa la patte sur mon épaule et lécha mon visage. Je refoulai mes larmes avec peine.

Assis derrière le volant, je passai quelques minutes à masser ma jambe. La blessure due à mon saut de la fenêtre était superficielle. L'ambulance qui emportait le corps de Coffen passa devant le bâtiment.

Dans la religion de ma femme, les esprits des morts ne quittaient jamais cette terre. J'imaginai le fantôme de Coffen flotter au-dessus de l'ambulance, ricanant de nous voir tenter de dénouer ses noirs secrets.

Mon téléphone sonna. Claude Cheever. Ne voulant pas lui parler, je laissai la messagerie s'enclencher.

Ma dernière entrevue avec Claude était toujours fraîche dans ma mémoire. Quand Claude m'avait accusé de coucher avec Melinda, j'avais entendu une autre accusation, à savoir qu'il le soupçonnait depuis longtemps.

Ce qui signifiait que toutes les louanges qu'ils avaient chantées à mon sujet devant le conseil de police n'étaient que purs mensonges. Le téléphone sonna plusieurs fois dans les minutes qui suivirent. Claude Cheever insistait. Las, je finis par répondre.

— Qu'est-ce que tu veux ? grognai-je en guise de salut.

— Melinda vient juste de parler de l'affaire dans l'émission de Neil Bash.

— C'est pour ça que tu m'appelles ?

— Non, non, calme-toi. Je suis de ton côté.

— Ce n'était pas le cas la dernière fois qu'on s'est vus.

— J'ai trouvé Jésus et j'ai vu la lumière. Tu avais raison. Melinda a été enlevée dans son appartement hier.

Tu avais raison. Je n'avais pas entendu ces mots depuis bien longtemps.

— Comment en es-tu arrivé à cette conclusion ?

— Pendant l'interview de Melinda, il lui a demandé d'où elle appelait. Elle a répondu qu'elle téléphonait de chez elle. Comme je n'étais pas très loin de son appartement, je suis passé la voir. J'ai tambouriné à la porte, regardé à travers les stores, parlé aux voisins. Melinda n'est pas rentrée chez elle depuis hier. Ça ne m'a pas plu, alors j'ai appelé l'émission de Bash.

— Tu as appelé Bash ? Bon sang, Claude ! Bash fait partie du gang.

— Ne t'inquiète pas. Je l'ai appelé plein de fois. Il me connaît.

— Pourquoi avais-tu cette habitude ?

— Pour m'amuser. J'ai un pseudonyme : Chien Furieux. Bref, Bash m'a laissé parler à Melinda. Bon, je vais te faire une confidence, mais tu ne le répéteras à personne.

— Je t'écoute.

— J'ai eu une aventure avec Melinda. Ça a duré un mois à peu près. Sexe tous les jours, parfois deux fois par jour. C'est une déesse. On avait nos petits codes.

Incrédule, je secouai la tête. Impossible d'imaginer Melinda et Cheever ensemble, même avec les rideaux tirés et les lumières éteintes.

— Quand j'ai parlé à Melinda, j'ai utilisé plusieurs de nos codes et elle a compris que c'était moi. Elle m'a dit qu'ils l'avaient maltraitée, ces salauds.

Claude fit une pause pour reprendre contenance.

— Jack, il faut que tu m'aides à la secourir.

— Comment comptes-tu t'y prendre ?

— En rendant une petite visite à Bash et en le forçant à me dire où elle est séquestrée.

— Et la police ? Ou le FBI ?

— Ils ne feraient que nous ralentir.

Je savais exactement ce que Cheever ressentait. Si le FBI ne m'avait pas suivi dans les bureaux de Trojan Communications, j'aurais obligé Coffen à m'avouer l'adresse de Jonny Perez. Cela n'aurait pas été beau à voir, mais cela aurait été efficace.

— Tu peux compter sur moi.

40

La station de radio de Neil Bash se trouvait dans une commune semi-rurale du nom de Davie, au centre du comté de Broward. Cheever et moi avions rendez-vous trente minutes plus tard. Au moment où je me mettais en route, Linderman sortit des locaux de Trojan Communications. Je baissai ma vitre.

— La police veut vous parler.

Je jetai un coup d'œil à la rue. Pendant que je parlais à l'agent du FBI, deux voitures de police se garèrent devant le bâtiment et plusieurs policiers se précipitèrent à l'intérieur.

— Je pensais que vous vous occupiez de la police.

— Ils ne croient pas à mon histoire. Coffen était un gros bonnet ici, et la police veut savoir pourquoi j'ai tiré sur un homme désarmé.

— Dites à Theis de leur montrer les photos des victimes sur son ordinateur, suggérai-je.

— Theis l'a fait. La police dit que les photos ne prouvent rien. Ils disent que ça ne prouve même pas que ces femmes sont mortes. Vous devez les convaincre, Jack.

— Moi ?

— Oui, vous.

Je voyais mal comment expliquer que je connaissais

huit jeunes femmes mortes à un système juridique qui avait libéré leur assassin.

— Qu'ils aillent se faire voir.

Sur ces mots, je démarrai et pris la direction de Davie tout en écoutant l'émission de Bash à la radio.

Il me dépeignait comme le symbole de l'erreur judiciaire par excellence. Il redonna le descriptif des blessures que j'avais infligées à Skell, sans mentionner le crime pour lequel Skell avait été envoyé en prison. Il influençait ses auditeurs, pas à pas.

Régulièrement, Bash prenait un appel. Quand la sortie pour Davie fut en vue, j'entendis une voix familière.

— Salut, Neil. C'est ton vieux pote Chien Furieux ! lança Cheever d'une voix guillerette.

— Chien Furieux, dit Bash. C'est toujours un plaisir de t'entendre. Quoi de neuf ?

— Tu vas l'avoir de nouveau en ligne ?

— Qui ça ?

— Melinda Peters.

— Ah oui, la charmante Melinda Peters, star de notre club de strip-tease préféré. Melinda a promis de rappeler. Croyez-le ou non, elle a encore des choses horribles à raconter sur Jack Carpenter.

— Quel genre de choses ? demanda Cheever.

— Elle va nous dire qui est vraiment Jack.

— Tu veux dire qu'on ne sait pas tout ?

— Oh que non ! Mais je ne peux rien dire maintenant. Ce serait de la triche.

— J'attendrai alors. Oh ! Neil ? J'adore ton émission.

— Merci, Chien Furieux. A présent, il est temps de passer une page de publicité.

J'empruntai la sortie et pris vers le sud. Davie se situait dans une zone vallonnée. En bas de la route sinueuse s'agglutinaient des dizaines de caravanes avec des antennes sur le toit. Au-dessus des caravanes, un immense panneau affichait la tête ronde et diabolique de Bash, avec le numéro d'appel de son émission.

Je l'avais trouvé.

Les parcs caravaniers étaient aussi communs en Floride que les alligators ou Mickey Mouse.

Etablis sur des terrains plats et dépourvus d'arbres, ils étaient les premières victimes des ouragans.

Des familles modestes y élisaient domicile, ainsi que des retraités. Ils vivaient dans un monde bien à eux, qui pouvait être agréable. Je connaissais pas mal de policiers qui refusaient néanmoins de répondre à des appels d'urgence dans ces zones le samedi soir.

La station de radio de Bash se trouvait à l'intérieur d'un parc du nom de Tropical Estates. La voiture de Cheever était garée près de l'entrée. Je me rangeai à côté de lui.

Une fois hors de nos véhicules, nous nous fîmes face. J'étais toujours en colère contre lui et le fixai d'un air peu amène.

— Je suis désolé, Jack.

— Tu peux l'être !

— Laisse-moi t'expliquer, d'accord ?

Des miettes de pain émaillaient sa moustache. Impossible de l'imaginer au lit avec Melinda.

— Je t'écoute.

— Je suis désolé d'avoir douté de ton histoire, désolé de t'avoir traité de menteur. J'espère que tu me pardonneras. Je ne t'en voudrai pas si tu n'y arrivais pas.

— C'est tout ?

Il hocha solennellement la tête.

— Un jour, peut-être, concédai-je.

Il fit semblant de me comprendre. Sur la banquette arrière de sa voiture, il prit une boîte en carton blanche fermée par une ficelle.

— C'est une boîte de chocolats pour Bash. Je l'ai achetée

chez un chocolatier de mon quartier. Si tu en manges un, tu ne peux plus t'arrêter.

— Tu comptes l'acheter avec ça ?

— C'est l'idée, oui.

— Et s'il refuse ?

— Il ne le fera pas. Une fois, une star du porno du nom de Kissy l'a appelé. J'avais vu ses films et je voulais la voir en chair et en os. J'ai utilisé ce stratagème et ça a marché.

Cheever disparut de nouveau dans sa voiture. Cette fois, il en ressortit avec une paire de chapeaux de cow-boy noirs. Il en enfonça un sur son crâne et me tendit l'autre.

— Déguisements ?

— Ouais. Tu as des lunettes de soleil ?

— Dans ma voiture.

— Va les chercher. Et emmène ton chien. Tu seras mon cousin aveugle.

— Ce n'est pas un peu absurde ?

— Pas avec ces dingues. Ecoute, j'ai de mauvaises nouvelles. Joy Chambers a été retrouvée assassinée hier chez elle. Il y avait un morceau de peau sous ses ongles. Le labo a analysé l'ADN. C'est celui d'un Cubain.

— Du nom de Jonny Perez, complétai-je.

Cheever marqua un temps d'arrêt.

— Comment le sais-tu ?

— Jonny Perez m'a tiré dessus sur la 595. Il fait partie du gang de Skell.

— Tu as une longueur d'avance sur moi, hein ?

— Disons deux.

Nous pénétrâmes dans la caravane qui servait d'aire d'accueil à la station. Un espace au plafond bas et aux murs tapissés. La réceptionniste aux faux cils et au décolleté plongeant nous adressa un sourire radieux.

— Hé ! Je vous reconnais. Vous êtes Chien Furieux.

— Cheever souleva son chapeau.

— Et vous, c'est Janet, hein ?

— Bonne mémoire. Vous avez apporté des friandises ?

Cheever ouvrit la boîte en carton et lui montra les chocolats. Elle en repéra un gros et le fourra dans sa bouche.

— Qui est-ce ? demanda-t-elle, la bouche pleine.

— Mon cousin Leroy. Il est aveugle.

— Quel dommage ! Il est mignon.

— Je vous le laisserai en baby-sitting une prochaine fois, si vous voulez, dit Cheever.

— Avec plaisir, minauda la jeune fille.

Je gardai un visage dénué d'expression. Janet avait l'air du genre à vous sauter dessus à la première occasion.

— Je peux voir Neil ? demanda Cheever.

— Bien sûr, répondit-elle.

Nous empruntâmes un couloir exigu qui menait à une seconde caravane, siège du studio. Elle était dotée de murs insonorisés et d'un petit espace vitré au centre duquel Bash baragouinait dans un micro. Son bouc avait disparu, révélant son triple menton et ses yeux caverneux. Quand il aperçut Cheever, il lança une page de publicité et coupa le micro.

— Chien Furieux ! cria-t-il à travers la vitre. Tu m'as apporté des douceurs?

Cheever souleva la boîte en carton. Bash bondit aussitôt de sa chaise et sortit du studio.

Il devait mesurer dans les un mètre quatre-vingts et pesait environ cent trente kilos. Je pensais me retrouver nez à nez avec le diable en personne, mais ce n'était rien d'autre qu'un pauvre type. Cheever lui tendit la boîte, et Bash enfourna plusieurs chocolats dans sa bouche. Il ne me prêta aucune attention, pas plus qu'à mon chien.

— Ils sont bons ? demanda Cheever.

— Délicieux, marmonna Bash.

Cheever lui asséna un coup de poing dans l'estomac. Bash recracha du chocolat et tomba à la renverse. Cheever lui plaqua son badge sous le nez.

— Tu es en état d'arrestation, mon salaud.

Certains policiers vous diront que l'éthique doit s'adapter aux circonstances et qu'il y a un temps pour tout. Sans un mot, je regardai Cheever faire taire les cris de Bash à l'aide de coups de pied bien placés dans les côtes.

Buster semblait perplexe devant cette scène. Je lui ordonnai de s'asseoir dans un coin de la caravane et le libérai de sa laisse. Si un visiteur impromptu pénétrait dans le studio, je comptais sur sa présence pour l'intimider.

— Tu vas coopérer ? demanda Cheever d'un ton menaçant.

Avachi par terre, Bash acquiesça d'un râle.

— Bien. Maintenant, debout.

Bash se remit péniblement sur pied. Sa bouche était maculée de chocolat et il peinait à respirer. Cheever le poussa dans le studio et l'obligea à s'asseoir. *Sharp Dressed Man*, de ZZ Top, passait à l'antenne.

Je les suivis dans la petite pièce, refermai la porte derrière moi et ôtai mon déguisement.

— Vous êtes Jack Carpenter, bredouilla Bash.

— Exact. Je viens juste de rendre visite à l'un de tes bons amis.

— Qui ?

— Paul Coffen. Il m'a tout raconté à propos des filles que Skell et Jonny Perez ont agressées à Tampa. Sans oublier ton rôle. Il t'a balancé, mon vieux.

Bash se tortilla sur son siège.

— Paul ne ferait jamais une chose pareille.

— Il nous a montré les photos de surveillance des victimes de Skell stockées sur son disque dur. Nous avons aussi fait le lien entre lui et un enlèvement d'enfant à Disney World. Il t'a désigné, avec Perez et Skell, comme ses complices.

— *Quoi ?*

— On a assez de preuves pour vous envoyer tous sur la chaise électrique. Réfléchis, Neil. Cinquante ans dans le couloir de la mort, à attendre les procès en appel, et puis un jour, ils viennent te chercher pour te coller sur la chaise et ils envoient le jus.

La chanson prit fin, et le silence emplit le studio. Bash appuya sans réfléchir sur un bouton de la console et une autre chanson commença : *Bad to the Bone*, de George Thorogood.

Debout derrière Bash, Cheever plaqua ses mains sur les épaules de l'animateur.

— Dis-nous où Jonny Perez a planqué Melinda et on t'aidera.

Bash observa Cheever d'un air sceptique.

— M'aider comment ?

— On dira au procureur que tu as coopéré, répondit Cheever. On dira que, sans ton aide, on n'aurait pas pu résoudre l'affaire.

— Vous parlez d'un accord ?

— C'est ça, dit Cheever.

Mal à l'aise, Bash se tourna vers moi.

— Il dit la vérité ?

— Oui, répondis-je. Aide-nous à trouver Melinda et tu ne tomberas pas.

— Vous voulez dire que je ne mourrai pas ?

Nous hochâmes tous deux la tête.

Bash enfouit la tête dans ses mains et se mit à pleurnicher. Les gens diaboliques pensent sûrement au jour où ils devront répondre de leurs actes. Cela s'appelle le Jugement dernier et il n'y a aucune échappatoire possible. Bash vivait ce moment précis.

— Jonny Perez habite avec son frère Paco dans une maison de location à quelques kilomètres à l'ouest d'ici. C'est là qu'ils gardent Melinda. C'est là qu'ils gardent toutes les filles.

Je m'approchai de lui.

— Quelle est l'adresse ?

— Je l'ai dans ma caravane.

— Ta caravane est ici ?

— Oui. J'ai passé un accord avec la station.

Je jetai un coup d'œil à Cheever pour jauger sa réaction. Il hocha la tête.

— Emmène-nous, dis-je.

41

Avant de quitter le studio, Bash plaça la cassette de l'une de ses anciennes émissions dans la console. Il appuya sur « Lecture », et sa voix éraillée emplit l'habitacle.

— Tes auditeurs ne vont pas se rendre compte que c'est une rediffusion ? demanda Cheever.

— Et alors ?

Sortant par une porte dérobée, nous empruntâmes un chemin poussiéreux qui s'enfonçait dans les entrailles du parc caravanier. Chaque caravane occupait un petit carré de terrain. La plupart s'enfonçaient dans le sol meuble, et les toits étaient renforcés de bardeaux et de contreplaqué. Sous les porches, des femmes aux vêtements informes s'éventaient tandis que des hommes torse nu sirotaient des bières. Pas un ne nous salua.

Les pas de Bash étaient mesurés, ses mains, plaquées sur son ventre. Il bifurqua sur un chemin appelé Majesty Lane et s'arrêta devant la dernière caravane. Elle avait l'air plus neuve que les autres et était dotée d'une immense antenne satellite. Il déverrouilla la porte, puis nous fit face.

— Je dois vous dire quelque chose, les gars.

Nous attendîmes, sous le soleil brûlant de l'après-midi.

— Je n'ai jamais assisté à la mort d'aucune fille, déclara-t-il avec emphase.

— Où étais-tu ?

— J'étais ici, dans ma caravane.

— Alors, où veux-tu en venir ? demanda Cheever.

— Je n'ai jamais levé le petit doigt sur elles. Je ne leur ai rien fait d'horrible et ne les ai jamais fait souffrir ou pleurer. J'ai seulement regardé.

— C'est ça ton truc, mater ? demanda Cheever.

— Oui. J'aime regarder. Mon cœur n'est plus aussi bon, et je ne les ai jamais maltraitées comme Coffen, Skell ou Jonny. Je restais dans ma caravane pour les regarder, c'est tout.

Ses paroles avaient tout d'une confession. Seulement, un détail manquait : la culpabilité. Son regard était vide, sans âme, et je me demandai quel événement de son existence l'avait amené à participer à la mise à mort d'innocentes jeunes femmes sans éprouver le moindre regret.

— Tu les as regardées mourir ? demandai-je.

Bash baissa les yeux sur ses chaussures sales.

— La plupart, murmura-t-il.

— Pas toutes ?

— J'en ai raté quelques-unes, admit-il.

— Pourquoi ?

— Skell les tuait quand j'étais à l'antenne.

— Lesquelles tu as ratées ? demanda Cheever.

— Je ne sais pas.

— Comment ça, tu ne sais pas ? aboya Cheever.

— Je n'ai jamais su les noms des filles.

Cheever lui asséna une droite en pleine face. L'animateur étouffa un cri et trébucha en arrière dans sa caravane. Mon comparse regarda autour de lui pour vérifier que personne ne nous observait, puis il pénétra dans l'antre de Bash.

Je baissai les yeux sur Buster, qui était collé à mes jambes. Mon chien ne voulait pas participer à tout cela. Malgré tout, je l'obligeai à nous suivre à l'intérieur.

***

On se serait cru dans une grotte. Les murs et les plafonds étaient peints en noir, et les rideaux, tirés. La lumière naturelle n'avait pas droit de cité ici.

Un fauteuil de cuir surdimensionné avec une télécommande sur l'accoudoir trônait au centre de la pièce. Par terre, devant le fauteuil, un bol rempli de pop-corn au beurre.

Le trône de Bash.

Face au fauteuil, un écran plasma géant recouvrait le mur. Je fixai le téléviseur, bouche bée. Sur l'écran, Melinda Peters était pendue par les poignets, en simple bikini, ses orteils vernis effleurant à peine le sol. Un téléphone gisait à ses pieds, me rappelant notre conversation de la veille.

Bash tituba dans la caravane en se frottant le visage. Cheever l'agrippa par les épaules et le poussa dans le fauteuil de cuir.

— Par pitié, ne me frappez plus, supplia le présentateur.

— Tu vas te tenir tranquille ? demanda Cheever.

— Je n'ai rien fait.

— Réponds-moi, vermine.

— Oui, je ferai tout ce que vous voudrez.

Cheever pointa l'écran du doigt.

— C'est en direct ?

— Oui.

— Ils jouent aux voyeurs avec elle, hein ?

Bash cacha le rictus qui déforma instinctivement son visage.

— On peut dire ça.

— Quand vont-ils la tuer ?

— Ce soir. Quand Skell sera arrivé à Fort Lauderdale. Il veut la voir mourir.

— Ils vont retransmettre sa mise à mort ?

— Non, il va les retrouver chez Jonny.

Je ne parvenais pas à détacher mon regard de Melinda. La caméra s'était tournée, et le Cubain qui m'avait tiré dessus sur la 595 apparut en plein écran : Jonny Perez, avec son bandana rouge vif, une canette de bière à la main. Il sourit et fit un signe à la caméra tout en esquissant un petit pas de danse.

— Pourquoi danse-t-il ? demandai-je.

— Il passe la musique de *Midnight Rambler.* C'est le morceau qu'on écoute quand on torture les filles.

— On ?

Bash hocha la tête. Sentant que j'attendais une réponse plus complète, il se servit de la télécommande pour mettre en route le lecteur CD placé sous la télé. Des enceintes s'échappèrent les premières notes d'harmonica de la version live de *Midnight Rambler.* La musique me fit l'effet d'un ricanement démoniaque.

Je pris une grande inspiration. Si cela continuait, j'allais exploser.

— Où est ton carnet d'adresses ?

— Dans ma chambre. Je vais aller vous le chercher.

Il fit mine de se lever, mais Cheever le remit brutalement en place.

— Je t'ai dit de ne pas bouger.

— Je veux juste aller lui chercher mon carnet d'adresses, gémit Bash.

— Tu as peur que Jack aille là-dedans ?

— Oui.

— Pourquoi ? demanda Cheever.

— Il ne va pas apprécier.

Nichée au fond de la caravane, la chambre de Bash dégageait des relents de cigarette et incarnait la décadence. Pas de meubles, en dehors d'un lit à eau et d'une caisse retournée pour faire office de table de nuit.

Le carnet d'adresses se trouvait sur la caisse. Jonny Perez était inscrit à la lettre J. Il vivait à West Sunrise, tout près des Everglades. En glissant le carnet dans ma poche, je réalisai que je n'étais pas seul. Le plafond de la chambre était tapissé de photographies de femmes nues. Le paradis des pervers, à une petite différence près : les photos ne provenaient pas d'un magazine ou d'un site porno. Elles étaient réelles. De vraies victimes.

L'air se raréfia dans mes poumons. En plus des poses sexuelles, les jeunes femmes affichaient un sourire forcé, la mâchoire serrée.

Elles étaient là toutes les huit. Je prononçai leurs noms en silence à mesure que j'arrachais les photographies.

La dernière était celle de Lola, une jolie prostituée jamaïcaine dont je n'avais jamais connu l'histoire. Je lui avais conseillé de faire mettre des préservatifs à ses clients et de faire des contrôles médicaux réguliers, et elle avait exercé son métier pendant douze ans sans jamais tomber malade. Aussi étrange que cela puisse paraître, j'en retirais une grande fierté.

Je laissai la photographie de Lola virevolter jusqu'au lit. Elle se retourna, révélant une écriture au dos.

« 7 ».

Je vérifiai le dos des autres photographies. Toutes étaient numérotées. C'était ainsi que Bash et le reste du gang voyaient leurs victimes. Comme des objets sans nom.

A leurs yeux, elles ne méritaient même pas d'avoir un nom ou une identité. Seulement un numéro.

Je rassemblai les photographies. Il s'agissait de preuves, mais une partie de moi refusait de les laisser à la vue de tous. Les victimes avaient assez souffert, et imaginer ces photos circuler dans un commissariat ou un tribunal me semblait indigne et sans objet. Alors que je me demandais que faire de ces clichés, un cri en provenance de l'autre pièce me déchira les tympans et je me précipitai dans le salon.

Cheever était en train de frapper Bash. Comme il faisait bien vingt kilos de plus que moi, je dus employer toute ma force pour l'empêcher d'étrangler l'animateur.

— Qu'est-ce que tu essaies de faire ?

— Tuer ce salaud !

— Pourquoi ? Qu'est-ce qu'il a fait ?

— Regarde cette putain de télé !

Sur l'écran géant, Jonny Perez et un second Hispanique dansaient autour d'une Melinda presque nue, tout en se servant de morceaux de papier pour lui entailler les bras et les jambes.

Chaque fois qu'elle criait, ils la coupaient de nouveau. Ils semblaient se repaître de sa peur.

— J'ai surpris Bash en train de ricaner dans sa barbe et j'ai vu rouge.

— Je dois lui parler, Claude.

— Tu n'as pas trouvé le carnet d'adresses ?

— Si. Mais je dois lui demander quelque chose.

Cheever alla rejoindre mon chien dans le coin de la caravane. Il croisa les bras et fixa Bash d'un air meurtrier.

— Vas-y, maugréa-t-il.

Je m'agenouillai à côté du fauteuil surdimensionné de Bash. Le présentateur avait le visage contusionné et respirait avec peine. Je lui pinçai le bras.

— Tu as dit dans ton émission quelque chose qui mérite une explication. Tu as dit que Melinda avait d'autres révélations à faire sur moi. De quoi voulais-tu parler ?

Bash voulut répondre, puis se ravisa. Je répondis à ma propre question.

— Elle allait révéler que j'étais le Tueur de minuit ?

Le présentateur ferma les yeux.

— Oui, souffla-t-il.

— C'est pour ça que tu m'attaques sans arrêt à la radio, n'est-ce pas ?

Il hocha la tête.

— C'était l'idée de Skell ?

— Oui. Skell pensait que ça l'innocenterait.

Depuis que le corps de Carmella Lopez avait été retrouvé dans le jardin de sa sœur, j'avais été dépeint comme le type même de monstres que j'avais passé ma vie à traquer. A présent, je savais pourquoi.

— Il est tout à toi, dis-je à Cheever.

Bash ouvrit les yeux et me regarda d'un air suppliant.

— Et notre accord ? Vous avez dit que vous m'aideriez si je coopérais.

— Dommage, dit Cheever d'une voix glaciale.

— Mais vous avez dit…

— La seule chose que tu vas obtenir, c'est un aller simple pour Starke. Soit on te plante une aiguille dans le bras, soit un balai dans le cul. Voilà tes options.

— Mais on avait un accord, pleurnicha-t-il.

— On a menti, espèce de larve.

Le regard de Bash erra sur l'écran géant. Jonny Perez avait arraché le haut du bikini de Melinda et cisaillait le cercle parfait de ses seins parfaits. Bash finit par reporter son regard sur moi.

— Pas d'accord ?

— Pas d'accord, non.

Bash voulut protester, puis se raidit sur son fauteuil. Il crispa sa main sur son cœur tel un acteur de tragédie dans une pièce. Quelque chose n'allait pas. Je l'empoignai et l'allongeai par terre. Puis je donnai des coups sur son cœur. Trop tard. Bash avait déjà cessé de respirer.

42

Les crises cardiaques sont des phénomènes étranges. Certains peuvent tenir des heures, comme dans le cas de ma sœur. D'autres succombent en un clin d'œil. Bash mourut en moins de trente secondes. Je ne pus rien faire d'autre que le regarder.

Il y a quelques années, j'avais percuté un renne avec ma voiture, par une nuit sans lune, et je m'étais rangé sur le côté de la route pour réconforter le malheureux animal.

Quand il mourut, une substance vaporeuse s'échappa de sa poitrine.

J'avais raconté cet épisode à mon médecin, qui me répondit avoir observé des phénomènes similaires chez de nombreux patients ayant succombé à une maladie mortelle. La substance, selon lui, était leur âme.

J'attendis de voir l'âme de Bash s'échapper, mais ne vis rien. Cheever s'approcha de moi.

— Il est mort ?

— Oui, murmurai-je.

— Merde, Jack, qu'est-ce que je vais faire ?

Je le regardai sans comprendre.

— Je pourrais tomber pour ça.

— Parce que tu l'as frappé au visage ?

— Ouais, et je l'ai provoqué. Le conseil va mener son

enquête. Je n'ai aucune envie de vivre l'épreuve que tu as subie l'année dernière.

Je ne pouvais guère blâmer Cheever d'avoir peur. Si j'avais appris une chose de mon expérience avec Simon Skell, c'était que les seules personnes censées respecter les lois au regard de la société étaient les représentants de l'ordre.

La caravane disposait d'une petite cuisine. Je pêchai un torchon dans l'évier et essuyai le sang autour de la bouche de Bash. Puis j'astiquai tout ce que Cheever et moi avions touché.

— Tu le connaissais bien ?

— Je passais à la station quand il invitait des stars du porno. Je savais qu'il était dingue, mais pas à ce point.

— Tu as déjà donné ton vrai nom à la station ?

— Non.

— Bien.

Je reportai mon attention sur l'écran plasma. Jonny Perez et l'autre Hispanique avaient cessé de torturer Melinda et n'étaient plus à l'écran. Melinda regardait droit devant elle, luttant pour chasser ses larmes.

— On arrive, soufflai-je à l'image.

A la porte, je sifflai mon chien. Puis je jetai un dernier regard au cadavre de Bash. Son visage avait l'air mort depuis longtemps. Lorsque nous quittâmes les lieux, la musique de *Midnight Rambler* jouait toujours.

Une fois à l'écart de la station, je pris le carnet de Bash et montrai à Cheever l'adresse de Jonny Perez.

Perez vivait dans un quartier mal fréquenté de Sunrise. Cheever suggéra que nous prenions sa voiture, pensant que son véhicule crasseux attirerait moins l'attention quand nous fouinerions dans le voisinage de Perez.

Je grimpai donc dans sa voiture et nous nous lançâmes sur la 595. Cheever avait le regard rivé sur la route. Je devinai qu'il cherchait à se débarrasser de l'image du cadavre de Bash et tentai de le réconforter.

— Ne te blâme pas pour ce qui s'est passé.

Il secoua la tête sans quitter le bitume des yeux.

— Bash a eu ce qui l'attendait.

Plusieurs kilomètres défilèrent en silence. Puis Cheever reprit la parole.

— Je dois te demander quelque chose.

— Quoi ?

— Tu aimes Melinda ? Je dois le savoir, Jack.

Sa question me laissa interdit.

— Combien de fois faudra-t-il que je te le dise, Claude ! Je n'ai pas couché avec elle. Ni hier, ni la semaine dernière, ni l'année dernière. Il ne s'est rien passé entre nous.

La douleur se peignit sur les traits de mon acolyte.

— Je suis désolé, Jack, mais c'est à cause de toi qu'on a rompu.

— Comment est-ce possible ?

— Elle a prononcé ton nom une nuit dans son lit. Elle aimait que je porte mon badge sur mon t-shirt. Elle l'a regardé et a prononcé ton nom.

Je n'avais pas oublié les croquis que j'avais vus chez Melinda, ainsi que la silhouette avec un badge sur la poitrine. L'homme tenait la main d'une femme devant une maison à la cheminée fumante. Maintenant, je comprenais sa signification.

— Je suis désolé, Claude.

Il hocha la tête d'un air de regret.

— Moi aussi.

***

Cheever emprunta la voix express jusqu'à la sortie de Sunrise et se retrouva rapidement perdu. Sunrise était un lotissement bâti par des investisseurs dont toutes les maisons et les rues étaient parfaitement identiques. Au bout de quinze minutes interminables, nous dénichâmes la rue de Perez et fîmes un rapide repérage. Toutes les maisons étaient de petite taille et dotées de barreaux aux fenêtres. Une ruelle courait derrière les propriétés, ce qui facilitait l'espionnage. Nous nous coulâmes dans la ruelle et nous postâmes derrière la maison de Perez.

Il s'agissait d'une structure en béton de plain-pied au toit goudronné et aux volets antiouragan. Un vélo aux deux pneus à plat se trouvait sous le porche.

— Quel merdier ! maugréa Cheever.

La cour avait des allures de fin du monde, avec des journaux surnageant sur le sol boueux. L'endroit paraissait abandonné.

— Je ne pense pas que Perez habite ici, dis-je.

— Alors, où est-il ?

L'astuce de Perez consistant à couper les câbles de ses victimes me revint en mémoire. Examinant les poteaux de l'allée, je découvris rapidement un long et épais câble noir qui courait de la supposée maison de Perez à la propriété adjacente. Une grande remise en préfabriqué trônait dans la cour. Sous un auvent était stationné le van blanc de Perez.

— Ils sont dans la maison d'à côté.

Cheever se gara dans la rue, et nous empruntâmes l'allée jusqu'à la seconde maison. On aurait dit une habitation de classe moyenne classique, excepté la remise, bien trop grande pour une si petite maison.

Devine ce qui se trouve dans cette chose ? murmura Cheever.

— Allons jeter un coup d'œil.

Un grillage de un mètre cinquante de haut entourait la propriété. Je pris Buster dans mes bras et le projetai par-dessus la clôture. Cheever et moi l'escaladâmes. Puis nous traversâmes la cour et poussâmes la porte de la remise d'un coup d'épaule.

A l'intérieur, il faisait au moins quarante degrés. J'allumai et nous nous avançâmes avec précaution. Au mur étaient accrochés toutes sortes d'outils et d'instruments de forage. Quelque chose me mettait mal à l'aise ; je m'emparai de mon arme. Cheever fit de même. Dos à dos, nous étudiâmes les lieux. Mon regard tomba sur un établi métallique qui courait sur tout un pan de mur. En dessous se trouvaient sept congélateurs, suffisamment larges pour contenir un corps humain. Buster les reniflait en agitant la queue.

J'examinai le plus proche de moi. Il portait une étiquette où était inscrit quelque chose. Je plissai les yeux pour déchiffrer l'écriture.

« 1 ».

Le congélateur suivant portait le numéro 2. Celui d'à côté, le numéro 3.

Je parcourus la rangée et lus les numéros un à un. Ils étaient tous numérotés, comme les photographies de la chambre de Bash. Pas de noms, pas d'identité.

Seulement des numéros.

Je décidai d'ouvrir d'abord le congélateur numéro 1. Je posai les mains sur le couvercle, quand l'image de Carmella Lopez étendue dans la fosse du jardin de Julie envahit ma mémoire.

— Tu veux que je le fasse ? demanda Cheever.

Je secouai la tête.

— Tu es sûr, Jack ? Tu es tout pâle.

— Absolument.

J'ouvris le couvercle. Le congélateur était vide. Une odeur d'ammoniaque s'en dégagea. Prenant une profonde inspiration, j'ouvris les autres congélateurs. Tous étaient vides. Dans le dernier, un objet brillant attira mon regard. Je le pris et le levai dans la lumière. Une boucle d'oreille en or.

— Perez a dû se débarrasser des corps, dit Cheever.

Les mains posées sur l'établi, je pris quelques secondes pour recouvrer mes esprits. J'avais désespérément besoin de voir les corps ici. Trouver les victimes était la seule manière pour moi de continuer à vivre. Cheever posa une main réconfortante sur mon épaule.

— Désolé, vieux.

Je hochai la tête sans le regarder.

— Allons secourir Melinda.

Je tendis la main vers l'interrupteur, quand je remarquai une carte affichée au mur. C'était le comté de Broward, avec des punaises colorées, comme sur la carte de mon bureau. Les punaises étaient plantées aux mêmes endroits que sur ma carte. Perez avait pointé tous les lieux où il avait enlevé les filles, exactement comme je l'avais fait.

Excepté qu'il y avait une punaise sur sa carte qui n'existait pas sur la mienne. Elle se trouvait à l'extrême nord de Dania Beach, à l'endroit précis où j'habitais. Ne comprenant pas l'objet de cette punaise, je décidai d'interroger Perez à ce sujet. J'éteignis la lumière.

Une fois dans la cour, Cheever longea la remise, puis passa prudemment la tête au coin. Je le suivis de près.

— Je les entends parler à l'intérieur de la maison, murmura-t-il.

— Combien sont-ils ?

— Je n'en suis pas sûr. Tu parles espagnol, non ?

— Un peu.

— Tu comprendras peut-être ce qu'ils disent ?

Nous échangeâmes nos places et je passai la tête au coin. Le visage de Jonny Perez était visible à travers une fenêtre à l'arrière de la maison. Il se lavait dans l'évier de la cuisine en discutant. Puis il s'éloigna de la fenêtre.

— Il parle à son frère Paco et à un autre type du nom d'Alberto, chuchotai-je. Ils parlent d'un restaurant où ils veulent aller après avoir tué Melinda.

— Donc, on est en sous-nombre.

— On dirait, oui.

Cheever prit son téléphone et l'alluma.

— Il est temps d'appeler la cavalerie.

— Tu appelles les flics ?

— Oui.

Je réfléchis aux conséquences de l'intervention de la police de Broward et à la réaction de Bobby Russo quand il apprendrait tout cela.

— Donne-moi le téléphone, dis-je.

— Pourquoi ?

— J'ai une meilleure idée.

43

J'appelai Ken Linderman. Même si je l'avais laissé tomber il y a quelques heures, je savais qu'il nous aiderait. Il voulait Skell autant que moi.

— J'ai besoin de votre aide, déclarai-je.

Je lui expliquai notre situation sans entrer dans les détails. Les conversations téléphoniques pouvaient être épiées par toute une batterie d'appareils électroniques et je ne voulais pas prendre le risque de tout faire rater.

Vingt minutes plus tard, Linderman se tenait dans l'allée à nos côtés. Theis l'accompagnait.

— Vous m'avez fait un sale coup ce matin, Jack, dit l'agent du FBI.

— Que s'est-il passé quand je suis parti ?

— Ces satanés flics m'ont cuisiné pendant une heure comme si je passais un examen. Si Coffen ne m'avait pas tiré dessus, j'y serais probablement encore.

— Tout a été résolu ?

— Oui, et pas grâce à vous.

J'avais dépassé le stade des excuses et entraînai les agents du FBI dans l'allée. Je désignai la maison de Perez par-dessus la clôture.

— Melinda Peters est séquestrée dans cette maison par Jonny Perez, son frère Paco et un troisième type du nom d'Alberto. Ils vont la tuer dès que Skell sera là. Skell leur a dit qu'il voulait regarder.

Linderman et Theis semblaient abasourdis.

— Comment savez-vous tout ça ? demanda Linderman.

J'avais décidé de ne pas lui parler de notre rencontre avec Bash. Cela causerait des ennuis à Cheever.

— Mon petit doigt me l'a dit.

Nous retournâmes dans la rue, et Linderman déverrouilla l'arrière de son 4 x 4. La banquette arrière avait été remplacée par un coffre métallique d'où il sortit deux gilets pare-balles en kevlar ainsi qu'une paire de fusils de chasse Mossberg 500.

— Je n'ai pas oublié, cette fois, dit-il.

Cheever et moi enfilâmes nos gilets. Puis nous nous recroquevillâmes tous les quatre dans un coin.

— Voilà le plan, dit Linderman. Theis et Cheever vont frapper à la porte d'entrée en se faisant passer pour des livreurs. Pendant ce temps, Jack et moi, on entrera par la porte de derrière et on coincera Perez et ses acolytes. Nous allons nous coordonner avec nos portables. Des questions ?

Aucune. Nous nous souhaitâmes bonne chance, puis nous nous séparâmes. J'agrippai Buster et suivis Linderman dans l'allée.

— Qu'est-ce qui se passe entre vous et ce chien ?

— Nous allons nous marier.

Lorsque nous fûmes parvenus chez Perez, j'ordonnai à Buster de rester dans la cour, puis sautai par-dessus la clôture. Linderman me tendit son fusil et franchit le grillage à son tour. Son téléphone sonna et il prit l'appel derrière la remise.

— Bon sang ! maugréa-t-il en raccrochant. Theis vient de repérer un bus scolaire. Il veut qu'on attende qu'il ait quitté le quartier.

Assaillir une maison avec des enfants dans les alentours n'était pas une bonne idée, et nous entrâmes dans la remise en attendant. Linderman sortit un paquet de cigarettes et s'en alluma une. En fumant, il posa le pied sur l'un des congélateurs sous l'établi.

— Perez mettait ses victimes là-dedans, lui dis-je.

Embarrassé, il retira son pied du congélateur.

— Ils sont vides maintenant, ajoutai-je.

— Vous savez comment il s'en est débarrassé ? demanda Linderman.

— Non. Mais je compte bien le découvrir.

Linderman enfouit sa cigarette dans le sol poussiéreux.

— Et si Perez refuse de vous le dire ?

— Je l'obligerai à parler.

Linderman me jeta un long regard appuyé.

— Vous n'abandonnerez jamais, n'est-ce pas ?

C'était une question que je m'étais posée des centaines de fois. Je rassemblai mes pensées avant de répondre.

— Vous connaissez *el Dia de los Muertos* ?

— Oui, c'est une fête chez les Mexicains. Le jour des Morts.

— C'est aussi une croyance religieuse. Dans le village où est née ma femme, ils pensent que les esprits des morts nous surveillent et qu'il est de notre responsabilité de traiter leur mémoire avec respect. Sinon, ces esprits nous hantent durant le reste de nos jours.

— Vous y croyez, Jack ? Vous croyez que les victimes vont vous hanter si vous ne découvrez pas ce qui leur est arrivé ?

Je hochai la tête solennellement. C'était la seule explication à ma conduite des six derniers mois.

— Alors, j'imagine que nous allons devoir faire parler Perez, dit Linderman.

Oppressés par la chaleur de la remise, nous retournâmes à l'air libre. Puis je jetai un coup d'œil à la maison depuis le coin de la remise. Sur le rebord de la fenêtre, une radio portative diffusait l'émission de Neil Bash. Je frissonnai en me demandant combien de temps il faudrait à Perez pour se rendre compte qu'il s'agissait d'une rediffusion.

— Nous manquons de temps, murmurai-je.

Linderman ne me demanda pas d'explication et appela Theis.

— C'est parti, dit-il.

44

Tous les policiers vous diront qu'il n'y a pas de bruit plus effrayant que le cliquetis d'une cartouche qui s'enclenche dans le canon d'un fusil. Ce bruit me faisait encore frissonner quand Linderman arma son Mossberg et se mit en route.

Je dégainai mon colt et suivis l'agent dans la cour, la sueur coulant dans mon dos. Par la fenêtre ouverte de la cuisine nous parvenait la voix de Bash. Entendre Bash était étrange, sachant qu'il était mort. Buster pressa son museau froid contre ma jambe.

— Il est temps de vous séparer de votre fiancé, dit Linderman.

Je pointai du doigt un espace ombragé à côté de la maison.

— Assis, dis-je.

Quelle fierté de voir mon chien m'obéir au doigt et à l'œil !

Linderman s'arrêta devant la porte de derrière et leva la jambe. La porte était équipée de verrous. Il fallut plusieurs coups de pied pour la faire céder.

Nous nous ruâmes tous deux à l'intérieur et débouchâmes dans une cuisine en forme de L, avec un linoléum passé et une immense pile de vaisselle sale dans l'évier.

A la radio, Bash parlait d'un concert de métal qui avait eu lieu plusieurs mois auparavant.

— Bon sang, dis-je pour moi-même.

Linderman agit rapidement. Je le suivis le long d'un petit couloir faiblement éclairé qui donnait sur un salon aux meubles dépareillés, avec un appareil de musculation dans un coin. Jonny Perez, son frère Paco et un autre type à la peau sombre, sans doute Alberto, se tenaient au centre de la pièce, leurs armes automatiques pointées sur Theis et Cheever. Les deux agents se trouvaient dans l'entrée, mains en l'air. Des jumelles étaient posées sur le canapé, près de la fenêtre.

— FBI ! cria Linderman. Lâchez vos armes !

Jonny Perez jeta un coup d'œil soupçonneux par-dessus son épaule.

— Non, répondit-il. Vous, lâchez vos armes, dit-il dans un anglais parfait.

— Pas question, rétorqua Linderman.

Perez murmura quelques mots en espagnol à son frère. Paco se tourna et pointa son arme automatique vers le fond du salon.

— Si vous ne lâchez pas vos armes, dit Perez, mon frère va tirer à travers le mur et tuer la fille dans la chambre.

— Si vous faites ça, on vous abat, répondit Linderman.

— Je n'ai pas peur de mourir, dit Perez.

— Moi non plus, renchérit Paco.

Le troisième comparse, Alberto, se contenta de grogner.

Linderman hésita. Il ne voulait pas perdre Theis et l'otage. Percevant son trouble, Perez laissa échapper un rire diabolique.

— Jack ! s'écria Cheever.

Je me tournai vers mon ami, mon arme toujours braquée sur les trois hommes. Cheever suait par tous les pores de sa peau, tout comme moi.

Mais son visage affichait un air de défi.

— T'as pas intérêt à négocier avec eux, Jack.

— La ferme, Claude.

— Ne fais pas ça.

— J'ai dit la ferme.

— Non, toi, la ferme ! dit-il, haussant le ton. Tu vas te prendre une balle. Comme nous tous. Je te dis de ne pas faire ça, compris ?

Je plongeai dans son regard et compris qu'il pensait chacun de ses mots. Puis je regardai Theis. Tous deux portaient des gilets pare-balles, alors que Perez, Paco et Alberto n'en avaient pas. Ce fut ma dernière pensée avant d'appuyer sur la détente du colt.

Paco était le plus proche de moi. Je visai la poitrine, et la balle perfora son cœur – ce que les flics appellent un coup fatal. Son arme lui glissa des mains et il s'effondra sur le canapé comme s'il avait décidé de faire une sieste.

Au même moment, le pistolet de Linderman rugit. Le coup toucha Alberto à la taille, l'obligeant à se contorsionner comme s'il avait été coupé en deux. Alberto tomba en arrière et rejoignit Paco sur le canapé.

Perez, qui n'avait pas été touché, tira plusieurs fois sur Cheever et Theis, qui laissèrent échapper des râles de douleur avant de s'écrouler.

Puis Perez se retourna pour me regarder et prit la fuite. En un instant, il avait passé la porte. Je me lançai aussitôt à sa poursuite.

— Rattrapez-le ! hurla Linderman.

Je m'arrêtai sur le seuil. Le bus scolaire avait déversé une joyeuse bande d'enfants sur le trottoir. Ils s'amusaient, inconscients du drame qui se déroulait. Je fis abstraction d'eux de mon mieux, visai Perez et tirai.

La balle atteignit l'Hispanique dans les fesses, ce qui le projeta dans les airs comme un acrobate effectuant un triple saut. Il se prit les fesses en hurlant de douleur. La moitié des enfants s'éparpillèrent comme des moineaux, tandis que les autres couraient autour de lui.

Je me précipitai sur lui et l'immobilisai. Puis je ramassai son arme sur la pelouse. Cheever, couvert de sang, me rejoignit.

— Allonge-toi avant de te vider de ton sang, lui dis-je.

— Ça va, grogna-t-il.

— Ça n'a pas l'air d'aller si bien que ça.

— Blessures superficielles. Va chercher Melinda, je surveille cette vermine.

Je lui fourrai l'arme de Perez dans les mains et retournai dans la maison en courant. Theis gisait dans le couloir, les yeux clos. Il avait écopé d'une balle dans le cou et Linderman pressait une serviette sur la plaie en lui parlant.

— Vous avez appelé le 911 ?

— Oui. Perez est mort ?

— Je lui ai collé une balle dans le cul.

Linderman me dévisagea. J'aurais voulu lui dire de ne pas s'inquiéter, mais j'allai chercher Melinda.

L'arrière de la maison était sombre et peu accueillant. Deux petites chambres, chacune avec un matelas par terre et un petit ventilateur électrique. Au bout du couloir, une porte fermée.

Je tournai la poignée et entrai. La pièce était vide, en dehors d'une caméra fixée sur un trépied et une enceinte. La caméra était dirigée vers une porte de placard close. Je l'ouvris en m'attendant à trouver Melinda et laissai échapper un cri.

Pendue à une barre de métal, une jeune femme nue que je n'avais jamais vue. Un torchon violacé lui avait été enfoncé dans la bouche pour l'empêcher de crier. Tout en elle semblait mort, excepté son visage. Une légère roseur colorait ses joues. J'ôtai précautionneusement le chiffon de sa bouche et lui déliai les poignets. Elle s'affaissa dans mes bras, et je la déposai doucement sur le sol.

— Réveille-toi. Allez, tu peux y arriver, murmurai-je.

Au début, elle ne répondit pas. Puis un hoquet s'échappa de sa gorge. Un son ténu, telle une batterie de voiture morte qui émettait une étincelle de vie. Ses paupières papillonnèrent et elle commença à respirer normalement. Elle me dévisagea sans oser faire un mouvement.

— Vous n'êtes pas Skell, n'est-ce pas ?

Je secouai la tête et elle se mit à pleurer.

— J'étais un cadeau pour Skell.

— C'est ce qu'ils vous ont dit ?

— Oui. Encore et encore.

— Une ambulance est en route. Tout va s'arranger.

Elle avait environ dix-huit ans et était consciente d'être nue devant un étranger. Je me rendis dans la salle de bains, attrapai deux serviettes et la recouvris. Si les victimes avaient un point commun, c'était leur beauté. Toutes étaient un régal pour les yeux et, malgré son air effarouché, celle-ci ne faisait pas exception à la règle. Sa main s'échappa de la serviette pour me prendre le poignet.

— Comment vous appelez-vous ?

— Jack Carpenter.

— Un des ravisseurs a parlé de vous. Il a montré votre photo aux autres. Il a dit que, si vous veniez, il fallait vous abattre, car vous alliez les tuer. Ce n'était pas une très bonne photo, cela dit.

Je fis mon possible pour ne pas rire.

— Vous êtes une jeune femme très courageuse. Je dois vous poser une question.

— Bien sûr.

— Le gang retenait en otage une autre femme. Son nom est Melinda. Vous savez où elle est ?

— Elle était dans l'une des autres chambres. Je l'ai entendue pleurer plusieurs fois. Je crois qu'ils l'ont emmenée ailleurs.

— Quand ?

— Tôt ce matin. Il faisait encore nuit.
— Ont-ils dit où ils l'emmenaient ?
Elle réfléchit un instant.
— S'ils l'ont fait, je ne l'ai pas entendu.
— Ils l'ont mise dans une voiture ?
Elle secoua la tête. Ses doigts se crispèrent sur mon poignet.
— Vous voulez bien m'accorder une faveur, monsieur Carpenter ?
— Bien sûr.
— Pouvez-vous me prêter votre téléphone pour que j'appelle ma mère ?
Je pris mon portable et le lui glissai dans la main. Puis je me relevai. Perez allait cracher le morceau, il me dirait où ils avaient emmené Melinda. D'après les dires de la jeune fille, ce n'était pas bien loin.
— Je vais revenir, dis-je.

45

— Jack, Jack ! Venez ! Vite !

Je regagnai le salon en trombe. Linderman s'occupait toujours de Theis, allongé près de la porte ouverte. L'agent du FBI pointa le doigt vers l'extérieur.

— Perez s'est sauvé !

Je m'emparai de mon colt et scrutai la cour. Cheever était avachi sur la pelouse, un couteau de poche planté dans la jambe, pendant que Jonny Perez s'éloignait en titubant sur le trottoir, l'arme que je lui avais confisquée au poing. Linderman me frappa la jambe.

— Finissez-en, Jack.

— Oui, monsieur.

Je me lançai à la poursuite de Perez. Les enfants de l'école élémentaire avaient envahi la rue, certains avec des vélos ou des skate-boards, d'autres avec des ballons.

Le quartier avait mauvaise réputation, et ces gamins devaient avoir déjà vu leur lot de crimes. Quand je passai devant Cheever, il maugréa.

— Bon sang, quel imbécile !

Retardé par sa blessure, Perez ne cessait de jeter des coups d'œil affolés derrière. En me voyant, il blêmit. Je lui hurlai de s'arrêter, mais il empoigna un gamin grassouillet qui poussait un scooter et le projeta au sol.

Le gamin se mit à sangloter. Pendant que je passais sur la route pour l'éviter, Perez remonta vivement l'allée d'une maison et tambourina à la porte. Elle s'ouvrit à la volée, faisant apparaître un rasta efflanqué avec des dreadlocks jusqu'aux épaules et des yeux exorbités.

— Qu'est-ce qui se passe, Jonny ? demanda le rasta.

— La police est à nos trousses, dit Perez.

— Merde !

Ils disparurent dans la maison. Je remontai l'allée à mon tour et passai la tête par la porte entrebâillée. Le salon était envahi de plants de marijuana et de spots fluorescents brûlants, tandis que deux vieilles enceintes diffusaient de la musique reggae. Avançant d'un pas, un détecteur de mouvement enclencha le hurlement d'une sirène.

Perez apparut à l'autre bout du salon, un pistolet-mitrailleur à la main. C'était l'arme préférée des dealers de drogues et elle pouvait tirer cent coups à la minute. Je battis en retraite à la vitesse de l'éclair, les balles sifflant tout autour de moi. Dans la rue, des enfants hurlèrent et coururent pour se mettre à couvert.

Je plongeai derrière une épaisse haie d'hibiscus sur le côté de la maison. Enfin, la rafale de tirs cessa.

Je comptai jusqu'à cinq, puis passai lentement la tête par-dessus les buissons : Perez n'était nulle part en vue, et la maison paraissait calme. Pourtant, je n'avais aucune intention de retourner à l'intérieur.

Les murs semblaient en contreplaqué, de sorte que Perez pouvait très bien me tuer depuis une autre pièce.

Une porte claqua, puis des voix me parvinrent depuis la cour de derrière. Restant baissé, je fis le tour de la maison. La cour était une jungle d'herbes folles et d'agrumes mourants, avec un garage un peu à l'écart.

Je vis Perez emporter Melinda sur son épaule, le rasta armé du pistolet-mitrailleur sur ses talons. Ils disparurent dans le garage avant que je puisse tirer.

Quelques secondes plus tard, un moteur vrombit. Puis j'entendis le rasta crier à Perez d'enlever son pied de l'accélérateur pour ne pas noyer le moteur. Je courus dans l'allée et mis le garage en joue.

La porte s'ouvrit automatiquement et une Mustang noire décapotable en sortit en trombe, fonçant droit sur moi.

Sur les sièges avant, Melinda était prise en sandwich entre Perez et le rasta. Elle portait un t-shirt blanc d'homme et une casquette de base-ball. Elle était vivante et nos regards se croisèrent. Puis elle cria :

— Jack, aide-moi !

J'avais Perez en ligne de mire. Mais je risquais d'atteindre Melinda. Je renonçai à tirer, et Perez accéléra pour tenter de me renverser. Je bondis sur le côté et roulai dans les herbes. La Mustang n'avait pas atteint la rue que j'étais déjà sur pied, arme au poing. Un grand *bang* déchira l'air quand le pneu arrière explosa. La voiture poursuivit sa route en louvoyant tel un animal blessé.

Le colt baissé, j'entendais encore l'appel au secours de Melinda. Je voulus appeler Linderman, quand je me rappelai que j'avais donné mon téléphone à la jeune captive.

Mon corps fut pris de tremblements. L'histoire n'était pas censée se terminer ainsi.

Un klaxon de voiture me ramena à la réalité. Le 4 x 4 de Linderman fonçait dans l'allée, avec Buster sur le siège passager. Il ralentit à ma hauteur et je bondis dans le véhicule à côté de mon chien.

— Perez et son acolyte se sont enfuis avec Melinda.

— Pour l'amour de Dieu, Jack !

Au bout de l'allée, il freina brutalement.

— De quel côté sont-ils partis ?

— A droite. Comment va Theis ?

— Les secours viennent d'arriver. Il survivra.

— Et Cheever ?

— Il va s’en tirer aussi.

Nous fîmes le tour du quartier en silence. La fusillade avait fait fuir tous les habitants, et les rues étaient désertes. Aucune trace de la Mustang, en dehors de quelques bribes de pneus au milieu de la route.

— J’ai eu l’un de ses pneus, expliquai-je.

— Décrivez-moi leur voiture.

Je donnai la description de la Mustang, et Linderman la relaya à l’unité héliportée de la police de Broward. L’appel terminé, il me pointa du doigt.

— Il ne faut plus hésiter, Jack.

— Je ne voulais pas toucher Melinda.

Mon comparse me jeta un regard réprobateur.

— Jonny Perez est un tueur de sang-froid. Notre responsabilité est de l’empêcher d’arpenter les rues et de faire de nouvelles victimes. Vous avez eu deux occasions et vous les avez manquées.

— Vous pensez que j’aurais pu l’avoir et que je l’ai laissé partir ?

— Vous m’avez dit que vous vouliez interroger Perez à propos des victimes. J’aimerais le questionner autant que vous, mais nous ne vivons pas dans un monde parfait.

— Le questionner à quel sujet ?

A l’intersection suivante, Linderman enfonça de nouveau la pédale de frein. Il prit une série de photographies sur la banquette arrière et les jeta sur mes genoux. Je feuilletai une douzaine de clichés en noir et blanc d’une résidence prise de l’extérieur. Sur l’un d’eux, on voyait un panneau. Dessus, il était inscrit « Université de Miami, Campus Coral Gables ».

— Theis les a trouvées dans l’ordinateur de Coffen.

— Le foyer de votre fille ?

— Oui, le foyer de ma fille. Elles ont été prises il y a cinq ans.

— A l’époque où elle a disparu ?

— Oui, Jack, à l’époque où elle a disparu.

Je m'enfonçai dans mon siège, mon chien pressé contre moi. Linderman avait trouvé des éléments qui reliaient le gang de Skell à la disparition de sa fille et, pourtant, il voulait éliminer Perez. Cela en disait long sur sa personnalité et sa dévotion à son travail.

Je fixai le badge épinglé à sa poitrine et repensai au mien, resté dans le tiroir de mon bureau.

Il serait toujours un représentant de l'ordre, alors que je ne le serais jamais plus.

Son portable sonna. Il prit l'appel, puis me regarda de biais.

— Un hélicoptère de la police vient de repérer la voiture abandonnée de Perez sur la 595. Vous voulez une autre chance ?

Son offre me surprit. Je pensais qu'il en avait terminé avec moi.

— Absolument.

46

Fort Lauderdale comptait trois catégories de conducteurs. Les fous, les bleus et ceux qui n'ont pas de permis. En dépit des flashes bleus sur le tableau de bord du 4 x 4 de Linderman, pas un seul véhicule sur la 595 ne s'écarta de notre route.

— Bon sang ! maugréa Linderman.

Il s'engagea sur la voie d'arrêt d'urgence et appuya sur l'accélérateur. Je serrai mon chien contre moi tout en cherchant des yeux la voiture en fuite.

Environ un kilomètre plus loin apparut la Mustang décapotable abandonnée. Trois types tatoués armés de pieds-de-biche étaient en train de la démanteler.

— Voilà la voiture que conduisait Perez, dis-je.

— Qui sont ces clowns ? demanda Linderman.

— Vos voleurs de voiture quotidiens.

— Où est l'hélicoptère de la police ?

Scannant le ciel, je vis un hélicoptère survoler un centre commercial non loin de l'endroit où se trouvait la Mustang.

— Là ! dis-je en le pointant du doigt.

Linderman prit la direction du centre commercial et se gara sur le parking presque désert. En sortant du véhicule, il agita les bras pour signaler notre présence à l'hélicoptère. Le pilote nous repéra et piqua vers nous, éclipsant momentanément le soleil. La femme blonde qui pilotait l'appareil nous montra du doigt le magasin principal, Mattress Giant. Linderman lui fit signe qu'il avait compris et elle s'éloigna. Puis l'agent du FBI prit son arme dans le 4 x 4.

— Vous avez encore des balles ? demanda-t-il.

Je palpai ma poche.

— Oui.

— Bien. Faites le tour du magasin et appelez-moi quand vous serez en place. Si tout va bien, nous entrerons en même temps et nous les épinglerons.

— J'ai laissé mon téléphone dans la maison de Perez.

Il me jeta un regard agacé. Entre ma maladresse au tir et l'oubli de mon téléphone, je me doutais qu'il n'avait pas une très haute opinion de moi.

— Vous avez de la chance, j'en ai un deuxième.

Il extirpa un téléphone d'un rouge brillant de la poche de sa veste et me le tendit. C'était un modèle récent, qui me rappelait celui de ma fille.

— Je l'ai trouvé dans la pelouse, devant chez Perez, expliqua-t-il. Je suppose qu'il est tombé de la poche de Cheever. Vous avez mon numéro ?

Après l'avoir mémorisé, je hochai la tête.

— Bon. Appelez-moi quand vous serez posté derrière le magasin, d'accord ?

Il me parlait comme à un enfant. J'acquiesçai, puis, le téléphone à la main, contournai le magasin. Quand je l'allumai, un message de bienvenue en espagnol apparut sur l'écran. Cheever ne parlant pas espagnol, je compris brusquement que l'appareil ne lui appartenait pas.

C'était le téléphone de Jonny Perez.

Parvenu au coin du magasin, Buster poussa un grognement. Le rasta se trouvait près de la porte de service de Mattress Giant. Il tenait en joue deux employés vêtus de chemises et cravates, les mains sur la tête, tels des prisonniers de guerre.

Je cherchai Perez des yeux. Derrière le bâtiment se trouvait un petit parking réservé aux employés, comme l'indiquait une pancarte. Tout au bout, Perez, son pistolet pointé dans le dos de Melinda, était en train de la forcer à grimper dans une Chevy Nova bleue.

Je m'accroupis et le mis en joue. Perez était dans ma ligne de mire, mais le coup n'était pas sûr, et je risquais de toucher Melinda. Les paroles de Linderman me revinrent en mémoire. Alors, je pressai la détente.

La balle toucha la tête de Perez. Il poussa un cri déchirant et pressa sa main sur l'oreille. Puis il saisit Melinda et s'en servit comme d'un bouclier humain.

— Reculez ! hurla-t-il.

Je maintins ma position. Le rasta était demeuré près de la porte de service, son pistolet-mitrailleur dirigé vers les deux employés.

— Jack, aide-moi ! cria Melinda.

— J'essaye !

— Je t'aime, Jack.

— Je le sais, murmurai-je pour moi-même.

Certains otages sont tétanisés face à la mort. Melinda, elle, fit tout le contraire et commença à agiter les bras et à enfoncer ses talons sur les pieds de Perez. Elle faisait preuve d'une rare bravoure. Perez resserra son bras autour de son cou, l'empêchant de respirer. Son oreille avait été arrachée, et du sang coulait dans son cou.

— Relâche-la et je te laisserai filer ! lui criai-je.

Le regard de Perez disait qu'il ne me croyait pas.

— Allez !

Perez dirigea son arme vers moi. Je me cachai derrière le bâtiment et entendit un bruit sourd. Je jetai un bref coup d'œil au coin et vis que Perez avait assommé et poussé Melinda dans la Nova.

— Couvre-moi ! hurla Perez.

Je sortis de ma cachette, mais le rasta avait retrouvé du

poil de la bête. Il pointa le pistolet-mitrailleur sur moi, et nous échangeâmes des tirs.

Il était évident qu'il n'avait jamais tenu une arme automatique, et les balles volèrent en tous sens sans m'atteindre. Je continuai à tirer et le vis s'écrouler.

Je traversai le parking en courant, Buster sur mes talons. Perez avait grimpé dans la Nova et reculait.

Il braqua le volant tel un pilote professionnel, prit le virage et s'engagea sur une bretelle qui rejoignait la 595. Impuissant, je le regardai s'éloigner.

La porte de service du magasin s'ouvrit à la volée, et Linderman apparut.

— Jack, ça va ?

Je demeurai immobile, le colt toujours à la main.

— Il s'enfuit, balbutiai-je.

Linderman fit signe au pilote de l'hélicoptère qui avait suivi toute la scène. Il lui désigna l'autoroute, et le pilote prit aussitôt la Nova en chasse.

Retournant près du magasin, Linderman questionna les deux employés.

— A qui appartient cette voiture ?

L'un des employés était petit, l'autre grand. Tous deux baissèrent les mains.

— A moi, répondit le grand.

— Quel est le numéro d'immatriculation ?

Je l'ai dans mon portefeuille.

— Où est-il ?

— A l'intérieur.

Il me le faut.

Alors qu'ils faisaient mine de retourner dans le bâtiment, je regardai le rasta. Il avait été touché à la taille et respirait à peine, ses yeux papillonnant sans relâche.

Si quelqu'un savait où Perez comptait se rendre, c'était bien lui. M'agenouillant, je posai délicatement sa tête sur mes genoux et protégeai ses yeux du soleil.

— Que faites-vous ? demanda Linderman.

— Peut-être qu'il peut nous aider.

— Vous perdez votre temps.

Les trois hommes disparurent dans le magasin. Quand la porte se referma sur eux, le rasta leva les yeux.

— T'es le petit ami ? murmura-t-il avec un accent jamaïcain.

— Quel petit ami ?

— Jonny a dit que sa nana le trompait et qu'il voulait lui donner une leçon.

— C'est pour ça que vous l'avez séquestrée ?

Il hocha faiblement la tête.

— Jonny est un tueur. Il vous a menti.

Le rasta ferma les yeux et inspira profondément.

— Vous voulez bien me dire une chose ?

Ses yeux se rouvrirent, mais il ne répondit pas.

— Où Jonny l'emmène-t-il ? Vous devez avoir une idée.

L'homme regarda à travers moi, comme si son esprit s'évanouissait.

— Jonny allait vous abandonner. Il se moque totalement de vous. Vous ne lui devez rien du tout.

Le rasta parut réfléchir avant de répondre.

— Jonny l'emmène dans l'océan. Il a dit qu'il allait vous surprendre.

— Me surprendre comment ?

— Sais pas, mec.

— Il l'emmène sur un bateau ?

Le rasta cligna des yeux pour acquiescer. Sa main droite errait au-dessus de la poche de son pantalon.

J'y glissai ma main et en extirpai un anneau en plastique où pendait une clé. Je la mis devant le visage du rasta.

— C'est votre bateau ?

— Celui de Jonny. Il me le laisse parfois.

— Il est dans une marina ?

— Ouais.

— Vous savez laquelle ?

— Connais pas son nom. Une sur les canaux.

Le rugissement d'une sirène annonça l'arrivée de six voitures de police qui nous encerclèrent sur le parking. Douze portières s'ouvrirent simultanément et, bientôt, plus de pistolets que je ne pouvais en dénombrer étaient pointés sur ma tête.

— Ne tirez pas ! m'écriai-je.

47

Deux flics me plaquèrent contre le mur. Je me défendis en leur disant qu'un agent du FBI à l'intérieur du magasin pouvait tout expliquer, mais ils m'ordonnèrent de la boucler. Pendant qu'ils me fouillaient, je jetai un coup d'œil à Buster. Mon chien m'observait d'un air inquiet depuis sa retraite ombragée.

Enfin, Linderman apparut et prit aussitôt en main les policiers. Il y avait des moments où j'avais envie d'embrasser cet homme, et c'en était un ! L'agent persuada les policiers de me rendre mon colt. Quand mon arme retrouva son étui, Buster sortit de son repaire et vint se frotter à ma jambe.

A présent, le rasta était inconscient. Deux policiers faisaient leur possible pour le maintenir en vie. Je restai un moment auprès de lui, quand je compris qu'il ne rouvrirait probablement plus jamais les yeux.

Je suivis Linderman dans le magasin de meubles. Là; il posa la main sur mon épaule. Un geste inattendu de sa part.

— J'ai de mauvaises nouvelles, dit-il.

Je retins mon souffle.

— L'hélicoptère a perdu la Nova.

— Comment est-ce possible ?

Il m'expliqua que Perez avait pris la direction est sur la 595, puis emprunté la sortie de Broward Boulevard pour gagner Fort Lauderdale. De là, il avait fait route vers le sud et emprunté un tunnel en plein centre-ville. C'était à cet endroit que l'hélicoptère l'avait perdu.

— Je sais où Perez l'emmène.

L'agent du FBI laissa tomber sa main.

— Vraiment ?

Je lui montrai la clé du rasta.

— Perez va jeter Melinda dans l'océan. Appelez la police et dites-lui de fouiller la maison de Perez. Il doit avoir des factures pour la location d'un emplacement dans une marina.

— Pourquoi Perez ne se contente-t-il pas de la tuer et de se débarrasser du corps ?

Je secouai la tête.

— Le gang veut me piéger. Ils vont assassiner Melinda et me faire porter le chapeau.

— A vous ?

— Ils veulent faire croire aux gens que je suis le Tueur de minuit et ainsi dédouaner Skell.

Linderman prit aussitôt son téléphone pour contacter la police de Broward.

— Vous n'arrêtez jamais de réfléchir, n'est-ce pas, Jack ? me dit-il en attendant son interlocuteur.

Comprenant qu'il s'agissait d'un compliment, je souris.

Le magasin d'ameublement était rempli de lits. Pendant que Linderman parlait au téléphone, je m'assis au bord de l'un d'eux, immense, et sortis le téléphone de Perez de ma poche. Comme il était toujours allumé, je consultai le carnet d'adresses en priant pour y trouver le numéro de la marina.

Le répertoire contenait des douzaines d'entrées. Aucun nom n'apparaissait en entier, seulement des initiales. « NB » devait correspondre à Neil Bash, « PC », à Paul Coffen. Deux lettres à la fin du répertoire attirèrent mon attention.

« LS ».

Cela pouvait être n'importe qui, mais mon instinct me soufflait qu'il s'agissait de Leonard Snook. L'entrée comportait deux numéros : un professionnel et un privé. Tous deux avaient l'indicatif 305 de la ville de Miami. J'optai d'abord pour le numéro professionnel.

— Bureau juridique, répondit une voix féminine morne.

— Il est là ?

— Qui ? demanda-t-elle d'un air soupçonneux.

— Leonard Snook.

— Monsieur Snook n'est pas au bureau. Si vous voulez, vous pouvez lui laisser un message.

Je déclinai l'offre et raccrochai. Snook représentait Simon Skell et Cecil Cooper, et j'avais la preuve qu'il était de mèche avec Jonny Perez.

Il n'était pas illégal de défendre des ravisseurs et des tueurs en série, mais je me pris à espérer que je pourrais convaincre Snook de nous aider à retrouver Perez avant qu'il ne tue Melinda. Grâce au répertoire de Perez, j'appelai le numéro personnel de l'avocat. Après plusieurs sonneries, il décrocha.

— Je ne peux pas te parler maintenant, Jonny, dit-il dans un murmure. On vient d'arriver à Fort Lauderdale, et Simon donne une conférence de presse à une brassée de journalistes imbéciles. Je te rappelle dès que c'est terminé.

Snook raccrocha sans attendre ma réponse. Ce que je venais d'entendre me stupéfia. Je me levai d'un bond. De l'autre côté du magasin, les deux employés buvaient un café près d'un bureau. Les rejoignant, je leur demandai :

— Il y a un téléviseur dans le magasin ?

Ils en désignèrent un portable sur le bureau. Il était si petit que je ne l'avais même pas remarqué. M'emparant de la télécommande, je passai les chaînes en revue. La conférence de presse de Skell était diffusée sur la chaîne locale ABC. Il se tenait près d'un hôtel. Perché sur un podium, Skell, flanqué de sa femme et de son avocat, répondait aux questions des journalistes. Il portait toujours son sweat-shirt Old Navy et son jean. Je montai le volume.

« Qu'allez-vous faire, maintenant que vous êtes libre ? demanda un journaliste.

— Reprendre mon travail, répondit Skell.

— Vous en voulez à Jack Carpenter pour ce qu'il vous a fait ? » continua son interlocuteur.

Skell se pencha vers les microphones.

« Jack Carpenter n'aura que ce qu'il mérite.

— Vous êtes en colère contre lui ?

— Il aura ce qu'il mérite, répéta-t-il.

— Est-il vrai qu'un film se prépare ? » demanda un autre journaliste.

Leonard Snook s'avança vers les micros et annonça la préparation d'un film à gros budget, avec un acteur de premier plan d'Hollywood pour jouer le rôle de son client. Un contrat d'auteur était également en cours de négociation avec une prestigieuse maison d'édition de New York.

« Qui va l'écrire ?

— Moi », répondit Snook.

Quelque chose en moi se brisa. Les avocats se remplissaient les poches en représentant les pires racailles, mais Snook profitait du malheur des victimes de Skell. C'était purement et simplement diabolique.

Sans réfléchir, je rappelai aussitôt Snook. A la télévision, il prit son portable et regarda l'écran d'un air désapprobateur, puis disparut de l'image. Quelques secondes plus tard, sa voix me parvint.

— Pour l'amour du ciel, Jonny, je ne peux pas te parler maintenant. Je te rappelle dès que j'ai terminé.

— Ce n'est pas Jonny.

Snook marqua une pause. Derrière lui, j'entendais Skell parler aux journalistes.

— Alors, à qui ai-je l'honneur ?

— Jack Carpenter.

Snook hoqueta.

— Qu'est-ce que vous voulez ? dit-il enfin.

— Vous allez faire un message à Skell de ma part.

— Un message.

— Oui. Pour Skell. Et pour vous aussi.

— Quel est le message ?

— Dites-lui que Paul Coffen, Neil Bash et Paco Perez l'attendent en enfer. Vous voulez bien faire ça pour moi, Leonard ?

— C'est une mauvaise blague ?

— Pas du tout.

Snook raccrocha.

Je fixai le téléviseur. Il y avait quelques secondes de décalage dans la retransmission. Quelques instants plus tard seulement, Snook réapparut sur l'écran. Il s'approcha de Skell et lui murmura quelques mots à l'oreille.

Skell faisait face à la caméra quand il apprit la nouvelle. Ses mâchoires se crispèrent et ses narines s'écartèrent. J'avais déjà vu ce regard chez d'autres tueurs. Cela s'appelait la rage sociopathique. Skell était sur le point d'exploser.

Soudain, la conférence de presse s'acheva, et Skell disparut du podium avec sa clique.

48

J'éteignis la télévision portative et gagnai l'entrée du magasin. Linderman scrutait le parking par la fenêtre tout en parlant au téléphone. A sa voix ténue et sa posture raide, je devinai que la police n'avait pas retrouvé la Nova. Je toussai, et il se tourna vers moi.

— Vous devez contacter l'agent spécial Saunders, dis-je.

Il couvrit son portable d'une main.

— Je suis en pleine conversation, Jack.

— Faites ce que je vous dis. Appelez-le.

— Mais…

— Tout de suite. Skell va tenter de s'enfuir. Je l'ai provoqué.

L'épaule de Linderman tressauta et, l'espace d'une seconde, je crus qu'il allait me frapper. Il mit aussitôt fin à sa conversation.

— Pour l'amour du ciel, pourquoi avez-vous fait ça ?

— J'ai eu un coup de sang et j'ai appelé Snook avec le portable de Perez.

— Bon sang, Jack !

Linderman appela l'agent spécial Saunders et lui exposa la situation. Plaquant une main sur le combiné, il me dit :

— Saunders est avec son partenaire dans le van de surveillance, devant l'hôtel Executive Suites de Fort

Lauderdale. Ils surveillent la chambre de Skell et écoutent ses conversations à travers les murs. Skell est avec sa femme et son avocat. Tout va bien. Il ne va pas s'envoler.

Executive Suites se situait sur Military Trail, près d'un important centre commercial. C'était un endroit minable pour tenir une conférence de presse, surtout étant donné les sommes exorbitantes que Skell allait récolter de ses contrats pour le livre et le film. A mon sens, Skell avait une idée derrière la tête en choisissant ce lieu. J'arrachai le téléphone des mains de Linderman.

— Scott, Jack Carpenter à l'appareil. J'ai fait un truc complètement idiot et je ne voudrais pas que vous en payiez les conséquences. Vous devez arrêter Skell.

— Pour quel motif ? demanda Saunders.

— Inventez quelque chose.

— Je ne peux pas faire ça.

— Pourquoi pas ? Vous représentez la loi.

— Pour deux raisons. Skell vient d'être libéré de prison, et son avocat est avec lui. L'arrêter serait un aller simple pour le Dakota du Nord.

Le Dakota du Nord était le lieu où on envoyait les agents du FBI par mesure punitive. Je rendis son téléphone à Linderman, qui mit fin à l'appel.

— Nous devons aller là-bas, lui dis-je d'un ton pressant.

— Je viens de vous le dire, Jack, la situation est sous contrôle.

— Non, pas du tout.

— Vous en êtes convaincu ?

— Oui !

De nouveau, l'épaule de Linderman tressauta. Il sortit ses clés de voiture et me fit signe de le suivre.

La circulation à Broward était aussi imprévisible que le temps. Même si Executive Suites n'était pas loin, le trajet dura vingt minutes. Nous nous garâmes sur le parking en maugréant.

Le van de surveillance était stationné sur une place réservée aux handicapés et avait été repeint de manière à passer pour un véhicule de maintenance. Mon acolyte tapa trois coups à la porte. Elle s'ouvrit, et la tête de Saunders apparut.

— Skell n'est allé nulle part, dit Saunders en allumant une cigarette. Sa suite est en plein dans notre champ de vision et ne possède pas de fenêtre dérobée.

— Est-ce qu'il a reçu de la visite ?

— Chase Winters, le producteur de cinéma, est venu le voir il y a quinze minutes. Lui aussi est descendu à cet hôtel.

— Qu'est-ce qu'il voulait ?

— Il a apporté des affaires à Skell.

— Quelles affaires ?

Saunders secoua la tête, signe qu'il n'en savait rien.

— Vous avez filmé Winters en train de sortir de la chambre de Skell ?

L'agent spécial hocha la tête tout en exhalant un nuage de fumée pourpre.

— Il faut que je voie ça.

Nous grimpâmes à l'arrière du van. L'intérieur était équipé d'un matériel électronique sophistiqué. Un casque sur les oreilles, le partenaire de Saunders était assis devant une console.

Un pan du véhicule était entièrement recouvert de moniteurs. Saunders passa la vidéo du moment où Winters s'était rendu dans la chambre de Skell. Winters portait des vêtements de marque lâches, une casquette de base-ball et des lunettes de soleil. Un diamant brillait à son oreille.

Il serrait contre sa poitrine un carton contenant plusieurs bouteilles de champagne. A son bras pendait un sac au logo du magasin CVS.

Winters se servit de son pied pour frapper à la porte de la chambre de Skell. La porte s'ouvrit, et le visage de Skell apparut. Il regarda autour de lui, puis passa le bras autour de l'épaule de Winters et l'entraîna à l'intérieur.

La bande s'arrêta. Saunders pressa un bouton, et le moniteur revint au temps réel.

— Je veux savoir ce qu'il y avait dans le sac CVS, dis-je.

Saunders jeta un coup d'œil à Linderman, qui acquiesça.

— Bonne idée, dit-il.

Saunders appela le CVS au coin de la rue. Une minute après, il avait la réponse.

— Chase Winters a réalisé six achats avec sa carte bleue. Des rasoirs jetables, de la mousse à raser, un paquet de coton, de l'alcool, un jeu d'aiguilles à coudre et une bombe de laque noire.

Linderman se tourna vers moi.

— Qu'est-ce qu'il compte faire de tout cet attirail ?

Je secouai la tête. Il était difficile de deviner ce que Skell avait en tête.

— Le producteur de cinéma s'en va, annonça Saunders.

Sur l'écran, Chase Winters émergea de la suite de Skell. Il transportait le carton et avait baissé sa casquette sur ses yeux. Son diamant brillait toujours à son oreille.

Il se rendit dans sa propre chambre, déverrouilla la porte et disparut à l'intérieur.

Quelque chose ne tournait pas rond. Sans réfléchir, je me relevai et donnai un coup de poing dans le plafond du van. La douleur me donna la révélation.

— Repassez la bande ! m'écriai-je.

Linderman et Saunders me dévisagèrent.

— Tout de suite !

Saunders s'exécuta. Je me rapprochai de l'écran et fixai les pieds de Winters. Il portait des baskets noires qui n'allaient pas avec sa tenue. C'est alors que l'enlèvement de Shannon Dockery à Disney World me revint en mémoire. Ses ravisseurs, ignorant la pointure de la petite, avaient teinté ses chaussures au lieu de les changer.

Soudain, tout devint clair. L'homme que nous venions de voir n'était pas Chase Winters.

C'était Skell, avec les vêtements et la boucle d'oreille de Winters, chaussés de ses propres baskets, qu'il avait teintées en noir. Il s'était enfui juste sous nos yeux.

— C'est Skell ! hurlai-je.

Les agents du FBI cascadèrent du van et traversèrent le parking en courant. Armes au poing, ils enfoncèrent la porte de la chambre de Winters.

J'attendis quelques secondes, puis les suivis à l'intérieur. C'était leur show après tout, pas le mien.

Le salon était vide, en dehors d'un carton abandonné par terre. Dans la chambre, Saunders et son partenaire escaladèrent une fenêtre qui donnait sur une cour, derrière l'hôtel. Ils avaient vérifié les échappatoires de la chambre de Skell, mais pas de celle de Winters. Mon cauchemar était devenu réalité : Skell était libre.

Pendant que Saunders et son partenaire se lançaient à sa poursuite dans la cour, Linderman appuyait frénétiquement sur les touches de son téléphone pour appeler des renforts.

— Où sont les autres équipes ? demandai-je.

Linderman me regarda d'un air d'incompréhension.

— Vous avez dit qu'il y aurait trois équipes affectées à la surveillance de Skell. Où sont les deux autres ?

L'agent secoua la tête. Il n'en savait rien. Je jurai et fis mine de partir.

— Où allez-vous ?

— Dans la chambre d'à côté. Je veux voir ce qu'il a fait d'eux.

49

La porte de la chambre de Skell n'était pas fermée à clé. Pour ne pas déranger la scène du crime, je tournai la poignée en me servant d'un pan de mon t-shirt, puis poussai la porte du pied.

La pièce était plongée dans la pénombre. Je passai la tête, tout comme mon chien, qui avait escaladé le 4 x 4 pour me rejoindre. Les rideaux étant tirés, mes yeux s'habituèrent lentement à la faible luminosité. Un râle humain emplit le vide, et des ombres effrayantes se découpèrent dans l'obscurité. J'ouvris grand la porte pour laisser la lumière du jour inonder la chambre. Un nuage de fumée de cigarette flottait dans l'air, ainsi qu'une odeur ténue de champagne. Je m'emparai de mon colt et fis un pas dans la pièce.

— *Ahhhh...*

La voix était étouffée. Mon regard balaya l'espace. Dans un coin, Leonard Snook était ficelé à une chaise au moyen d'un drap. Un mouchoir était enfoncé dans sa bouche et son visage avait pris une hideuse teinte violacée. Il avait également souillé ses vêtements.

— Alors, quoi de neuf ?

— *Uhhhh.*

— Je devrais vous laisser mourir, vous le savez, n'est-ce pas ?

— *Ahhhh.*

Je lui arrachai la chaussette de sa bouche et il inspira goulûment l'air.

— Racontez-moi ce qui s'est passé.

Snook se mit à pleurnicher. Le choc était tel qu'il ne pouvait pas parler. Je donnai un coup de pied dans la chaise, le faisant sursauter.

— Mettez-vous à table.

— Il m'a obligé à *regarder*, gémit l'avocat.

— Il les a tués devant vous ?

Snook ferma les yeux, ce qui fit couler ses larmes.

— Oui.

— Le FBI avait mis la chambre sur écoute. Vous deviez vous en douter. Pourquoi n'avez-vous pas appelé de l'aide ?

— Il a dit que, si je criais, il me tuerait.

— Vous êtes un lâche.

— Détachez-moi, s'il vous plaît.

J'entendis Buster gémir devant la porte de la chambre. Délaissant Snook, je m'approchai de la porte. Puis, à l'aide de mon t-shirt, je tournai la poignée et entrai à pas prudents.

La chambre était plongée dans le noir. J'actionnai l'interrupteur, et la lumière se répandit dans la pièce. Un homme était étendu sur le lit en sous-vêtements.

Le côté gauche de sa tête était écrasé, et sa gorge, tranchée d'une oreille à l'autre. Ses yeux étaient grands ouverts, tout comme sa bouche. D'après la partie encore intacte de son visage, il s'agissait de Chase Winters.

Une bouteille de champagne brisée gisait près du corps. Skell avait dû le tuer pendant leur célébration, puis lui avait volé ses vêtements. Les blessures que Skell lui avait infligées étaient si sévères que Winters s'était vidé de son sang.

J'ordonnai à Buster de s'asseoir dans un coin, puis remarquai plusieurs feuilles de papier éparses par terre, près du lit. J'en pris une sans réfléchir pour couvrir ma main. C'était une page d'un contrat avec la Paramount pour un film sur la vie de Skell. Le titre provisoire était *Midnight Rambler.* Mon chien laissa échapper un jappement plaintif. Il sentait la mort et le désespoir, ainsi que de la folie démoniaque pure qui habitait cette chambre.

J'examinai les lieux, à la recherche de Lorna Sue Mutter. Elle n'était ni dans le placard ni sous le lit. C'est alors que je remarquai un filet de lumière sous la porte de la salle de bains. M'avançant, je frappai doucement.

— Lorna Sue ?

Rien. Je frappai de nouveau.

— Vous êtes là ?

Toujours rien. J'avais envie de croire qu'elle était encore en vie, même si j'étais certain du contraire. En dépit de notre querelle devant le siège de la police, je ne la haïssais pas. Elle avait trouvé la force d'aimer un monstre. Si plus de gens avaient fait la même chose avec Skell, il ne serait pas devenu l'homme qu'il était aujourd'hui.

— J'entre !

Pressant mon corps contre la porte, je la poussai de quelques centimètres, et Buster se glissa pour l'ouvrir encore davantage.

La salle de bains, de grande taille, contenait une douche et une baignoire. Le lavabo était maculé de poils de la barbe de Skell. Sur le sol, des boules de coton ensanglantées, qu'il avait dû utiliser pour se percer l'oreille.

Lorna Sue Mutter était immergée dans la baignoire, ses longs cheveux blonds ondulant à la surface, telle une méduse morte. Comme Winters, ses yeux et sa bouche étaient grands ouverts. J'avais entendu dire que la mort était l'aphrodisiaque ultime, mais le regard de Lorna Sue Mutter disait le contraire. C'était le regard de la trahison et de l'amour qui s'achevait dans le sang.

50

Dehors brillait un grand soleil. Une voiture de police arriva en trombe sur le parking, et deux policiers en sortirent pour se ruer dans l'hôtel. Linderman se tenait non loin de là, le téléphone collé à l'oreille, l'air dégoûté.

— Ils sont morts tous les trois ? demanda-t-il.

— Il a épargné Snook.

— On ne sait jamais quand on a besoin d'un bon avocat…

— Qui avez-vous au bout du fil ?

— J'attends la police.

La réponse à ma prochaine question était évidente ; pourtant, je la posai.

— Des nouvelles de Skell ?

— Apparemment, il a volé une voiture et s'est enfui. Dites-moi ce que vous pensez de ça.

Il sortit une photographie de sa poche et me la tendit. On voyait Melinda, allongée nue sur un lit, dans une posture provocante.

Elle affichait un sourire crispé, dents serrées.

— Saunders l'a trouvée dans la cour, derrière l'hôtel, expliqua Linderman. Il pense que Skell l'a laissée tomber dans sa fuite.

— Comment Skell l'a-t-il eue ?

— Snook a dû la lui donner.

J'examinai la photo. Melinda ressemblait à toutes les autres victimes exhibées dans la caravane de Bash. Au dos du cliché, un chiffre.

« 9 ».

La signification de ce chiffre me frappa brusquement. Je le montrai à Linderman, qui ne comprenait pas où je voulais en venir.

— Je me suis trompé, lui dis-je.

— A propos de quoi ?

— Skell n'est pas obsédé par Melinda.

— Je croyais qu'elle l'avait fait disjoncter.

Je lui désignai le 9 au dos de la photographie.

— Voilà comment le gang identifie ses victimes : par des numéros. Melinda n'est qu'un numéro comme les autres. Elle n'a pas exacerbé sa rage.

Le FBI avait donné un prix à Linderman pour ses accomplissements dans la traque des tueurs en série. Comprendre les motivations de ces tueurs était le seul moyen de les arrêter. Il me prit la photo des mains et l'étudia.

— Pourquoi Skell est-il venu à Fort Lauderdale ?

— Pour me piéger.

— Pourquoi ne laisse-t-il pas son gang s'en charger ?

— Le gang a essayé. Ils ont tué une prostituée du nom de Joy Chambers et ont voulu me faire porter le chapeau. Mais ils ont laissé tellement d'indices derrière eux que la police a compris que ce n'était pas moi le coupable.

— Donc, cette fois-ci, Skell veut s'assurer que tout se passera selon son plan.

— Oui.

L'agent hocha la tête. Puis il prit les clés de sa voiture.

— Allons-y.

— Où ?

— A la plage. Le rasta vous a dit que Jonny Perez emmenait Melinda dans une marina pour jeter son corps dans l'océan, c'est bien ça ?

— Exact. Mais le rasta ne se rappelait plus le nom de la marina.

— Votre bureau se trouve bien près d'une marina, non ?

Nous fonçâmes jusque chez Tugboat Louie's, le gyrophare tournoyant sur le tableau de bord du 4 x 4. Cette fois, la circulation était fluide. J'appelai Bobby Russo pour lui expliquer la situation. Puis je contactai Kumar pour le prévenir de la venue imminente de la police. A notre arrivée, Kumar nous attendait sur le parking. Son nœud de cravate était dénoué et il avait l'air inquiet. Deux voitures de police étaient stationnées sur le parking, gyrophares allumés.

Linderman et moi descendîmes rapidement du véhicule pour rejoindre Kumar.

— Jack ! Je suis content que tu sois là ! La police est arrivée il y a cinq minutes, comme tu me l'avais dit. Tu peux me dire ce qui se passe ?

Je lui présentai Linderman. En voyant le badge de l'agent épinglé à son revers, Kumar se renfrogna.

— Je veux vous parler d'un homme du nom de Jonny Perez, dit Linderman.

— Je connais cet homme, répondit Kumar.

— Vraiment ?

— Oh oui ! Perez a un bateau amarré ici. C'est un drôle de personnage, pour sûr.

— Quand l'avez-vous vu pour la dernière fois ?

— Il y a vingt minutes. Il est impliqué dans toute cette histoire ?

Je courus sur le parking à la recherche de la Nova volée, que je trouvai garée sur une place réservée aux personnes handicapées. Je fouillai l'intérieur, puis ouvris le coffre. Vide.

Dépité, je rejoignis Kumar et Linderman.

— Perez boitait, dit Kumar. Il avait retiré sa chemise, toute tachée dans le dos. Une belle jeune femme était avec lui, très grande, blonde. L'air complètement ivre. En marchant vers le ponton, elle a failli tomber plusieurs fois. Il était clair qu'elle aurait mieux fait de rester chez elle, dans son lit.

— Vous n'avez pas trouvé ce comportement étrange ? demanda Linderman.

— Je possède un bar. Je vois des tas de choses étranges.

— Que s'est-il passé ensuite ?

— Sur le ponton, la femme est tombée et ne s'est pas relevée. Je me suis approché pour les aider, mais un autre homme est apparu pour prêter main-forte à Perez. Ils semblaient amis ; alors, je suis parti.

— De quoi avait l'air l'autre homme ?

— Il portait une casquette de base-ball et des lunettes de soleil. Je n'ai pas bien vu son visage, mais j'ai remarqué qu'il lui manquait des doigts.

— Vous les avez vus s'éloigner en mer ?

Kumar hocha la tête.

— Perez a un Boston Whaler. C'est probablement le plus petit bateau de la marina. Je les ai vus les trois partir à son bord.

— Ils se dirigeaient vers le rivage ou vers l'océan ?

— Vers l'océan, répondit Kumar.

— Vous vous rappelez autre chose ? demanda Linderman.

Kumar se gratta le menton.

— Un truc m'a semblé bizarre.

— Quoi ?

— L'homme responsable du dock n'est pas en très bons termes avec Perez. Ils se sont querellés la dernière fois. J'ai été surpris qu'il laisse le bateau de Perez partir aussi vite.

Le responsable était un vieux renard du nom de Clyde. Il n'était pas tendre avec les peaux foncées et les accents étrangers. Je me précipitai vers le dock, me doutant des moyens de persuasion que Perez et Skell avaient employés pour lui forcer la main.

51

Le dock était une baraque en aluminium bleu et or aux allures de hangar aérien. A l'intérieur, des hors-bords étaient stockés l'un sur l'autre sur des rails métalliques, sous le plafond voûté. Un ascenseur hydraulique, servant à déplacer les bateaux, était rangé dans un coin. Habituellement, Clyde restait tranquillement assis sur sa chaise longue, à écouter de la musique country et à chiquer. La chaise de Clyde était vide, et sa radio, éteinte. Je passai le hangar en revue, à la recherche d'un indice. Comme le bâtiment n'était pas équipé de l'air conditionné, l'atmosphère était étouffante. Buster avait disparu, mais je l'entendais gémir et gratter du bois. Le bruit provenait d'un placard de rangement dans le fond.

— Brave chien, dis-je.

Je fis coulisser la porte, et la lumière inonda l'intérieur du placard. Un homme au teint brûlé gisait sur le sol, les mains plaquées sur le ventre. Une énorme tache couvrait le bas de sa chemise en coton.

— Clyde ?

— Ne me faites pas de mal, supplia-t-il.

— C'est Jack Carpenter. Où êtes-vous touché ?

— Ce bâtard de Perez m'a tiré dans le ventre.

Linderman arriva à cet instant dans le hangar. Ensemble, nous dégageâmes Clyde du placard en le tirant par les chevilles. L'agent du FBI examina la blessure de Clyde pendant que je composais le 911.

— Jack, il va bien.

— Comment pourrait-il aller bien ?

Linderman me tendit une flasque métallique qu'il avait dégotée dans le pantalon de Clyde. Elle était percée d'un trou de balle. La portant à mes narines, je sentis une puissante odeur de rhum. Clyde massa tendrement son ventre.

— Sacré veinard ! lui dis-je.

Linderman appela le bureau du FBI de Broward et demanda l'envoi d'une vedette à l'embouchure du canal où se trouvait le ponton de Tugboat Louie's. Le FBI, responsable des investigations criminelles des eaux à douze miles de la côte, avait toujours une vedette disponible et une équipe prête à intervenir vingt-quatre heures sur vingt-quatre dans les environs de Port Everglades. C'était notre meilleure chance de coincer Perez. Quittant le hangar, l'agent et moi attendîmes l'arrivée de la vedette. Kumar vint nous rejoindre et m'attira à l'écart, à l'ombre du bâtiment.

— Jack, tu veux bien m'expliquer ce qui se passe ?

D'habitude, je ne parlais jamais d'une enquête en cours, mais Kumar était un ami et je ne pouvais pas le laisser dans le noir.

— L'homme que tu as vu avec Perez est Simon Skell, le Tueur de minuit. La femme a été kidnappée. Ils vont l'emmener au large et la jeter par-dessus bord.

— Et je les ai laissés s'enfuir…

— Tu as fait ce que tu as pu.

— Non, ce n'est pas vrai. Il y a une chose que je n'ai pas dite devant ton ami du FBI.

— Quoi ?

— Ces six derniers mois, Perez a sorti son bateau plusieurs fois, toujours tard dans la nuit. Plusieurs employés l'ont vu et ont trouvé ça louche.

— Combien de fois est-il sorti, dis-tu ?

— Six ou sept fois.

— Tu l'as vu ?

— Une fois. Il y avait une forte tempête. Je l'ai observé depuis la fenêtre de mon bureau. Perez a retiré un sac de son van et l'a transporté dans son bateau. Ça avait l'air lourd.

Je repensai aux congélateurs vides dans la remise de la maison de Perez. Voilà six mois qu'il venait ici, prenait son bateau et jetait les corps à la mer.

— Bon sang, murmurai-je, sous le choc.

Les épaules basses, Kumar regagna le bar en maugréant dans sa barbe. Je savais que ces faits lui pèseraient longtemps sur la conscience.

Quinze interminables minutes plus tard, la vedette accosta le ponton de Tugboat Louie's, et le capitaine bondit sur la terre ferme. Agé d'une cinquantaine d'années, l'homme mince, au visage barbouillé de crème solaire, telles des peintures de guerre, expliqua que son équipe venait de sillonner la zone du nord au sud sans repérer le bateau de Perez.

— L'océan est agité, il y a une alerte météo jusqu'à ce soir, précisa le capitaine. A mon avis, Perez se cache dans les mangroves. Quand la mer sera plus calme, il se débarrassera de sa victime. Cela nous aiderait dans nos recherches si nous avions une description du bateau.

Clyde s'avança. Il avait revêtu une chemise propre et semblait impatient d'oublier l'incident de la flasque. Il fit la description du bateau au capitaine. Quand il eut terminé, le capitaine lui demanda de se répéter. Il s'agissait d'une technique d'interrogatoire classique : la deuxième fois, la description de Clyde fut plus détaillée, allant jusqu'à la peinture écaillée et le moteur Honda crachotant.

— Autre chose que vous voudriez ajouter ? demanda le capitaine quand Clyde eut terminé.

— L'Hispanique sur le bateau a des tendances suicidaires, dis-je.

— C’est bon à savoir, répondit le capitaine.

Il sauta dans la vedette et s’éloigna à vive allure. Resté sur le ponton, j’écoutai l’écho du moteur dans la marina.

— Qu’est-ce qu’on fait maintenant ?

— On attend, répondit Linderman.

— Je ne suis pas doué pour ça.

Linderman me donna une claque dans le dos. Il me faisait penser à un entraîneur qui cherchait à remonter le moral de ses joueurs dans une passe difficile.

— Gardez la foi, Jack.

Retournant au bar, je comptai mes pas entre le dock et le bar. Il y en avait exactement cent vingt. Un nombre que je n’oublierais jamais. Cent vingt pas de mon bureau au bateau qui se débarrassait des corps que je cherchais depuis six mois.

Dieu était cruel.

— J’ai besoin d’un café, soupira Linderman.

A l’intérieur du bar, la présence des policiers avait fait fuir la majorité des clients, et *Addicted to Love*, de Robert Palmer, emplissait la salle déserte. Prenant une chaise, j’attendis le serveur. Mon sentiment d’impuissance ne faisait qu’augmenter. Je devais agir avant de m’arracher les cheveux et rendre tout le monde fou autour de moi.

Buster était assis à mes pieds, pantelant. Je lui grattai la tête. J’avais lu quelque part que cela calmait les chiens et me demandai si cela pouvait avoir le même effet sur moi. A cet instant, j’aurais tenté n’importe quoi.

— Jack ! Jack ! cria une voix familière.

Levant les yeux, je vis Kumar au pied de l’escalier derrière le bar.

— Qu’y a-t-il ?

— Je sais où ils emmènent la jeune fille ! dit-il avec enthousiasme.

52

Le grincement de ma chaise fit sursauter Buster.

— Vraiment ? Comment le sais-tu ?

— Je me suis servi d'une carte maritime. Venez avec moi à l'étage, je vais vous montrer.

Nous suivîmes Kumar dans son bureau. Une grande carte maritime était affichée au mur. Elle servait à la navigation et montrait les côtes et la profondeur des eaux.

A l'aide d'un stylo, Kumar se mit à dessiner des traits sur la carte.

— Voilà ma théorie, expliqua-t-il. Le moteur du bateau de Perez n'est pas très puissant, à peine cent chevaux. Même en mer calme, il ne peut aller très loin sans risquer de chavirer. Il est donc probable qu'il reste près de la côte pour se débarrasser de la jeune fille. Il a sûrement choisi une zone profonde, que l'on peut trouver sur une carte de pêche ou une carte maritime comme celle-ci.

— Les poissons aiment les zones profondes ? demanda Linderman.

— Oh oui ! Ce sont des endroits sûrs pour la reproduction.

Kumar traça trois lignes sur la carte. Chaque ligne partait de sa marina, passait par le canal et se terminait au large. Une fois dans l'océan, les lignes allaient dans des directions différentes. L'un se dirigeait vers le nord, l'autre vers le sud, la dernière vers l'est. Aucune n'allait très loin.

Alors que je fixais ces lignes, mon cœur s'emballa. Celle qui partait vers le sud aboutissait à un point dans l'océan que je connaissais mieux que n'importe quel pêcheur de l'Etat. Au nord de Dania Beach, à quelques pas du Sunset. Si je n'avais pas été aussi épuisé, je l'aurais deviné bien avant.

Perez et Skell allaient noyer Melinda dans les eaux où je nageais tous les jours.

Linderman fonça sur Dania Beach Boulevard et vola pratiquement sur le pont. Il s'arrêta devant le Sunset dans un crissement de pneus et je bondis du véhicule avec mon chien.

— Je reviens tout de suite ! m'écriai-je.

Gagnant ma chambre en courant, j'enfilai ma tenue de plongée. Puis je fourrai mon colt et des jumelles dans mon sac de plongée avant de me ruer vers la porte. Buster avait grimpé sur mon lit et s'était effondré.

Descendant les marches quatre à quatre, j'entrai dans le bar, où je vis Sonny et les sept nains dans un rare moment de sobriété. Occupés à boire du café et manger des beignets, ils me dévisagèrent comme s'ils avaient vu un revenant.

— Où diable étais-tu passé ? demanda Sonny.

— Parti en voyage. Pourquoi ?

— On s'est inquiétés, mec.

Cette bande ne s'inquiétait pour personne. Puis les paroles de Sonny me frappèrent. Le barman et les sept nains avaient eu peur que j'aie mis fin à mes jours.

— Je vais bien. Ecoutez, j'ai besoin de votre aide.

Whitey bondit de son tabouret et fit le salut militaire.

— Aide est mon deuxième prénom, capitaine !

Je pris mes jumelles dans mon sac et les lui confiai.

— Poste-toi à la fenêtre et cherche au nord un Boston Whaler. Avec deux hommes à bord. L'un est hispanique et blessé. L'autre fait environ ma taille et a des cheveux blonds de surfeur. Il y a une magnifique blonde avec eux qui doit être droguée ou inconsciente.

Whitey se campa devant la fenêtre et scruta l'horizon dans les jumelles.

— Que vont-ils faire ?

— Jeter la femme à la mer.

— Oh ! mon Dieu ! s'exclama Whitey.

Je retrouvai Linderman sur la berge, occupé à parler au capitaine de la vedette du FBI sur son téléphone portable. Je l'entendis demander au capitaine de revenir vers la pointe nord de Dania Beach. Ajustant mon masque et chaussant mes palmes, je jetai mon sac sur l'épaule et entrai dans l'eau.

— Où croyez-vous aller comme ça ? s'écria Linderman après avoir terminé son appel.

— Là-bas.

— Ne faites pas ça, Jack. Si Perez vous voit, il vous abattra comme un canard.

Une vague s'écrasa sur mes jambes et je sentis l'attraction irrésistible de l'océan.

— J'ai une arme dans mon sac, répondis-je.

— Vous avez déjà essayé de tirer en mer ? Ce n'est pas possible.

Je fixai les flots avec un sentiment d'impuissance.

— Je ne peux pas rester ici à attendre.

— Jack, j'en ai assez de vos conneries. Je vous ordonne de rester où vous êtes. Si vous n'obéissez pas, je vais venir vous chercher et sortir votre cul de l'eau moi-même. Suis-je bien clair ?

J'avais le don de pousser les gens à bout. Linderman avait atteint ses limites et, las, je reposai mon sac par terre à contrecœur.

Puis je me laissai tomber sur la plage. Trente secondes plus tard, Whitey apparut sur le seuil du bar et nous fit de grands signes.

— J'ai repéré le bateau ! cria-t-il. J'ai repéré le bateau !

Je me remis sur pied d'un bond.

— Tu en es sûr ?

— Positif, capitaine. Il vient du nord et a deux hommes à son bord. Un autre bateau le pourchasse.

Sans perdre une seconde, je criai à Linderman d'aller en enfer et plongeai dans l'océan.

53

Je nageai avec une puissance que je ne me connaissais pas. Passant le Sunset, je fixai mon regard sur le nord. A quelques dizaines de mètres de là, un bateau fonçait vers moi, avec Jonny Perez à la barre.

Face au soleil aveuglant, il était forcé de plisser les yeux. Des mouches hargneuses tournoyaient autour de lui, attaquant ses blessures. Il souffrait ; pourtant, il maintenait le cap avec détermination.

Skell se trouvait à la proue, torse nu. Sa peau était d'un blanc laiteux, son torse, mince et sec. Il s'était fait faire plusieurs tatouages durant son séjour en prison, tous de couleurs vives. De loin, on aurait dit des cicatrices.

Skell criait après Perez, lui ordonnant d'aller plus vite. Sa voix nasillarde donnait l'impression qu'il s'égosillait. Sa rage sociopathique était à son paroxysme. Grâce à mes palmes, je fendais aisément les eaux.

Leur embarcation était en plein dans mon champ de vision, mais ils ne regardaient pas dans ma direction. Derrière eux, la vedette du FBI se rapprochait à vive allure.

— C'est là ! lança Perez.

— Tu en es sûr ? répondit Skell.

— Ouais, mec.

— Alors, allons-y.

Perez stoppa le moteur, et le bateau s'immobilisa.

Se penchant, Skell se releva avec Melinda dans ses bras. Elle avait l'air morte, il était trop tard, me dis-je avec angoisse. Puis ses doigts frémirent, telles des ailes de papillon. Ce mouvement me toucha en plein cœur, et j'accélérai le rythme.

Une explosion déchira l'air. La vedette se trouvait à cent mètres de nous, et un homme se tenait à la proue, un porte-voix à la main.

— Ici le FBI, déclara la voix de l'homme. Arrêtez-vous et levez les mains en l'air.

— Couvre-moi, dit Skell.

Perez extirpa un pistolet de sa ceinture, puis mit la vedette en joue.

— Je répète : arrêtez-vous immédiatement !

— Allez vous faire foutre ! hurla Perez.

Sur la vedette, un autre homme en tenue du FBI apparut, un fusil à la main. Il le pointa vers Perez et fit feu. Le tir se termina dans l'eau.

Perez agrippa son propre bras, puis tomba en se cognant au bateau.

— Posez la femme ! ordonna l'homme dans le porte-voix.

Je me trouvais à cinq mètres du bateau. Connaissant Skell, je savais qu'il n'allait pas obtempérer. Tuer était sa raison de vivre, et cet homme hanterait longtemps ma mémoire, même après sa disparition.

Avec un cri de défi, il jeta Melinda dans les flots.

Plongeant sous le bateau, je vis Melinda couler. Son corps semblait immatériel, presque poétique.

En touchant le sol, elle glissa derrière un mur de corail et disparut de mon champ de vision.

Je me propulsai vers elle. Jamais je n'avais plongé dans des eaux aussi profondes et je n'étais pas en terrain connu. Cette idée était dérangeante. Je repensai alors à Melinda, à son témoignage au procès de Skell, au courage qu'il lui avait fallu pour prendre cette voie.

Je lui devais bien cela.

Une ombre apparut au-dessus de moi. Pensant qu'il s'agissait de la vedette du FBI, je levai les yeux et compris mon erreur. C'était Skell, qui en avait après moi.

Skell s'était débarrassé du reste de ses vêtements et était nu. La démence habitait toujours son regard. Serré dans sa main, un couteau pour évider les poissons. Il s'en servit pour trancher l'eau comme dans un combat de rue.

En une seconde, il était sur moi. Je battis en retraite en quelques coups de palmes et maintins une distance de sécurité entre nous. Il s'arrêta au-dessus de l'endroit où Melinda avait disparu et fit du sur-place.

Je compris immédiatement sa tactique. Skell ne bougerait pas d'un iota. Ou j'engageais la lutte ou je restais en retrait et laissais Melinda se noyer.

Deux choix, donc.

Je fonçai sur lui.

L'effet de surprise était à mon avantage. Agrippant son poignet d'une main, je lui donnai un coup de poing de l'autre. Cela dut lui faire mal, car j'entendis son cri même sous l'eau.

Puis Skell me donna un coup de couteau. L'entaille n'était pas profonde, simplement une coupure sur l'avant-bras gauche. Mais le filet de sang qui s'en échappa me mit aussitôt en alerte. La teinte rouge sombre de l'eau m'annonçait que j'avais des ennuis.

De nouveau, je battis en retraite.

Skell ne bougeait toujours pas. Je devais de nouveau l'attaquer, quand je sentis un puissant courant dans mon dos. C'était la sensation que tous les plongeurs redoutaient.

Un énorme poisson louvoyait derrière moi.

Je me figeai quand le requin-citron mâle me frôla. Il pesait au moins cent cinquante kilos. Le requin nous étudiait, comme l'avait fait la bande de requins-citrons l'autre jour. Posant ma main sur son flanc, je le guidai vers Skell.

Le visage de Skell s'assombrit. Il ne comprenait pas que le requin n'avait pas l'intention de l'attaquer et se contentait de veiller sur le sol de l'océan. Il ne savait pas qu'il ne représentait aucun danger immédiat. Quand le requin fut à portée de sa main, il planta son couteau dans son flanc.

Un coup violent, suivi d'une explosion de sang et de bulles. Je plongeai pour m'écarter de l'animal et le regardai couler.

Me redressant, j'observai Skell à travers mon masque. Toujours immobile, mon adversaire serrait son couteau maculé de chairs de requin. Il en prit un morceau et le mit dans sa bouche. Puis il se mit à mâcher.

De nouveau, je sentis un courant fort dans mon dos. Le requin-citron blessé me dépassa en un éclair et prit la tête de Skell dans ses puissantes mâchoires. La démence du regard de Skell se mua en une expression de pure terreur. Il se débattit violemment, mais fut incapable de se libérer.

Mes poumons étant sur le point d'exploser, je me propulsai à la surface. Une seconde avant de gagner l'air libre, je tendis l'oreille et crus entendre Skell crier.

54

L'air ne m'avait jamais semblé aussi doux. La vedette du FBI était garée près du bateau de Perez. Deux hommes en combinaison de plongée et tuba étaient sur le pont, prêts à fendre les eaux.

— Par ici ! criai-je.

Ils sautèrent dans l'eau et me rejoignirent lestement.

— Où est le type qui a jeté la fille dans l'eau ? demanda l'un des plongeurs.

— Mort.

— Et la fille ?

— Suivez-moi, je vais vous montrer.

Je les entraînai vers le mur de corail et pointai l'endroit où j'avais vu Melinda disparaître. Les plongeurs me dépassèrent sans effort. Posté près du mur, j'attendis leur verdict. La pression était si forte que ma tête se mit à bourdonner. Après ce qui me parut une éternité, les plongeurs remontèrent, Melinda dans leurs bras. Avec ses cheveux blonds qui flottaient tout autour d'elle, on aurait dit une sirène. Je fis une prière silencieuse quand elle passa devant moi.

L'un des plongeurs s'arrêta pour me faire un signe de tête en direction du fond de l'océan. Un simple signe de tête, que je ne compris pas. Je remontai à leur suite, quand le même plongeur fit une nouvelle halte pour me faire de nouveau signe. A travers son masque, je lus de la douleur dans son regard. Replongeant vers le mur de corail, je progressai lentement vers le fond. D'abord, je vis la bande de requins-citrons qui nageaient en contrebas, puis la proue d'un bateau couvert d'une fine couche de vase. Quand le limon se déplaça avec le courant, d'autres contours apparurent. Ma gorge se noua quand je compris ce que le plongeur avait vu : les corps en décomposition de Chantel, Maggie, Carmen, Jen, Krista, Brie et Lola, toutes lestées de poids de plombs autour des poignets et des chevilles.

Elles reposaient si près l'une de l'autre qu'elles auraient pu former un cercle si elles avaient été vivantes. Perez avait jeté leurs corps à cet endroit pour me piéger et je repensai à toutes les fois où j'avais nagé dans ces eaux au cours de ces six derniers mois. Une fois par jour, parfois plus. Peut-être que Rose avait raison. Peut-être que leurs esprits étaient attachés à moi, par un lien aussi puissant que leur désir de vengeance. Voilà pourquoi je ne pouvais pas renoncer à ma mission.

Une minute plus tard, je me trouvais sur la vedette avec l'équipage, en train d'observer les deux médecins qui tentaient de ramener Melinda à la vie.

Une machine appelée AutoPulse pompait mécaniquement de l'air dans ses poumons remplis d'eau. Son visage était d'un bleu fantomatique et elle avait plus l'air d'appartenir à l'autre monde qu'à celui des vivants.

Le bateau de Perez barbotait non loin de là. Perez était tombé à l'eau, et l'équipage était presque certain que les requins s'étaient chargés de lui. Je ne serais pas heureux tant que son corps ne serait pas retrouvé ; aussi demandai-je aux agents de poursuivre leurs recherches.

— Vous la connaissez ? demanda l'un des médecins.

— Oui.

— Alors, parlez-lui. Elle a besoin de toute l'aide possible.

Je m'agenouillai et approchai mes lèvres de l'oreille de

Melinda. Il était difficile de parler à une personne qui avait l'air morte. Pourtant, je fis une tentative. Je lui dis que, si elle ne se remettait pas à respirer, je ne lui parlerais plus jamais. Je lui dis de se battre. Je lui dis tout ce qui me passait par la tête.

— Continuez, me dit le médecin d'un ton encourageant.

Je parlai et parlai encore. Des paillettes rosées apparurent sur ses joues diaphanes.

— Elle revient ! s'écria le médecin.

Nous nous penchâmes tous vers elle. Tel un oisillon sortant de sa coquille, elle revint à la vie. Sa première respiration fut un violent hoquet. Puis elle se remit à respirer normalement. Elle avait l'air de voir le monde pour la première fois. L'équipage applaudit.

Je vis un mouvement dans l'eau et jetai un coup d'œil de biais. Les deux plongeurs étaient remontés. Dépités, ils secouèrent la tête.

— Jack, c'est toi ? demanda Melinda.

Je me tournai vers elle.

— Salut.

— C'est la réalité ?

— Que veux-tu dire ?

Je suis morte ou bien c'est la réalité ?

— Tu es vivante. C'est la réalité.

— Ils sont partis ?

— Oui.

Elle baissa la voix.

— Je suis en sécurité ?

Je regardai brièvement le bateau de Perez. Je n'avais pas le cœur de lui dire que son corps n'avait pas été retrouvé. Mieux valait la laisser profiter de sa joie, même de courte durée.

— Oui, Melinda, tu es en sécurité.

55

Le cimetière du Queen of Heaven, au nord de Fort Lauderdale, était un endroit spécial pour moi. Mes deux parents y étaient enterrés, ainsi que ma sœur. Aussi m'avait-il paru censé d'y enterrer les victimes de Skell.

Dans un costume noir que j'avais acheté dans une friperie la veille, je regardai les sept corps que j'avais trouvés dans l'océan. On les descendait dans la terre fraîchement retournée. Avec ce qui me restait d'argent, ainsi qu'une vieille carte de crédit, j'avais acheté sept cercueils et sept pierres tombales. Je ne savais toujours pas comment j'allais payer la note, mais cela n'avait pas vraiment d'importance. C'était la seule manière de leur dire au revoir décemment.

Rose et Jessie se tenaient près de moi, avec des fleurs coupées qu'elles disposeraient sur les tombes.

Quelques jours auparavant, elles étaient apparues sur le pas de ma porte et m'avaient proposé leur aide. Je ne m'en serais jamais sorti sans elles.

Quand le dernier cercueil toucha le sol, Rose me tendit une bible et je lus un passage des Psaumes à propos de l'amour éternel de Dieu et du pardon. C'était ces mêmes passages que j'avais lus à l'enterrement de mes parents et de ma sœur. A mesure que je parlais, des larmes tachaient la page où étaient inscrits ces mots.

Enfin, je refermai la bible et baissai la tête. Puis le fossoyeur recouvrit la fosse de terre, et tout fut terminé.

Ma femme et ma fille glissèrent leur bras sous le mien, et ensemble nous regagnâmes lentement ma voiture. C'était une magnifique matinée. L'air était frais, le ciel, sans nuages, d'un bleu étincelant. Je tentai d'y puiser un peu de réconfort.

— Jack, cette femme nous observe, murmura Rose.

Je me tournai vers l'allée de gravillons. Derrière une pierre tombale, à cinq mètres de nous, une femme de type hispanique tenait un bouquet de fleurs fanées. Vêtue d'une robe noire, d'un chapeau noir et les yeux masqués par des lunettes noires, elle semblait en deuil. Peut-être connaissait-elle l'une des victimes, pensai-je, ou bien était-elle apparentée à l'une d'elles. Elle jeta un bref coup d'œil à ma femme et ma fille, puis s'éloigna abruptement, faisant claquer bruyamment ses talons dans l'allée.

— Quel manque de délicatesse ! dit ma femme.

— C'est peut-être l'un de ces journalistes fourbes déguisés, suggéra ma fille.

Nous poursuivîmes notre chemin. J'avais été contacté par des dizaines de journalistes ces dernières semaines. Tous voulaient mon histoire. J'avais aussi eu des nouvelles de Bobby Russo, qui m'avait laissé entendre qu'un certain poste dans le Département de la police m'attendait, si jamais je voulais reprendre du service. Tout le monde me réclamait, ce qui ne me faisait pas particulièrement plaisir.

Ces mêmes personnes avaient aidé Skell à sortir de prison et je ne voulais rien avoir à faire avec eux.

Lorsque nous fûmes parvenus au parking, je trouvai Buster endormi côté conducteur. Quand j'ouvris la portière, il me sauta dessus en agitant furieusement la queue.

— Papa, on a laissé quelque chose pour toi, dit ma fille.

Sous un essuie-glace avaient été glissées une enveloppe et une fleur fanée. Je les récupérai et cherchai une poubelle des yeux.

— Tu n'ouvres pas l'enveloppe ? demanda ma fille.

— Non.

— Mais ça pourrait être important.

Je lui donnai l'enveloppe.

— Ouvre-la si tu veux.

Jessie déchira l'enveloppe et en extirpa une cassette audio.

— Je croyais que ces trucs-là n'existaient plus, dit-elle.

Les lecteurs de cassette n'existaient plus, excepté dans ma voiture. Une fois le moteur en route, je glissai la cassette dans le lecteur et nous prêtâmes tous trois l'oreille. Au début de la bande, il n'y avait rien en dehors d'un grésillement. Puis un air d'harmonica s'éleva, suivi de la voix jeune et rauque de Mick Jagger. Ensuite, la musique commença.

— C'est quoi ce truc ? demanda Jessie.

Un couteau invisible se coula sous ma gorge. Scrutant les rangées infinies de pierres tombales à l'horizon, je cherchai la femme hispanique habillée en noir, qui n'était en rien une femme, mais un vieil ennemi décidé à me traquer.

C'étaient les premières notes de *Midnight Rambler*.

La version live.

Remerciements

Je voudrais remercier chaleureusement toutes les personnes qui m'ont soutenu durant l'écriture de ce livre : Shane James, Ed Jones, Christine Kling, Shawn Redmond et l'indispensable Fred Rea.

Un merci tout particulier aux gens de Ballantine Books, qui me soutiennent dans tous mes projets. Merci à Gina Centrello, Dana Isaacson, Elizabeth McGuire et mon incroyable éditrice Linda Marrow.

Au cours des premières étapes de ce manuscrit, plusieurs personnes m'ont fait des suggestions qui m'ont aidé à construire le récit. J'ai une dette envers eux. Merci à mon épouse Laura ; mon agent Chris Calhoun et son extraordinaire éditeur Dong Won Song.

Par-dessus tout, je remercie Andrew Vita, les consultants de Team Adam pour le Centre national des enfants disparus et exploités, et l'ancien directeur adjoint du Bureau of Alcohol, Tobacco and Firearms. Sans leur aide, ce livre n'aurait jamais vu le jour.

Chez le même éditeur

La conspiration Carson

Eric Van Lustbader

Son nom est Jack McClure, agent fédéral. Sa vie a volé en éclats lorsque sa fille est décédée dans un terrible accident. Un jour, il reçoit un appel à l'aide d'Edward Carson, le futur président des Etats-Unis.

A un mois de l'investiture officielle, sa fille Alli vient d'être enlevée. Sur l'insistance de Carson, l'enquête est confiée à Jack dont la défunte fille était la meilleure amie d'Alli. L'agent fédéral se lance à corps perdu dans cette enquête et il comprend vite que certaines personnes ne souhaitent vraiment pas qu'il réussisse.

Entre fondamentalistes religieux et groupes de terroristes, Jack tente de retrouver la trace d'un homme dangereux, à l'esprit froid comme l'acier et à la détermination sans faille. Un homme qui, dans l'ombre, tire toutes les ficelles…

Enjeux politiques internationaux et conspiration pour le pouvoir : le nouveau best-seller d'Eric Van Lustbader.

ISBN : 978-2-35288-555-9